의사국가고시 | 레지던트시험 | 전문의시험 | 준비를 위한

HANDBOOK
POWER
Urology

KB175090

POWER
MANUAL
SERIES

비뇨의학과

군자출판사

Power 비뇨의학과 (핸드북)

첫째판 1쇄 인쇄 | 2018 년 7 월 23 일
첫째판 1쇄 발행 | 2018 년 7 월 30 일

감　　　수 | 이구치 마사노리
번　　　역 | 군자출판사 학술국
발　행　인 | 장주연
출 판 기 획 | 이성재
편　　　집 | 송하룡
편집디자인 | 주은미
표지디자인 | 김재옥
발　행　처 | 군자출판사 (주)
　　　　　　등록 제 4-139 호 (1991. 6. 24)
　　　　　　본사 (10881) **파주출판단지** 경기도 파주시 회동길 338(서패동 474-1)
　　　　　　전화 (031) 943-1888 팩스 (031) 955-9545
　　　　　　홈페이지 | www.koonja.co.kr

HINYOKIKA supervised by Masanori Iguchi
Copyright ⓒ KAIBASHOBO INC,2015
All rights reserved.
Original Japanese edition published by KAIBASHOBO INC., Tokyo.

This Korean language edition published by arrangement with KAIBASHOBO INC,, Tokyo in care of
Tuttle-Mori Agency, Inc,, Tokyo through A,F,C, LITERARY AGENCY, Seoul

ISBN　979-11-5955-336-3
정가　18,000원

머리말

1946년에 시작된 의사국가시험은 이후 의사의 필요에 따라서 시험양식이 다양하게 변경되어 오늘날에 이르렀습니다. 최근 후생노동성의 최신 가이드라인에 따르면 '임상실습에서의 학습 성과를 확인하는' 항목이 새로 추가되었습니다. 질환을 과별로 평가하는 것이 아니라 교차 평가하는 능력을 임상에서 기르기 위한 것이라 판단됩니다. 그 때문인지 무슨 과의 의사가 출제한 것인지 알 수 없는 문제가 많은 것 같습니다. 예를 들면, '복통'에 관한 문제가 대표적입니다. 내과적 복통(담석, 췌장염 또는 심근경색 등), 비뇨기과적 복통(요로결석, 신경색, 신장의 외상 등), 부인과적 복통(난소낭종의 줄기염전 등) 등 여러 가지 복통이 있지만, 통합적인 지식이 없으면 대응하기 힘들 것입니다. '내과적 복통이 아닙니다.' '비뇨기과적 복통이 아닙니다.'와 같은 말을 들으며 각 과를 차례대로 돌아다니는 동안에 환자가 죽게 될 수도 있습니다. 그렇기에 편집자는 가까운 장래 '치료는 가능하지만 진단은 불가능한 의사'가 느는 것이 아닐까 불안합니다.

현재 수험생 여러분에게 요구되는 것은, 단순히 의사국가시험에 합격하기 위한 지식을 통째로 암기하는 것이 아닙니다. 의사가 되어도 평생 사용할 수 있는 폭넓은 각 과의 의학지식을 몸에 익히는 것이라고 생각합니다.

본서는 '학생이 의사국가시험에 합격하기 위해서 참고서로 사용하는 서적'이라는 생각으로 작성했습니다. 그래서 출간되고 있는 다수의 교과서처럼 모든 항목을 같은 무게로 망라하지 않았습니다. 의사국가시험에 합격한다는 것은 설령 비뇨기과학을 전공하지 않았어도 의사라면 이 정도의 내용은 기본지식으로서 알아두어야 한다는 뜻입니다. 그렇기에 본서는 의사국가시험에 합격하기 위해 필요한 항목을 중심으로 해설하였습니다. 따라서 다른 교과서와 비교하였을 때, 내용적으로 다소 얕거나 부족한 곳이 있지만, 주요 항목에서는 이해하기 쉬운 해설이나 표현을 목표로 하였습니다. 또한, 본서는 그 전신인 STEP 비뇨기과 3판까지의 독자 의견을 참고로 하여 도표를 다수 채용하여서 읽고 이해하기 쉽게 한층 힘을 더 쏟았습니다.

본서를 의사국가시험에 이용한 수험생 중에 한 사람이라도 더 많이 비뇨기과학에 흥미를 갖게 되고 본서를 읽은 것을 계기로 비뇨기과학을 전공하고자 한다면 편집자로서 더없는 기쁨이겠습니다.

2015년 8월
이구치 마사노리

● **감수자 약력**

김기경 M.D., Ph.D.

한림대학교 의과대학 강남성심병원 비뇨의학과 교수 역임
경희대학교 의과대학 의학과 졸업
경희대학교 대학원 의학과(석·박사) 졸업
경희대학교의료원 인턴·전공의(비뇨기과)
대한비뇨기과학회 회원
미국 University of Washington, Children's Hospital and Medical Center 연수

「비뇨기과학」 공저
「강남성심병원 30년사」 편찬
「비뇨의학」 출간

컬러
권두화

【이 책의 이용법】

● STEP

 해당 항목에서 확실히 정리해 두어야 하는 핵심사항입니다. 반드시 암기하십시오.

● 펜라이트

해당 항목에서 지금까지 해설하는 내용의 서문이며, 길잡이이기도 합니다.

● 본문 속의 색 문자와 고딕체 문자

붉은색 글씨는 과거 10여 차례 의사국가시험에 출제되었거나 문제의 병력에 기재되어 있던 사항입니다. 굵은 글씨는 의대생이 익혀두어야 할 중요사항이며 추후, 의사국가시험에 출제될 가능성이 큰 것입니다.

● 각주

* '어! 이게 뭐였지?'라고 생각하며 다른 책을 찾아보는 시간을 줄이기 위해서 부가하였습니다. 이 책은 one stop service를 목표로 하고 있습니다.

● 참고

참고

반드시 필요한 것은 아니지만, 알아두면 좋은 내용을 기재했습니다.

● 정상 신장의 CT에 의한 3차원 해석 ☞ p.52

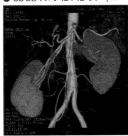
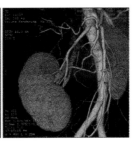

● 요관류탈 ☞ p.93

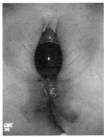

● 귀두포피염(소아) ☞ p.121

● 임균(Löffler염색) ☞ p.125

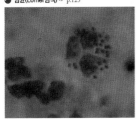

● 뾰족콘딜로마의 외음부(103-D-42) ☞ p.126

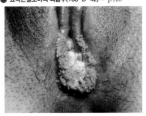

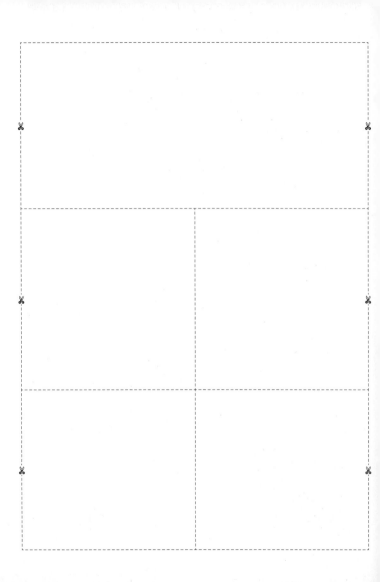

● 요중 트리코모나스 ☞ p.129

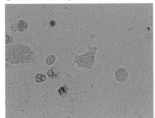

● 육주 형성의 방광경소견 ☞ p.135

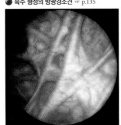

● 사슴뿔석 ☞ p.143

● 방광결석의 방광경소견 ☞ p.151

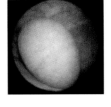

● 방광류의 질구부 ☞ p.170

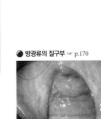

● 신세포암의 적출표본(단면) ☞ p.177

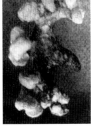

● 신우요관종양의 적출표본(단면) ☞ p.183

● 요관종양의 적출표본(단면) ☞ p.184

● 방광암의 방광경소견 ☞ p.188

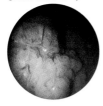

● 전립선비대증의 적출표본 ☞ p.199

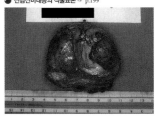

● 정상피종의 HE염색표본(99-Ⅰ-29) ☞ p.209

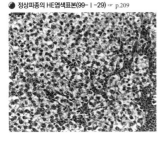

● 우측고환종양 ☞ p.211

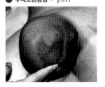

● 고환종양의 적출표본(단면) ☞ p.212

● 요도종양(여성) ☞ p.214

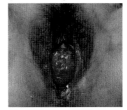

● 요도 카룬클(여성) ☞ p.215

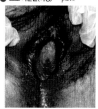

● 음경암 ☞ p.216

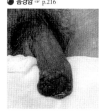

● 음경전절제술을 한 음경암 ☞ p.217

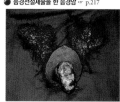

● 신혈관성 고혈압증의 복부 CTA (104-A-24) ☞ p.220

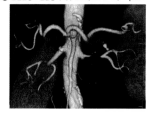

● Cushing증후군에 의한 피부선조(97-A-51) ☞ p.243

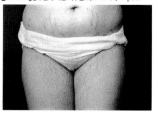

● 선천성 부신피질과형성증 외음부(103-Ⅰ-41) ☞ p.255

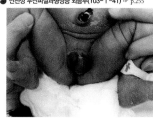

● 신장손상으로 부분절제한 적출표본 ☞ p.262

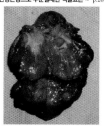

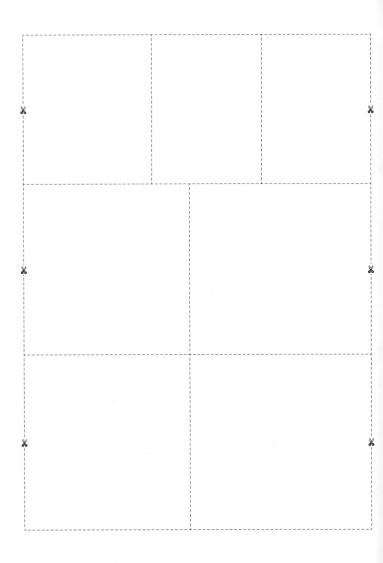

● **음낭수종** ☞ p.272

● **고환꼬임의 음낭의 파워 도플러초음파영상(107-D-41)** ☞ p.275

우측음낭
(환측)

좌측음낭
(정상)

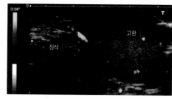

● **음경지속발기증** ☞ p.276

● **요도협착의 요도경소견** ☞ p.280

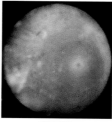

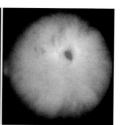

멀리서 본 모습   가까이에서 본 모습

● **경요도적 전립선절제술의 요도경소견** ☞ p.282

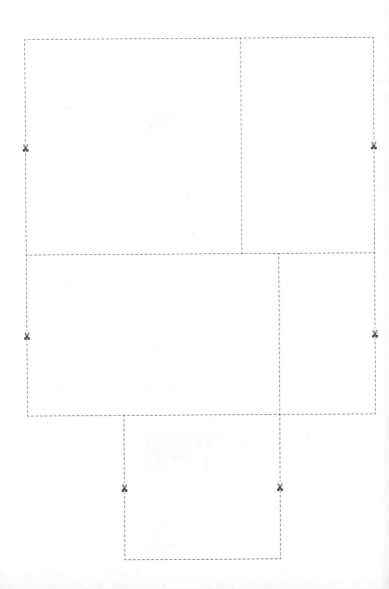

차례

총론

제1장

해부 · 생리
anatomy and physiology

A 신장, 부신, 요관

STEP 신장, 부신, 요관은 모두 후복막강 장기

우선, 신장, 부신, 요관의 위치관계는 그림1과 같습니다.

그림1 신장, 부신, 요관의 위치관계와 부신의 구조

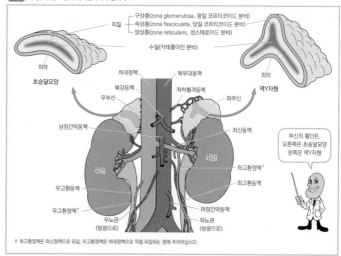

피질 ── 구상층(zona glomerulosa, 광질 코르티코이드 분비)
      ── 속상층(zona fasciculata, 당질 코르티코이드 분비)
      ── 망상층(zona reticularis, 성스테로이드 분비)

수질(카테콜아민 분비)

피막

초승달모양

우부신

하대정맥
복강동맥
좌하횡격동맥
복부대동맥

좌부신

피막

역Y자형

상장간막동맥

좌신동맥

좌신

우신

좌고환정맥†

좌고환동맥

우고환동맥

우고환정맥†

하장간막동맥

우뇨관
(방광으로)

좌뇨관
(방광으로)

> 부신의 횡단은,
> 오른쪽은 초승달모양
> 왼쪽은 역Y자형

† 좌고환정맥은 좌신정맥으로 유입, 우고환정맥은 하대정맥으로 직접 유입되는 점에 주의하십시오.

❶ 신장 kidney

● 구조

신장은 좌우 모두 제11흉추(T_{11})~제3요추(L_3)의 높이에 위치하지만, 그림에서도 알 수 있듯이, 우신이 좌신보다 낮은 곳에 위치하고 있습니다. 이것은 오른쪽에 간이 있기 때문이며, 통상 약 1cm 낮습니다.

신장은 후복막강 장기*로 내측부터 섬유피막, 지방조직, 신근막(Gerota근막)으로 싸여 있습니다(그림2).

---

* **후복막강 장기**

'후복벽의 벽측복막보다 후방에 있는 장기'를 말하며 십이지장, 결장(상행 및 하행), 췌장, 신장, 부신, 요관, 복부대동맥, 하대정맥이 해당됩니다.

이 중에서 가장 중요한 것은 Gerota 근막이 부신과 요관도 둘러싸고 있습니다. 신장의 악성종양이나 감염(신농양이나 신결핵 등)은 이 Gerota 근막을 파괴하지 못하면 복강 내로 진행하지 못하기 때문에 중요한 방어벽 기능을 하고 있습니다.

그림2 신장의 구조

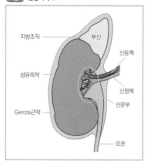

Gerota 근막이라고 불리고 있지만 이 막은 실제는 섬유성 막이며 근육이 아닙니다.

● 신실질

피질과 수질로 크게 나누어집니다. 피질은 사구체, 요세관, 소엽간동정맥 이하의 혈관, 신주(腎柱)로 구성되어 있습니다. 그리고 수질은 신추체, 신유두(집합관, Henle고리, 직요세관)로 구성되어 있습니다(그림3, p.4 그림4).

그림3 신장의 내부구조

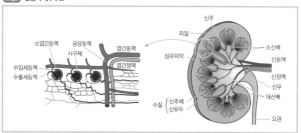

● 신원 nephron의 구조와 기능

신장의 기본단위는 신원(p.4 그림4 왼쪽)이며 이것은 신소체와 요세관으로 구성되어 있습니다. 또 신소체는 사구체와 Bowman낭으로 구성되며 혈액을 여과하여 요세관으로 보냅니다.

신원의 원위곡요세관 내 소변은 집합세관(collecting tubule)으로 모이고, 이들은 →신추체(p.4 그림4 오른쪽) 및 그 끝의 유두→소신배→대신배→신우로 배설됩니다.

사구체에서 여과되는 원뇨는 약 150L/1일(2L 페트병 75병입니다)나 됩니다. 그중의 99%는 요세관을 흐르는 사이에 재흡수되고 나머지 1%(약 1.5L)가 소변으로 배설됩니다.

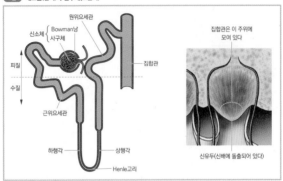

그림4 **네프론**(왼쪽)**과 신추체**(오른쪽)

원위요세관
신소체
Bowman낭
사구체
피질
수질
집합관
근위요세관
하행각
상행각
Henle고리

집합관은 이 주위에 모여 있다

신유두(신배에 돌출되어 있다)

원뇨 150L
(2L PET×75)
여과
배뇨
1.5L만

● **혈관계**(p.2 그림1)

대동맥은 횡격막을 통과한 후, 하횡격동맥과 복강동맥이 거의 같은 레벨에서 분지하고, 그 약 1cm 원위부에서 상장간막동맥이 분지합니다. 신동맥은 좌우 모두 L_1~L_2 레벨에서 복부대동맥에서 직접 분지합니다. 그 후, 복부대동맥은 L_2 레벨에서 고환(난소) 동맥, L_3~L_4 레벨에서 하장간막동맥과 분지한 후, 좌우 총장골동맥이 됩니다. 한편, 신정맥은 좌우 모두 하대정맥으로 흘러갑니다.

신문부에서의 동·정맥과 요관의 전후관계는 전방부터 AVU(A=artery, V=vein, U=ureter)입니다.

② 부신 adrenal gland

● 구조

부신도 신장과 똑같은 후복막강 장기로 Gerota근막으로 싸여 있습니다(p.3 그림2). 우측부신은 우신상극의 내측전방에 있고 그 내측전방에는 하대정맥이, 외측방에는 간우엽이 있습니다. 우측부신의 횡단면은 선상 또는 초승달모양입니다(p.2 그림1). 좌측부신은 좌신상극의 내측전방에 있고, 그 내측전방에는 복부대동맥이, 전방에서 외측방에는 췌장이, 전상방에는 위가 있습니다. 좌측부신의 횡단면은 역Y자형입니다(p.2 그림1).

이와 같은 해부학적 구조 때문에 정상 부신은 초음파검사로 확인하기가 어렵습니다(부신 종양에서도 어렵다). CT에서는 위에서 기술하였듯이, 초승달모양이나 역Y자형의 슬라이스상으로 확인됩니다(그림5).

그림5 **정상 복부단순CT**(부신레벨)

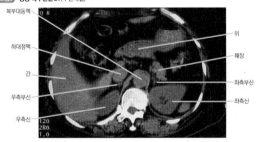

복부대동맥
하대정맥
간
우측부신
우측신

위
췌장
좌측부신
좌측신

● 부신실질

부신도 피질과 수질로 구성되어 있습니다. 피질은 체강상피 유래(중배엽)로, 광질 코르티코이드(구상층), 당질 코르티코이드(속상층), 성스테로이드(망상층)를 분비하며, 수질은 배의 신경계 유래로, 크롬친화세포, 교감신경절세포로 이루어지며, 카테콜아민(아드레날린, 노르아드레날린)을 분비하고 있습니다.

● 혈관·림프계

부신의 동맥은 좌우가 같고, 하횡격동맥→상부신동맥, 복부대동맥→중부신동맥, 신동맥→하부신동맥의 3계통이 있습니다.

하횡격동맥은 가늘어서 부신동맥조영을 어렵게 하는 원인이 되고 있습니다.

부신의 정맥계는 좌우가 다릅니다. 좌부신정맥은 좌신정맥을 거쳐서 하대정맥으로 흘러들어가고, 우부신정맥은 **직접 하대정맥으로** 흘러들어갑니다.

부신의 림프계는 대동맥주변림프절(paraaortic lymph node)로 유입됩니다.

③ 요관 ureter

 요관의 주행은 신문부→대요근 전면→총장골동맥 전면→방광 후부

구조

요관은 신문부를 나온 후 대요근(기시는 L_1~L_4의 추체 및 횡돌기, 정지는 대퇴골소전자)의 전면, 이어서 총장골동맥 전면을 주행하고, 골반강 내로 들어가서, 방광저부 뒤에서 방광과 연결되어 있습니다. 이 요관의 연동운동에 의해서, 신장에서 방광으로 요가 운반됩니다. 일본 성인의 요관의 길이는 약 25cm입니다.

요관도 부신이나 신장과 마찬가지로 후복막강 장기입니다.

혈관·림프계

요관은 상부·중부·하부가 각각 신동맥, 총장골동맥, 하방광동맥에서의 분지에 의해서 지배되고 있습니다.

총장골동맥과의 교차부는 요관의 생리적 협착부위의 하나이며, 요관결석이 쉽게 정체하게 됩니다(p.3 그림2).

림프계는 총장골동맥이나 대동맥주변림프절(paraaortic lymph node)로 유입됩니다.

B | 방광과 요도

① 방광 bladder

 · 방광은 후복막강 장기이지만, 정부~후부는 복막으로 덮여 있다.
· 방광의 평활근층은 내종 inner longitudinal, 중륜 middle circular, 외종 outer longitudinal 의 3층

구조

방광(p.7 그림6)은 정부(태생기의 요막관의 잔존으로, 정중제삭이 배꼽을 향한다), 저부(좌우의 요관구와 내요도구를 연결한 부분으로 방광삼각부라고도 한다) 체부(정부, 저부 이외의 부분)의 3가지로 크게 나누어집니다.

방광삼각부는 신우나 요관과 같은 중배엽성 요관아(尿管芽) 유래이지만 방광의 정부·체부나 요도는 내배엽 유래로 되어 있습니다. 또 방광은 옆에서 보면 삼각형이 앞으로 인사를 하고 있는 듯한 형태를 취하고 있습니다.

이 방광은 후복막강 장기이지만, 그 정부부터 후방에 걸쳐서 복막으로 덮여있습니다. 방광의 전부에는 지방·결합조직으로 채워진 Retzius강(치골후강 : p.8 그림7)이 있습니다.

참고로 성인의 방광용량은 250~500mL 정도로 개인차가 있습니다.

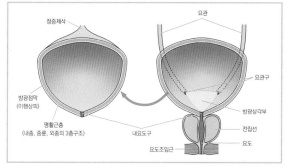

그림6 **방광의 구조**(남성)

정중제삭

요관

방광점막
(이행상피)

요관구

평활근층
(내층, 중층, 외층의 3층구조)

방광삼각부

전립선

내요도구

요도

요도조임근

● 혈관계와 근층

방광의 동맥은 내장골동맥에서 분지하고 방광의 정맥은 내장골정맥으로 흘러들어갑니다.

방광의 평활근층은 내층, 중층, 외층의 3층으로 구성되어 있습니다. 두께는 약 1cm이지만 요의 저류로 늘어나면 3mm 정도까지 얇아집니다.

위에서 기술하였듯이 방광의 정부부터 후면에 걸쳐서 복막이 부착되어 있어서 외과적으로 방광에 조작을 가할 때에는 복막이 손상되지 않도록 세심한 주의가 필요합니다.

② 요도 urethra

방광 내의 소변을 체외로 배설하는 관입니다. 후에 기술하겠지만, 남성의 요도는 전립선을 지나서 음경 내를 주행하여, 귀두 끝에서 개구합니다(p.8 그림7). 여성은 질의 전방을 주행하여 질전정에서 외요도구가 개구합니다. 요도의 길이는 남성은 음경이 있어서 16~20cm이지만, 여성은 3~5cm로 상당히 짧게 되어 있습니다.

조직학적으로는 '신우~요관~방광~후부요도의 **대부분**'의 점막은 이행상피[1]이지만 후부요도의 일부부터 전부요도는 원주상피[2], 또 말초의 귀두부는 **중층편평상피**[3]가 됩니다.

---

[1] **이행상피** transitional epithelium
수축 시에는 입방체모양의 세포가 몇 층으로 쌓여 있지만 신전 시에는 늘어나서 편평한 2~3층의 구조로 되는 상피입니다.

[2] **원주상피** columnar epithelium
세로방향으로 긴 원주상(실제는 5각형 또는 6각형)을 나타내는 세포가 일렬로 늘어서서 구성된 상피입니다.

[3] **중층편평상피** stratified squamous epithelium
여러 층의 입방체모양의 세포 위에 여러 층의 편평한 세포가 쌓인 상피입니다.

그림7 남성의 요도 측면도

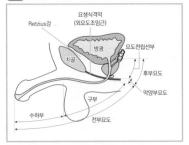

C | 전립선과 회음부의 근막

① 전립선 prostate

구조

전립선은 **밤송이**와 유사한 형태를 나타내며 치골결합과 직장 사이에서 방광경부부터 후부요도를 둘러싸듯이 위치하고 있습니다. 전립선의 첨단부(말초측)에는 외요도조임근이 있고, 저부(중추측)에는 내요도조임근이 있습니다. 전립선은 선조직과 비선조직(전부섬유근성간질)으로 나누어지며, 선조직은 다시 **중심영역 central zone**, 요도를 둘러싸는 **이행영역 transition zone**(이른바 내선이라 불리는 요도주위선이며, 본래 전립선조직은 아닙니다), 요도에서 떨어진 부위인 **주변영역 peripheral zone**으로 나누어집니다(그림8). 주변영역은 외측 및 배측에 위치하며, 약 70%를 차지하고 있습니다. 이행영역은 전립선부 요도의 좌우에 위치하며, 5~10%에 불과합니다. 이것은 전립선비대나 전립선암을 이해하는 데에 중요합니다.

전립선과
닮았지요!

그림8 전립선의 해부

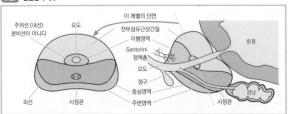

● 혈관·림프계

전립선의 동맥은 내장골동맥에서 하방광동맥(내음부동맥과 중직장동맥에서도 일부 유입되며)으로 유입됩니다. 또 정맥계에서는 Santorini정맥총과 전립선방광정맥총은 내장골정맥으로 유입됩니다. 이 Santorini정맥총은 치골후면에 위치하므로, 전립선암 등으로 전립선전절제술을 할 때에는 출혈을 일으키는 수가 있으므로 주의를 요합니다.

림프계에서는 폐쇄림프절에서 총장골림프절로 유입됩니다.

② 회음부의 근막

남성의 회음부perineal area에는 Denonvillier근막, Buck근막, Colles근막, Scarpa근막의 4가지 근막이 있습니다(그림9). Denonvillier근막은 전립선 및 정낭과 직장 사이의 격벽이 되고 있어서, 신장의 Gerota근막의 역할과 마찬가지로, 비뇨기계 감염이나 종양이 직장에 미치는 것을 방지하고 있습니다. Buck근막(심층경근막)은 후에 기술하는 3줄의 해면체를 둘러싸고 있습니다. Colles근막(천회음근막)은 음낭을 둘러싸는 막으로, 하복벽으로 확대되는 Scarpa근막으로 이어집니다.

> **그림9** 회음부의 근막

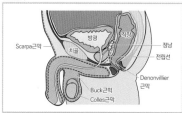

회음부는, 남성은 음낭후방에서 항문까지의 사이. 여성은 대음순과 소음순이 후방으로 연결된 부분(후음순 교련)에서 항문까지의 사이입니다.

D | 고환, 부고환, 정관

① 고환(정소) testis

● 구조

 정자의 형성은 Sertoli세포, 남성호르몬의 생산은 Leydig세포

고환의 주요한 역할은 정자의 형성과 남성호르몬의 생산입니다. 전자는 정세관 내의 Sertoli세포*에 의해서

---

* **Sertoli세포**
정세관 내에 존재하고, 태생기에는 당단백인 Müller관 억제물질을 분비하여 Müller관을 퇴축시키는 세포입니다. 사춘기 이후는 난포자극호르몬(FSH)의 작용을 받아서 정자의 형성에 관여하고, 인히빈을 분비하여 FSH생산을 억제하는 작용 등을 하고 있습니다.

이루어지며, 후자는 간질에 있는 Leydig세포*에 의해서 이루어집니다.

　　고환의 구조(그림10)와 형성(생식세포의 증식·분화)과정을 좀 더 상세히 설명하겠습니다. 고환은 백막이라는 결합조직성 막으로 덮여 있습니다. 백막은 고환 내측으로 들어가서, 고환중격이 되어 고환실질을 복수의 고환소엽으로 나눕니다. 고환소엽 내에는 다수의 정세관(가늘고 긴 관)이 있습니다. 이 정세관은 합류하여 1줄의 정소상체관이 되어, 부고환에 이릅니다. 정자는 부고환과 정관을 통과하는 과정에서 보다 성숙·안정된 막구조를 갖게 됩니다.

　　현미경으로 정세관 내를 관찰하면 외측부터 정조세포, 정모세포, 정자세포 순으로 거의 정렬되어 있습니다. 정세포의 분화도 이 순서로 진행되고 있으며, 마지막에 정자로 분화되어 정세관내강의 가장 내측에 존재하게 됩니다. 이들 중심에 Sertoli세포가 있으며, 이것과 정세포들의 위치관계는 마치 공항의 주기장(駐機場)과 비행기 같습니다(p.11 그림11).

그림10 고환의 구조

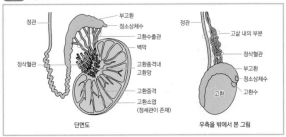

| 단면도 | 우측을 밖에서 본 그림 |

정관 / 부고환 / 정소상체수 / 고환수출관 / 백막 / 고환중격내 / 고환망 / 정삭혈관 / 고환중격 / 고환소엽 (정세관이 존재)

정관 / 고살 내의 부분 / 정삭혈관 / 부고환 / 정소상체수 / 고환수 / 고환

---

*　Leydig세포
　고환의 간질에 존재하며, 주로 테스토스테론을 주체로 한 안드로겐(남성호르몬)을 분비합니다. 사춘기 이후는 황체화호르몬(LH)의 작용을 받아서 테스토스테론을 분비하여 2차성징의 발현·유지를 담당하고 있습니다.

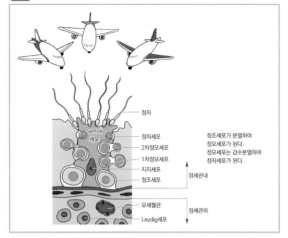

그림11 정세관 내의 모식도

정자

Sertoli 세포

정자세포

2차정모세포

1차정모세포

지지세포

정조세포

}정세관내

모세혈관

Leydig세포

}정세관외

정조세포가 분열하여
정모세포가 된다.
정모세포는 감수분열하여
정자세포가 된다.

● 혈관·림프계

- 우고환정맥은 직접 하대정맥으로 유입
- 좌고환정맥은 좌신정맥을 거쳐서 하대정맥으로 유입

　정맥계는 부신의 경우와 상당히 유사합니다. 오른쪽은(정삭내) 덩굴상 정맥총→고환(내정삭) 정맥→하대정맥으로 유입되고, 왼쪽은(정삭내) 덩굴상 정맥총→고환(내정삭) 정맥→(좌) 신정맥→하대정맥으로 유입됩니다. 이것은 덩굴정맥류가 왼쪽에 많은 것의 해부학적인 이유가 되고 있습니다(☞ p.273).

　림프계는 직접 대동맥 주위의 허리림프절(총장골동맥 주위 림프절, 복부대동맥·하대정맥 주위 림프절)로 유입됩니다. 이것은 고환종양 치료에 있어서 림프절을 절제할 때에 포인트가 됩니다.

② 부고환 epididymis

● 구조

　부고환은 고환의 후면에 위치하며(p.10 그림10), 정자의 성숙 및 저장과 사정 시의 수송을 담당하고 있습니다. 정낭 seminal vesicle은 전립선의 상방좌우에 있으며(p.9 그림9), 정낭분비액을 생산합니다. 정낭분비액에는 프로스타글란딘이 함유되어, 정자의 운동성을 촉진시키는 작용도 합니다. 또 정액은 약 20%가 전립선액이며, 나머지 약 80%가 정낭에서의 분비액이 되어 있어서, 고환의 분비성분은 1% 정도입니다.

● 혈관·림프계

　내장골동맥은 정관동맥을 거쳐 부고환으로 흘러들어가고, 복부대동맥은 고환동맥을 거쳐 부고환으로 흘러들어갑니다. 정맥계는 고환과 같은 경로입니다.

부고환의 림프계는 내·외장골림프절로 유입됩니다. 정낭의 혈관계 및 림프계는 전립선과 같습니다. 즉 기본적으로 어느 쪽이나 인접하는 장기의 지배경로로 같습니다.

❸ 정관 vas deferens

정관은 부고환에 이어지는 정자의 통로이며, 부고환과 마찬가지로 정자의 형태와 기능을 성숙시키는 작용도 합니다. 앞에서 기술하였듯이, 정자는 부고환과 정관을 통과하는 과정에서 완성됩니다.

이 정관은 그 팽대부에서 정낭의 경부와 융합하며, 전립선을 가로질러서 사정관이 되고, 정구의 위치에서 후부요도에 개구합니다.

E │ 음경
penis

STEP 발기신경은 부교감신경을, 사정은 교감신경과 체성신경을 통해서 일어난다.

● 구조(그림12)

음경에는 1개의 요도해면체와 2개의 음경해면체가 있으며, 모두 Buck근막과 Colles근막으로 덮여있습니다. 귀두부해면체는 요도해면체의 연장 부분입니다. 음경의 배측(背側)에는 음경해면체가 있어서 딱딱합니다. 또 요도가 복측의 표재부에 있는 것은 배뇨시에 이 복측을 누르면, 소변이 잘 배출되지 않는 것으로 알 수 있습니다.

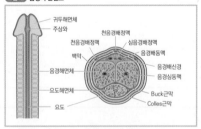

그림12 음경의 단면도

- 귀두해면체
- 주상와
- 천음경배정맥
- 천음경배정맥
- 심음경배정맥
- 음경배동맥
- 백막
- 음경배신경
- 음경해면체
- 음경심동맥
- 요도해면체
- Buck근막
- 요도
- Colles근막

● 혈관·림프계

동맥계는 내장골동맥에서 내음부동맥을 지나서 음경배동맥, 음경심동맥이 됩니다. 정맥계는 음경배정맥에서 Santorini정맥총을 지나서 내장골정맥으로 흘러들어갑니다.

림프계는 피부는 표재고샅림프절, 귀두와 해면체는 심부고샅림프절과 외장골림프절, 요도는 내장골림프절로 유입됩니다.

🔵 발기 erection

발기는 3줄의 해면체에 혈액이 유입되어 가득 참으로써 음경이 딱딱하고 두꺼워지는 현상입니다. 실제로는 대뇌변연계에서의 자극(시각, 후각, 청각 등의 성적 자극)이 발기신경에 전달되어, 음경심동맥·나선동맥이 확장되고 음경으로의 혈류가 증가하여 생깁니다. 동시에, 음경해면체 내의 평활근이 이완되어 해면체동이 팽창하는 한편, 음경백막에서의 유출저항이 높아지므로 음경배정맥으로의 유출혈류가 감소되어, 경도 있는 발기가 일어납니다.

발기신경은 골반신경이라고도 불리는 부교감성 내장신경이며, 하위중추 S_2~S_4에서 일어나서, 골반내장과 생식기에 이릅니다. 발기는 정신적으로 안정되어 있을 때(부교감신경 우위일 때)에 일어납니다. 구심성 섬유도 포함되어 있습니다. 음부신경은 S_2~S_4에서 일어나서 음경의 지각을 담당합니다. 또 하위배뇨반사중추도 S_2~S_4입니다.

또 음경이 위로 일어서는 것은 해면체의 근원에 부착되어 있는 좌골해면체근이나 구해면체근이 수축되어 근원을 잡아당기기 때문입니다.

음경의 복측·배측은 음경이 발기된 상태에서의 표현으로, 요도가 지나가고 있는 측이 복측입니다.

발기 시
배측
복측
평상시

🔵 사정 ejaculation

교감신경(주로 하복신경)과 체성신경(음부신경)을 통해서 일어나는 척수반사이며, 반사중추는 Th_{12}, L_1, L_2레벨입니다.

사정할 때에는 정소상체관이 리드미컬하게 수축하여 정자가 정관으로 밀려나오게 됩니다. 정관은 정낭과 합류한 후 사정관이 되어 정구의 좌우에 있는 개구부에서 정액을 방출합니다(이때 내요도구는 폐쇄된다). 이어서 요도주위와 회음부의 근육이 수축되어 정액이 체외로 나오게 됩니다. 정낭으로 사출되지 않습니다.

BOMB!

발사준비완료!
토 읽기 개시
5, 4, 3 …

E

해부

A 전신적 증후
systemic manifestations

전신적 증후에는 발열, 체중감소, 전신권태감, 부종 등이 있습니다. 단, 이것은 비뇨기과질환에 국한되지 않습니다.

① 발열 fever

> **STEP**
> 발열을 일으키는 대표적인 신·요로계 질환은
> 급성 신우신염, 급성 전립선염, 급성 부고환염

■ 급성 감염증

발열의 원인은 우선 첫째로, 급성 신우신염 등 기본적으로 ○○염이 붙는 요로·성기의 급성 감염증을 생각해야 합니다. 단, 방광염이나 요도염에서는 발열이 거의 나타나지 않습니다. 즉 원칙적으로 "염증이 실질장기에 일어난 경우는 **발열(+)**이고, 속빈장기에 일어난 경우는 **발열(−)**"이라고 생각하십시오.

구체적으로 발열을 일으키는 질환에서, 비뇨기과영역에서 임상상 빈도가 높아서 중요한 것은 다음의 4가지입니다.

우선, 급성 신우신염은 전신증상이 강하고, 오한전율을 수반하는 간헐열을 나타냅니다. 또 급성 전립선염이나 급성 부고환염도 전신증상이 심한 경우가 많아서, 종종 **계류열(稽留熱)**[*]을 나타냅니다.

또 특수한 예로 카테터열을 들 수 있습니다. 이것은 요도카테터나 방광경검사 후에 급격히 발열하는 것으로, 검사할 때에 요도내 세균이 혈행성으로 이행하여 생깁니다.

■ 악성종양

요로·성기의 악성종양에서도 발열이 있을 수가 있습니다. 이것은 종양에서 발열물질이 분비되기 때문이며, 특히 신세포암인 경우에 높은 빈도로 발생합니다.

② 체중감소 weight loss, 전신권태감 general malaise

체중감소는 소화기질환, 내분비질환, 악성종양, 우울상태 등을 기초질환으로 생기는 경우가 많은 증후입니다. 실제로 신·요로계 질환에서는 신부전이나 신세포암에서 볼 수 있습니다.

전신권태감은 신부전, 만성 신우신염, 악성종양 전반에서 자주 동반되는 증후입니다.

---

[*] **계류열(稽留熱)** continuous fever
열이 내려가지 않은 채, 37℃ 이상에 머물러 있는 것입니다. 단, 1일의 체온 변동은 1℃ 이내입니다.

❸ 부종 edema

간질액이 이상하게 저류된 병태입니다. 체액성분은 혈관 밖으로 나가려는 힘(정수압)과 혈관 안으로 잡아당기는 힘(교질침투압)이 있으며, 여기에 모세혈관투과성이 추가되어 균형을 이루고 있습니다. 이 균형이 무너지면(교질침투압의 저하) 부종이 생깁니다. 이 부종은 급성 사구체신염, 신증후군, 장기와상, 우심부전 등에서 나타납니다.

B 통증
pain

❶ 배뇨통 micturition pain

배뇨 시의 통증은 방광, 전립선, 요도에 염증, 협착, 결석 등이 생길 때에 일어납니다. 임상적으로 잔뇨감을 수반한 배뇨통이 있는 경우에는 방광염이 높은 빈도로 확인됩니다(대부분은 여성).

배뇨통은 배뇨 시에 언제쯤 아픈가에 따라서 좀 더 정밀한 추측이 가능합니다(표1).

표1 배뇨통과 원인질환

배뇨통의 시기	원인
초기	요도염, 전립선염, 요도결석
종말 시	방광염, 전립선염
전배뇨통[†]	방광염(급성, 결핵성, 간질성 등), 방광이물

† 배뇨 처음부터 끝까지, 전 기간을 통해서 방광이나 요도에 생기는 통증

❷ 요배부통(신장통) lumbago

STEP 늑골척주각의 압통 tenderness은 요관결석에서 높은 빈도로 확인된다.

신장이나 요관에 병변이 생겨서, 요관이 폐색되어 신우내압이 상승하고, 신섬유막이 늘어나거나, 요관의 평활근이 경련을 일으키면, 측복부에서 배부에 걸쳐서 **통증**이 생깁니다. 이것을 산통발작이라고 하며, 전형례에서는 늑골아래부터 요관의 주행을 따라서 뻗치는 심한 통증입니다. 안면창백, 오심·구토 등의 자율신경증상을 일으키기도 하며, "7전 8기의 괴로움"에 비유됩니다. 그 때문에, 급성복증과 감별이 필요합니다.

산통 colicky pain의 원인으로 빈도가 높은 것은 뭐니뭐니 해도 요관결석입니다. 이 경우, 제12늑골과 척추가 만드는 늑골척주각 costovertebral angle (CVA : 그림1)의 압통 tenderness이 특징적

그림1 CVA

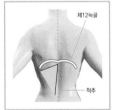

제12늑골

척추

이며, 대개는 환측에서만 확인됩니다.

요관결석 외에 신부에 통증이 생기는 것은 신경색, 신종양, 신동맥류 파열 등입니다. 또 고도의 급성 신우신염에서도 신장의 부종에서 기인하는 심한 통증을 확인하는 수가 있습니다.

한편, 신부의 둔통의 원인으로는 만성 경과를 밟는 요로폐색, 신결핵, 신주위염, 수신증 등이 있습니다. 신우신염도 만성인 경우에는 둔통을 유발하기도 합니다. 이 경우도 늑골척추각 압통이 양성입니다.

❸ 음낭통 scrotal pain

음낭내용이 급격한 통증과 종창을 야기하는 질환을 급성 음낭증 acute scrotum이라고 합니다. 후에 기술하는 고환손상, 고환꼬임, 부속기의 꼬임, 부고환염 등이 여기에 포함됩니다. 특히 긴급수술이 필요한 고환꼬임은 신속히 감별해야 합니다.

덩굴정맥류나 부고환체결핵에서는 종종 음낭부에서 둔통을 호소합니다.

❹ 그 밖의 통증

자세한 내용에 관해서는 각론에서 상세히 기술하기로 하고, 여기에서는 방광부통, 사정통, 회음부통의 원인질환에 관해서 기술하였습니다(표2).

표2 통증의 종류와 원인질환

통증의 종류	원인질환
방광부통	요폐, 방광결석, 방광이물, 방광결핵, 간질성 방광염
사정통	급성 전립선염, 급성 정낭염
회음부통	전립선질환, 정낭질환, 요도염 (이 질환들은 둔통이나 불쾌감이 되기 쉽다)

C 종양
tumor

❶ 측복부종양

> **STEP** 소아에게서 측복부종양을 확인하면 수신증을 의심

측복부종양으로는 신세포암, 수신증, 다낭신, 신농양, 신주위농양, 후복막종양, 신결핵 등이 있습니다.

소아의 측복부종양에는 신경아종, 신아종, 간아종 등보다도 선천성 신우요관이음부협착에 의한 수신증이 가장 많아지고 있습니다.

또 부신종양에서 측복부종양을 촉지하는 경우는 아직 없습니다. 이것은 종양으로 느껴지기 이전에 내분비계 증상이 이미 출현하기 때문입니다.

② 음경종양과 음낭내종양

■ 음경종양

음경통(☞ p.215)이나 뾰족콘딜로마(☞ p.126)에서는 귀두 및 관상구에 종양이 생깁니다. 또 Peyronie병 (☞ p.276)에서는 음경해면체에 경결이 생기므로, 종양이 음경의 배측에서 확인됩니다.

■ 음낭내종양

음낭 내에서 종양을 확인했을 때에는 위치, 통증·압통의 유무, 빛투과성의 유무(단, 오늘날에는 초음파로 종류가 실질성인지, 액체가 저류되어 있는지를 감별하는 경우가 많아지고 있습니다.) 좌우 차, 그 밖의 어떤 증상이 있는지 등에 주의하여 진찰합니다(표3).

● 유통성 음낭내종양

급성 고환염(☞ p.119), 급성 부고환염(☞ p.119), 고환꼬임(☞ p.274) 등에서 확인됩니다.

● 무통성 음낭내종양

고환종양(☞ p.207), 음낭수종(☞ p.271), 정액류(☞ p.271), 부고환결핵(☞ p.121), 만성 부고환염(☞ p.119), 덩굴정맥류(☞ p.273) 등에서 확인됩니다.

표3 음낭내종류의 감별

질환명	호발부위	통증	투광성
고환종양	고환	무통성	(−)†
고환꼬임	고환	심한 통증	(−)
음낭수종	고환의 전방	무통성	(+)
정액류	고환의 상후방	무통성	(+)
부고환·정삭종양	부고환·정삭	무통성	(−)
급성 부고환염	부고환	유통성(전신의 발열을 수반한다)	(−)
만성 부고환염	부고환	무통성	(−)
정삭수종	정삭	무통성	(+)
덩굴정맥류	정삭	무통성	(±)
이하선염성 고환염	고환	유통성 (유행성이하선염에 이어서 발병)	(−)

† 교감성 음낭수종을 수반하는 경우는(+)

D 배뇨에 관한 증후

정상 배뇨횟수는 하루에 4~6회이며, 야간에는 0~1회입니다. 또 배뇨량은 1,000~1,500mL/일 정도가 일반적이지만, 개인차가 있습니다.

① 빈뇨 frequency

STEP 빈뇨의 원인질환은
당뇨병, 요붕증, 방광염, 방광결석, 전립선비대증

빈뇨에 대한 명확한 정의는 없지만, 통상 횟수보다 많은 경우로 이해
하십시오. 일반적으로 기상부터 취침까지 8회 이상 배뇨하는 경우를 빈
뇨라고 합니다. 단, 위에서 기술하였듯이 배뇨횟수는 개인에 따라서 다
른 것도 사실입니다.

원인은 여러 가지입니다.

아, 귀찮아
또 화장실에
가고 싶어

● 원인(표4)

● 다뇨 polyuria

요농축력의 저하, 수분의 다량섭취, 이뇨제의 복
용 등 여러 가지 이유로 다뇨가 되면, 당연한 결과
로 빈뇨가 됩니다. 당뇨병과 요붕증*이 대표적입니
다. 다뇨에 관한 구체적인 내용은 다음 페이지에서
설명하겠습니다.

표4 빈뇨를 일으키는 질환	
● 방광염	● 과활동방광
● 위축방광	● 신경인성 방광
● 방광종양(요로상피암)	● 전립선염
● 전립선비대증	● 요로·성기결핵
● 당뇨병	● 요붕증

● 방광용량의 감소와 점막에 대한 자극

기질적인 방광용량감소는 방광결핵 후나 방사선치료 등에 의한 방광의 위축(섬유화)으로 일어납니다. 또
세균이나 바이러스감염에 의한 염증(요도염, 방광염), 방광결석이나 이물에 의한 자극도 원인이 됩니다. 방광
상피내암에서는 빈뇨가 유일한 증상으로 발견되기도 합니다.

● 공간점유성 병변과 신경인성 방광

방광 내는 물론, 골반 내의 종양으로도 방광이 자극을 받습니다. 종양이 존재함으로써 방광의 유효용량이
감소하는 것도 빈뇨의 출현에 작용합니다. 전립선비대증에서는 비대한 결절의 자극으로 빈뇨가 됩니다. 전립
선염일 때에도 빈뇨가 나타납니다.

신경인성 방광(☞ p.155) 등으로 잔뇨가 발생하면 당연히 빈뇨가 됩니다.

● 기타

심인성(신경성)으로 나타나기도 합니다. "전철을 타기 전에 반드시 화장실에 가야만 마음이 놓인다" 등이

---

* **요붕증** diabetes insipidus
항이뇨호르몬의 부족으로 다뇨를 일으키는 질환입니다. 구갈(口渴)과 다음(多飮)도 생깁니다. 소변량은 1일 5~15L까지 되고,
배뇨횟수도 1~2시간마다로 대폭 증가합니다. 수분 섭취가 유지되는 한, 혈장침투압 및 그 최대의 요인인 혈중나트륨 수치가 정
상범위의 상한이거나 다소 초과하는 수치가 됩니다. 치료는 ADH유도체인 데스모프레신(DDAVP)의 비내분무가 시행됩니다.

그 예입니다.

야간빈뇨는 야간수면 중에 요의를 느끼고 3회 이상 일어나는 상태입니다. 신장의 요농축능력이 연령과 더불어 저하되어 일어납니다. 야간빈뇨는 전립선비대증의 초기를 비롯해서, 하부요로폐색성 질환일 때에도 나타납니다.

신경성 빈뇨와 염증성 빈뇨를 감별하는 데는 야간의 배뇨횟수를 확인합니다. 야간의 배뇨횟수가 많아지면 염증성 빈뇨를 고려합니다.

② 다뇨 polyuria

D
배뇨에 관한 증후

> 2,500~3,000mL/일 이상의 소변량이 지속되는 상태가 다뇨입니다. 일시적인 소변량증가는 다뇨에 포함되지 않습니다.

> **STEP** 다뇨의 원인질환은
> 당뇨병, 요붕증, 저K혈증, 고Ca혈증, 리튬중독

■ 물의 재흡수장애

항이뇨호르몬 antidiuretic hormone (ADH) 분비장애를 일으키는 요붕증과 ADH에 대한 요세관 감수성 저하가 있습니다. 후자에는 선천성·가족성 신성 요붕증이나 증후성 신성 요붕증이 있습니다. 또 증후성 신성 요붕증의 원인에는 만성 신우신염, 방광요관역류(수신증), 다낭신, 위축신, 약물에 의한 만성 간질성 신염을 들 수 있습니다.

전해질이상에서는 저칼륨혈증과 고칼슘혈증에 기인하는 다뇨가 생깁니다.

장기간 저칼륨혈증 상태가 계속되면, 요세관의 변성·위축과 간질섬유화가 일어나서, 요의 농축력이 장애를 받게 됩니다. 고칼슘혈증에서는 집합관으로의 칼슘침착 때문이라고 생각되는 ADH에 대한 감수성저하가 생겨서, 요농축장애가 나타납니다.

또 조병(躁病) 치료에 사용되는 탄산리튬의 부작용으로 다뇨를 나타내는 수가 있습니다(리튬중독). 집합관세포의 세포막에는 물의 재흡수를 담당하는 V_2수용체가 있는데, 리튬은 이 수용체의 감수성을 저하시키기 때문입니다.

■ 침투압 이뇨

포도당 등의 침투압물질(물을 잡아당기는 물질)이 요세관강에 대량 존재하면, 그 물질에 역행하여 물을 재흡수하기가 어려워져서 다뇨를 일으킵니다. 구체적으로 당뇨병, 급성 신부전(이뇨기), 만성 신부전(다뇨기) 등이 여기에 해당됩니다.

③ 무뇨 anuria, 핍뇨 oliguria

> **STEP** 소변량이 100mL/일 이하가 무뇨, 400mL/일 이하가 핍뇨

신장에서의 요생산이 저하된 상태를 무뇨 또는 핍뇨라고 합니다. 단, 신후성 무뇨는 소변이 방광에 이르지 못하는 병태입니다.

일반적으로, 소변량이 100mL/일 이하인 상태를 무뇨, 400mL/일 이하인 상태를 핍뇨라고 합니다.

무뇨 또는 핍뇨에서는 요의를 확인할 수 없고, 방광도 만져지지 않습니다. 또 방광에까지 소변이 도달하지 못하므로 요실금도 나타나지 않습니다.

● 원인

● 신전성 무뇨 prerenal anuria

대량출혈로 인한 순환부전, 열상에 의한 체액상실, 심부전 등으로 신혈류량이 감소된 경우 등에 나타나는 무뇨입니다.

● 신성 무뇨 renal anuria

급성 요세관괴사(신독성 약물중독에서도 일어난다), 신증후군, 급성 사구체신염 등에 의한 신실질 장애로 나타나는 무뇨입니다.

● 신후성 무뇨 postrenal anuria

양측성 요관결석이나 종양의 침윤 등에 의해서 양측 요관폐색을 일으킨 경우에 나타나는 무뇨입니다(p.21 그림2 왼쪽).

④ 요폐 urinary retention

STEP 요폐의 특징은 촉진으로 방광이 만져지는 것과 소량의 요실금을 확인하는 것

요폐는 방광까지 소변이 도달해 있는데 배뇨할 수 없는 상태입니다(p.21 그림2 오른쪽).

요의가 있는 경우가 대부분이며, 촉진으로 하복부에 소변으로 가득 찬 방광이 만져지고, 하복부의 초음파검사에서도 확대된 방광이 확인됩니다.

장시간 경과하여, 방광에 저류하는 소변이 많아지면, 방광벽의 이완이 한계에 이르러 방광내압이 요도내압을 이겨서, 조금씩 요가 새기 시작합니다. 이것을 범람(기이성) 요실금이라고 합니다. 카테터를 삽입하면 요의 배설이 확인됩니다.

● 원인질환

방광결석, 요도결석, 방광종양, 요도종양, 전립선종양, 전립선비대증, 방광경부경화증, 요도손상 등의 하부요로폐색을 일으키는 질환에서 나타납니다. 또 지각마비성 방광을 대표하는 신경인성 방광에서도 요폐가 생깁니다(☞ p.155). 급성요폐에 관해서는 p.175도 참조하십시오.

그림2 무뇨와 요폐

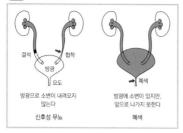

결석 · 협착

방광

요도

방광으로 소변이 내려오지 않는다

신후성 무뇨

방광에 소변이 있지만, 앞으로 나가지 못한다

폐색

폐색

무뇨와 요폐의 감별에는 도뇨나 방광부의 초음파검사가 용이합니다.

D

배뇨에 관한 증후

⑤ 배뇨곤란 dysuria

정상배뇨는 노력하지 않고 굵은 요선으로 기세좋게 배출되어, 단시간에 종료되고, 방광이 완전히 비는 것입니다. 이와 같은 원활한 요배출이 장애를 받아서 배뇨할 때에 노력을 요하는 상태가 배뇨곤란입니다.

이런~? 잘 나오지 않네…

● 원인

하부요로에 폐색성질환이 있는 경우(기질적 배뇨곤란)나 배뇨와 관련된 신경계에 장애가 있는 경우(기능적 배뇨곤란→신경인성 방광)를 들 수 있습니다. 따라서 요폐를 일으키는 원인질환과 거의 같습니다.

● 기질적 배뇨곤란

배뇨곤란을 주소로 진료하는 환자의 대부분이 **전립선비대증**에 의한 것이므로, 필연적으로 남성에게 흔히 나타납니다. 그 밖에, 방광경부경화증, 요도협착, 전립선염, 진행된 전립선암(전립선암의 초기는 대부분 무증상으로, 배뇨곤란을 일으키지 않습니다. 배뇨곤란을 일으키는 것은 합병되어 있는 전립선비대 때문입니다) 등에서도 배뇨곤란을 일으킵니다. 요도판막(☞ p.101)에 의한 배뇨곤란도 남아에게 보이는 것입니다. 또 요도게실에서도 배뇨곤란을 일으킵니다.

여성의 경우는 자궁탈이나 자궁하수가 방광(특히 내요도구)를 압박하여 배뇨곤란을 일으키는 수가 있습니다. 이와 같은 경우는 내진에 의한 진단이 가능합니다. 유사한 것에 방광탈이나 직장탈에 의한 배뇨곤란도 있습니다.

● 배뇨곤란과 약물

배뇨는 부교감신경계가 우위인 상태에서 일어납니다. 따라서 부교감신경계를 억제하는 **항콜린작용**을 하는 약제를 사용하면, 배뇨곤란이 나타납니다. 일반적으로, 배뇨곤란의 진찰대상이 되는 고령자인 경우는 약제의 복용률이 높으므로, 약물복용병력의 청취도 중요합니다. 배뇨곤란을 초래하는 약제에는 항콜린작용을 하는 위장약 외에, 항히스타민제, 삼환계 항울제나 요도를 수축시키는 α수용체 작동제, 배뇨근을 이완시키는 기관지확장제(β수용체 작동제) 등이 있습니다.

분류

배뇨과정에서 배뇨곤란을 조금 더 자세히 살펴보면, 다음의 4가지 상태로 나누어집니다.

천(지)연성 배뇨곤란(소변주저 hesitancy)

요의가 있으며, 배뇨할 수 있는 태세도 갖추어져 있는데 배뇨개시까지 시간이 걸리는(변기 앞에 서도 좀처럼 배뇨할 수 없다) 상태에서, 요도조임근의 이완이 원활해지지 않는 경우에 나타나기 쉽습니다. 전립선비대증, 신경인성 방광, 요도협착, 진행된 전립선암 등이 원인이 됩니다.

염연성 배뇨곤란

배뇨개시부터 종료까지 시간이 걸리는 상태입니다. 소변이 나오는 상태가 약하고, 배뇨종료 시 소변의 끊김이 나빠서, 종종 방울져서 떨어집니다. 원인은 천연성 배뇨곤란과 같지만, 특히 요도협착이 중요합니다.

요선이 가늘다(세뇨 weak stream)

요도협착, 전립선비대증, 요도결석, 요도종양, 신경인성 방광 등이 원인입니다. 본 증후가 심한 것에 요선중절(배뇨 중에 갑자기 요류가 중단되어 버리는 상태)이 있습니다. 방광결석이 방광경부나 요도에 걸렸을 때에 종종 나타나지만, 방광종양(특히 삼각부에 발생한 것)의 일부가 요도를 막아 일어나거나 큰 요관류가 요로를 막아서 일어나기도 합니다(소아기에 진단받는 경우가 많다). 요선의 굵기를 객관적으로 판정하려면 요류검사(☞ p.39)를 합니다.

잔뇨 residual urine

방광 내에 저류된 소변을 다 배설하지 못하고 남아 있는 상태입니다. 하부요로의 염증으로 인한 자극증상에서도 잔뇨감이 생깁니다. 따라서 잔뇨감이 있어도 정말 잔뇨가 있다고 할 수 없습니다. 실제로 잔뇨가 있는지의 여부는 배뇨 직후에 방광초음파검사를 하면 알 수 있습니다.

⑥ 요실금과 이단배뇨

요실금 urinary incontinence

> 요실금은 "객관적으로 증명할 수 있는 불수의적 요누출로, 이 때문에 사회적 또는 위생적으로 지장을 초래하는 것"입니다. 즉 어떤 병적 원인에 의해서 의지와 상관없이(또는 의지에 반하여) 소변이 체외로 배출되어 버리는 병태입니다.
> 정상에서는 방광내압(+복압)보다도 요도압(요도저항)이 항상 높아서, 요실금이 일어나지 않습니다.

분류

요실금은 p.23 표5와 같이 분류됩니다. 또 요도에서의 요실금은 진성 요실금과 가성 요실금으로 분류되기도 합니다 [p.23 표5의 4) 이외가 가성 요실금]. 임상에서 접하는 것은 대부분이 가성 요실금입니다.

정확히 문진을 하면, 어느 요실금인지를 진단하기가 비교적 용이합니다. 또 치료법을 결정하기 위해서 영상진단이나 요역동학검사(☞ p.38)가 필요합니다.

요실금의 상세한 내용에 관해서는 각론 제5장의 하부요로기능장애에서 설명하겠습니다.

> **표5** **요실금의 분류**(한국)
>
> 1) 복압요실금
> 2) 절박요실금
> 3) 범람요실금
> 4) 진성요실금(지속성요실금. 일본 분류 중 요도외 요실금)
>
> 유뇨증은 야뇨증으로 별도 질환으로 분류

절박성요실금

◼ 이단배뇨 micturition in two stages

> 한번 배뇨가 끝났는데도, 복압을 가하면 어느 정도 소변을 배뇨할 수 있는 상태가 이단배뇨입니다.

● 원인

대부분이 방광게실에 의한 것입니다. 즉 방광에서의 배뇨에 이어서 게실에 있던 소변에 의해 일어납니다. 또 잔뇨가 있는 질환에서는 이단배뇨가 되는 수가 있습니다. 고도의 **방광요관역류**에서도 일어납니다.

E | 소변의 이상

> 종종 접하는 것이 소변의 혼탁이지만, 정상 소변에서도 채취 후에 실내에 방치하면 결정성분이 결정을 만들면서 혼탁하게 보이는 수가 있습니다. 특히, 온도가 낮을 때에는 물질의 용해도가 낮아서 주의해야 합니다. 따라서 혼탁뇨의 판정은 반드시 신선뇨에서 시행해야 합니다.

혼탁의 원인에는 다음과 같은 것이 있습니다.

① 혈뇨 hematuria

소변에 혈액이 섞여있는 상태로, 감염에 수반되는 염증에 의해서 요로점막의 혈관투과성이 항진했을 때에 일어납니다. 또 악성종양에서 나타나는 신생혈관은 평활근층의 결손으로 약해져 있어서, 출혈하기 쉬운 상태입니다. 요로결석증에서는 결석이 움직여서 요로가 손상되므로, 높은 빈도로 혈뇨가 있습니다. 이물이 있는 경우도 마찬가지입니다. 또 동정맥루나 nut cracker현상(☞ p.224)에서는 요로조직정맥내압이 높아져 혈뇨가 나타납니다. 그 밖에 사구체신염이나 자반병(紫斑病, purpura) 등의 출혈소인이 있는 전신성 질환에서도 혈뇨가 나타납니다.

● 분류

> **STEP** • 1시야(400배)에 5개 이상의 적혈구는 이상
> • 방광암의 초발증상은 육안적 혈뇨뿐

혈뇨는 그 정도나 증상의 유무에 따라서 분류됩니다.

● 현미경적 혈뇨(미세혈뇨) microscopic hematuria

육안으로는 거의 정상 색조이지만 현미경으로 적혈구를 확인하는 상태입니다. 통상 400배(접안렌즈10배 × 대물렌즈40배)에서 1시야에 5개 이상의 적혈구를 확인하면 이상이라고 생각합니다. 신하수, 신낭포, 신결석, 요로감염증 등이 원인이지만, 반수 가까이는 원인불명입니다.

● 육안적 혈뇨 macroscopic hematuria

문자 그대로 육안으로도 혈뇨를 확인하는 상태이며, 대부분의 경우, 비교기과질환이 존재합니다. 원인은 요로감염증이 약 1/3을 차지하고, 방광암, 전립선비대증, 요관결석 등도 원인이 됩니다. 특히, 요로의 악성종양은 출혈량이 많아서 육안적 혈뇨를 초래하기 쉽습니다.

● 증상성 혈뇨 symptomatic hematuria

혈뇨와 동시에 배뇨통, 환부의 통증, 발열, 배뇨이상이라는 자각증상을 수반하는 것입니다. 대표적인 원인 질환에는 급성 방광염이나 요관결석 등이 있습니다.

● 무증상성 혈뇨 asymptomatic hematuria

혈뇨 이외에 증상이 없는 것입니다. 즉 증상성 혈뇨와 같은 자각증상이 없습니다.

● 병태

증상성 혈뇨보다 무증상성 혈뇨가 경도 질환이라고 생각하기 쉬운데, 오히려 무증상성혈뇨에 무서운 질환이 숨어 있습니다. 특히, 방광암의 초발증상이 혈뇨뿐인 점에 주의하십시오. 예를 들면, "처음에, 혈뇨를 확인했지만, 조금 지나자 붉은 기가 소실되어 방치하고 있었다. 그 후 1~2개월 지나서 다시 혈뇨를 확인했다. 그 후 조금 지나자 또 붉은 기가 소실되어 방치… 또 혈뇨…"를 반복하면서, 그동안에 암이 점점 진행되고 있었던 경우가 종종 있었습니다. 출혈이 나타났다가 소실되는 것은 위험한 종양부분이 출혈하다가 지혈되기 때문입니다. 따라서 통증, 여위어 수척함, 빈혈 증상이 나타났을 때에는 대부분 진행되는 것입니다.

● 원인질환

초기증상이 혈뇨인 경우(특히 무증상성 혈뇨)는 우선 신우, 요관, 방광, 요도라는 요로상피의 악성종양을 생각합니다. 단, 신세포암이나 Wilms종양 등의 악성종양은 기본적으로 신실질 유래이므로, 초기부터 혈뇨를 확인하는 빈도가 낮아집니다. 또 전립선암도 주변부위에서 발생하므로, 대부분의 경우, 혈뇨는 증상이 진행된 후에 확인됩니다.

혈뇨와 농뇨를 동시에 확인하는 경우는 신우신염이나 방광염 등의 비특이적 요로감염을 가장 먼저 의심합니다.

그 밖에 전립선비대증, 요로결석, 요로결핵, 유주신, 수신증, 다낭신, 요도협착 등, 비뇨기과에서 취급하는 많은 질환에서 혈뇨가 보입니다. 여러 가지 검사를 해도 그 원인을 특정할 수 없는 경우는 **특발성 신출혈**(☞ p.224)이라고 진단합니다.

혈뇨를 초래하는 질환의 빈도를 연령별로 보면, 유아기는 과칼슘뇨증, 소아기~청년기는 신장염과 전신성홍반증, 장년기는 요로결석 외에 신종양이나 방광종양, 노년기는 전립선비대증이나 전립선암, 방광종양이 각각 많아지고 있습니다.

● 원인질환의 감별

혈뇨가 내과적 질환에 기인하는 것인지, 또는 비뇨기과적 질환에 기인하는 것인지의 감별은 단백의 유무로 합니다. 따라서 요단백(+)으로 원주(圓柱)를 수반하고 있으면, 신장염을 중심으로 내과영역의 질환을 생각해야 합니다. 이것은 사구체기저막이 약해져서, 다른 혈장성분도 통과하기 쉬워져서 생기기 때문입니다.

혈뇨라고 착각하기 쉬운 적~갈색뇨가 생기는 상태는, 발작성 야간혈색소 요증(Paroxysmal nocturnal hemoglobinuria)이나 발작성한냉혈색소 요증(paroxysmal cold hemoglobinuria), 부적합수혈, 광범위한 외상 등에서 볼 수 있는 **헤모글로빈뇨**[*1], 횡문근융해증 등에서 볼 수 있는 **미오글로빈뇨**[*2]가 있습니다.

● 출혈부위

출혈부위에 따라 출혈의 양상도 다르다. 배뇨개시 시의 혈뇨인 경우는 전부요도에서의 출혈이라고 생각하는 것이 타당하다. 한편, 배뇨종말 시의 혈뇨인 경우는 후부요도나 방광경부에서의 출혈이라고 생각해야 합니다. 전 혈뇨인 경우는 경부 이외의 방광이나 신장, 요관에서의 출혈을 생각합니다(p.26 그림3).

대략적인 출혈부위의 확인방법으로, 배뇨의 전반(20~30mL)과 후반(나머지 전부)으로 나누어 채뇨하는 Thompson의 2배분뇨법을 사용합니다. 전반의 소변에서만 혈액이 확인되고, 후반의 소변에서는 확인되지 않으면 개시 시 혈뇨, 전반의 소변에서는 혈액이 확인되지 않고, 후반의 소변에서 확인되면 종말 시 혈뇨, 양

[*1] **헤모글로빈뇨** hemoglobinuria
문자대로 헤모글로빈을 포함한 소변으로, 혈관내용혈을 초래하는 질환으로 확인됩니다.

[*2] **미오글로빈뇨** myoglobinuria
미오글로빈은 근섬유(근세포)에 포함되므로, 횡문근융해증 외에 열사병이나 전기 충격 증후군에서도 확인됩니다.

쪽 소변에서 혈액이 확인되면 전 혈뇨라고 각각 추정됩니다(표6).

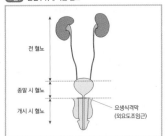

그림3 출혈부위에 따른 혈뇨

전 혈뇨

종말 시 혈뇨

개시 시 혈뇨

요생식격막
(외요도조임근)

표6 Thompson의 2배분뇨법

	제1배뇨	제2배뇨
배뇨 개시 시 혈뇨	+	–
배뇨 종말 시 혈뇨	–	+
전 혈뇨	+	+

+ : 혈뇨 있음, – : 혈뇨 없음

참고

시험지법

소변의 정성시험으로 매우 감도가 높아서, 1시야에 2~3개의 적혈구가 존재하면 양성이 됩니다. 그러나 헤모글로빈 속의 페르옥시다아제 같은 작용을 이용하고 있어서, 헤모글로빈의 존재로 위양성이 됩니다(혈관내용혈일 때 쉽게 보인다). 이 외에도 미오글로빈(횡문근융해증, 악성증후군), 세균, 백혈구 속에 포함되는 페르옥시다아제, 정액 속에 포함되는 디아민옥시다아제 등이 존재할 때에는 위양성을 나타내는 수가 있습니다. 한편, 비타민C 등의 환원물질이 대량으로 존재할 때는 위음성이 됩니다.

2 혼탁뇨 cloudy urine

문자 그대로, 소변이 혼탁한 상태입니다. 혈뇨 이외에 농뇨, 염류뇨, 세균뇨에 의한 혼탁이 있습니다.

STEP
• 1시야에 5개 이상의 백혈구는 이상
• 염류뇨는 결석의 원인이 된다

농뇨 pyuria

소변 중에 백혈구가 혼입되어 있는 상태에서, 요로·생식기계에 감염이 존재하는 것을 나타냅니다. 정상 성인에서는 요중 백혈구 수는 1시야에 5개 이하입니다. 즉 이 이상의 백혈구를 확인하는 경우는 요로감염증이 존재한다고 생각합니다. 농뇨의 대부분은 **황백색**을 나타내지만, 요로결핵의 경우는 쌀뜨물 같습니다(산성 무균성 농뇨).

혈뇨와 마찬가지로 Thompson의 2배분뇨법으로 대략 감염부위를 추정할 수 있습니다.

■ 결정뇨 crystalluria

소변 중에는 인산염, 수산염, 요산염, 탄산염이 용해되어 있지만(그림4), 이것은 요의 pH나 염도변화 등에 따라서 결정화되고, 요혼탁을 나타냅니다. 결정뇨 그 자체에는 임상적 의의가 거의 없지만, 요로결석증의 원인이 되는 수가 있습니다.

E

주요 증후

그림4 대표적인 결정뇨의 결정

수산칼슘결정   인산칼슘결정   요산결정   인산암모늄 마그네슘결정   무정성 인산염

❸ 유미뇨 chyluria

유미뇨는 소변 중에 유미(지방 또는 유리지방산을 포함하는 림프액)가 섞인 상태이며, 이것은 신우와 림프관이 교통하여 미세한 지방이 요중으로 흘러들어가서 생기는 것입니다. 우유같이 하얗게 탁해지고, 한천처럼 단단해집니다. 원인으로는 필라리아증이 가장 많지만, 그 외에 외상, 종양, 염증으로 인한 유미조(cisterna chyli)의 폐색(후복막강영역과 관련된 병태에 많다), 원인불명인 것 등이 있습니다. 종종 혈뇨가 합병됩니다.

❹ 그 밖의 소변의 이상

■ 공기뇨 pneumaturia, 분뇨 fecaluria

소변에서 기포(장의 가스)가 확인되는 상태가 공기뇨이며, 기포에 추가하여 변이 확인되는 상태가 분뇨입니다. 요로와 장관 사이에 누공이 생긴 경우, 주로 방광장루에서 보입니다. 방광장루가 생기는 원인으로 가장 많은 것은 S상결장게실염, 충수염, Crohn병 등 소화관의 염증입니다. 염증이 존재하면, 근접하는 장기에 교통이 쉽게 생기게 됩니다. 그 밖에, 수술 후에 생기는 것이나 치료 목적의 방사선조사에 수반하는 것, 결장암이나 방광암의 침윤에 의한 것이 있습니다.

■ 정액뇨 spermaturia

역행성 사정이나 몽정 등으로 소변에 정액이 혼입되어 유백색 혼탁뇨를 나타내는 수가 있습니다.

역행성 사정 retrograde ejaculation은 내요도구의 폐쇄부전에 의해서, 사출된 정액이 방광 내로 역류하는 현상입니다. 원인에는 전립선 수술, 당뇨병, 척수의 손상 등이 있습니다.

A   비뇨기과적 일반검사

① 진찰법 physical examination

■ 시진 inspection

비뇨기과에서 시진으로 확인되는 소견은 복부-외음부의 팽윤소견입니다.

하복정중부에서 팽윤이 확인되면, 방광의 요저류(요폐)를 의심합니다. 측복부의 팽윤이 소아에게 나타나는 경우는 수신증과 신종양을 의심합니다. 또 성인에게 나타나는 경우는 수신증이나 신낭종을 의심합니다.

다음에 음낭의 투조법transillumination에 관해서 설명하겠습니다. 본법은 음낭에 라이트를 비추어 내용을 투시하는 검사로, 음낭의 종창이 고환종양 같은 실질인 것인지, 음낭수종 같은 액체의 저류인지를 감별하기 위해서입니다(p.272 그림3). 단, 양자의 감별은 초음파검사가 유용합니다.

■ 촉진 palpation

> 정상 신장은 통상은 촉지할 수 없지만, 소아나 마른 여성에게는 흡기 시에 한해서 하극을 촉지할 수 있다

● 체위와 촉진법

일반적으로, 앙와위에서 양 무릎을 구부려 세우게 하고, 복벽을 이완시킨 상태에서 합니다. 우선 얕은 촉진으로 손바닥을 가볍게 복벽에 대고 손가락을 모아서 손가락의 복측으로 완만한 압박을 줍니다. 이것으로 경도의 압통, 큰 복부종물, 근성방어(muscle guarding)의 유무 등을 검사합니다.

신장의 깊은 촉진법에는 3가지 대표적인 수기가 있습니다(그림1).

그림1 촉진법

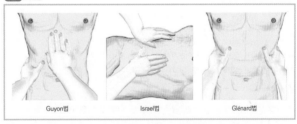

Guyon법   Israel법   Glénard법

Guyon법은 한쪽 손을 배부의 CVA에 대고, 다른 한 손은 계늑 아래의 복벽에 놓고, 천천히 복식호흡을 시키면서 좌우 양손으로 복부를 사이에 두고 촉진합니다. 이 Guyon법의 수기를 측와위에서 한 것이 Israel법입니다. Glenard법은 전방의 복벽에 댄 엄지와, 배부의 CVA에 댄 손가락으로 촉진하는 수기입니다.

▉ 촉진의 실제

통상은 정상 상태에서는 신장을 촉지할 수 없지만, 소아나 마른 여성에서는 간이 있기 때문에 다소 하방에 위치하는 우신을 촉지할 수도 있습니다. 그 경우, 깊은 흡기 시에 하강한 신하극을 양손 사이에 촉지하고, 호기 시에 양손 사이에서 빠지듯이 늑골궁 속에 숨는 것을 알 수 있습니다.

이와 같이, 촉진에서는 신장의 호흡성 이동을 감지할 수 있는 것이 중요합니다. 배부에 댄 손으로 신장을 밀어올리면 "복벽 위의 손에 부구(浮球)가 부딪히는 느낌", 이른바 **신부구감**을 촉지할 수 있습니다.

확실히 신장을 촉지하는 경우는 종물의 유무, 표면의 성상, 경도에 주의합니다. 요관은 해부학적으로 복벽 위에서는 촉지할 수 없습니다. **방광**도 치골이 방해가 되어, 역시 일반적으로 촉지할 수 없습니다(특히 성인). 단, 요폐가 있어서, 다량의 요가 저류되어 있으면 종물로 촉지됩니다.

음낭 내에는 정소(고환), 부고환, 정관, 정삭정맥이 있으며, 이것들은 피부와 유착되지 않고 비교적 자유롭게 움직이며, 고유의 형태와 경도를 가지고 있어서 익숙해지면 각각의 촉지가 가능합니다.

음경이나 음낭, 음순에 염증이 있는 경우나 **악성종양**인 경우는 **고샅부의 림프절종창**을 촉지하는 수가 있습니다. 이것은 외음부의 피부에 가까운 부분의 림프가 표재성심부고샅림프절로 흐르고 있기 때문입니다.

▉ 직장검사 rectal examination

> 40세 이상의 남성은 직장검사가 매우 중요합니다. 또 소변검사는 직장검사 전에 해야 합니다. 이것은 직장검사를 하게 되면, 전립선분비물이 후부요도로 밀려 나와서 소변 속에 혼입되기 때문입니다.
>
> 직장검사를 할 때에는 피험자에게 슬흉위나 쇄석위의 체위를 취하게 합니다(그림2).

그림2 슬흉위(좌)**와 쇄석위**(우)

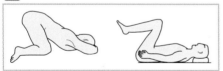

S T E P 전립선의 직장검사에서

- 정상은 표면평활, 탄성경, 호두크기, 정중에서 구가 촉지되고, 압통 없음
- 표면이 불규칙하고 돌같이 딱딱하면 전립선암을 의심한다.
- 압통이 있으면 전립선염을 의심한다.

● 전립선 prostate

검지를 항문으로 2~3cm 삽입하면 전립선의 후면(후엽과 일부측엽)이 촉지됩니다(그림3).

정상에서는 표면평활, 탄성경, 호두크기, 한가운데에서 좌우를 나누는 홈을 촉지하며, 압통은 없습니다.

전립선비대증에서는 여러 가지 크기로 종대되지만, 표면평활, 탄성경으로, 중앙의 구가 잘 촉지되지 않습니다. 통상 압통은 없습니다.

전립선암에서는 크기는 여러 가지이지만, 표면이 불규칙하고 돌같이 단단한 결절로 촉지됩니다. 단, 전립선비대증이 합병되어 있는 경우가 많으므로 주의해야 합니다. 직장검사만으로는 전립선암의 정확한 감별이 어려우며, 경직장 전립선초음파검사(☞ p.196)가 가장 유용하며 간편한 검사로서 흔히 사용되고 있습니다.

직장검사에서 열감이나 압통을 느낄 때는 전립선에 염증이 있을 수가 있습니다.

직장검사에 의한 전립선의 소견을 표1에 정리했습니다.

그림3 직장검사

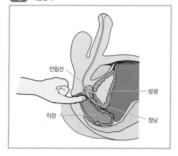

표1 각종 전립선질환의 직장검사 소견

	정상	전립선비대증	전립선암	전립선염 (전립선결석)
크기	호두크기 전립선구(前立腺溝) 촉지	종대 클 때는 중앙구(中央溝) 소실	종대	호두크기
형태	좌우 균일	좌우 균일~불균일	좌우 균일~불균일	좌우 균일
표면의 성상	일정	일정	불규칙	일정~불규칙
경도	탄성경	탄성경	돌같이 단단	탄성경~돌같이 단단
압통	없음	없음	없음	있음

● 정낭 seminal vesicle

정낭은 전립선의 상방좌우에 존재하지만, 정상에서는 촉지되지 않는 경우가 대부분입니다.

■ 청진 auscultation

복부의 혈관잡음(bruit)을 청취한 경우에는 신혈관성 고혈압이나 신동정맥루, 신동맥류 등의 신혈관성 병변을 의심합니다.

■ 신경학적 검사 neurological test

비뇨기과영역에서 이용되는 것으로는, 신경인성 방광진찰에 사용되는 다음의 2가지 반사가 대표적입니다. 원칙적으로 핵상성 장애에서는 항진하고, 핵하성 장애에서는 소실됩니다.

● 거근반사 cremaster reflex

상부 대퇴내측면을 문지르면 같은 측의 고환이 거상하는 반사입니다. L_1~L_2가 반사중추입니다.

● 구해면체반사 bulbocavernosus reflex

항문에 손가락을 삽입한 상태에서 귀두나 음핵을 자극하면 외항문괄약근에 수축이 나타나는 반사입니다. S_2~S_4가 반사중추이므로, 이 레벨이 기질적으로 장애를 받으면 발기장애가 일어나는 것 외에, 사정도 불능이 됩니다. 이와 같은 사실을 바탕으로 신경인성 방광 이외에도 기질적 발기장애와 기능적 발기장애를 감별할 때에 유용합니다.

② 소변검사 urinalysis

■ 소변량 urinary out put과 채뇨법 urine sampling

> 소변검사는 남성은 중간뇨를, 여성은 도뇨를 검체로 사용한다.
> 정상 소변은 1,000~1,500mL/일, 비중은 1.015~1.025, pH는 약 6

● 24시간 요

1일 소변량(정상인의 소변량은 1,000~1,500mL/일입니다)과 그 성분을 검사하는 것으로, 요단백, 요당 등의 1일 배설량의 정량이나 크레아티닌 클리어런스 측정 시 등에 합니다.

단, 소변을 모을 때에는 요성분의 석출, 분해, 세균번식에 의한 pH 변화에 주의해야 합니다.

● 수시뇨(스폿뇨)

시간에 관계없이 채취한 소변을 수시뇨라고 합니다. 밤새 농축된 소변은 함유성분이 많고, 식사한 지 시간이 경과되었으며, 또 몸을 움직이지 않아서 영향이 적기 때문에 검체로 적합합니다. 즉 이른 아침의 첫 소변이 가장 적합합니다.

실제 채뇨법은 혈뇨의 부위진단을 목적으로 하는 경우는 Thompson의 2배분뇨법(☞ p.26)이 시행됩니다. 또 검체로 하는 경우, 여성은 외음부나 질의 상재균과 분비물이 혼입되기 쉬워서, 카테터로 도뇨하거나, 외음부를 깨끗이 씻은 후에 중간뇨를 채취합니다. 영유아에서도 특히 세균배양을 목적으로 하는 경우는 도뇨하거나, 치골위에서 방광을 천자하여 합니다. 남성은 귀두부를 깨끗이 씻은 후에 중간뇨를 사용해도 됩니다.

■ 일반검사

시험지법으로 하는 것으로, pH(정상은 6정도), 비중(정상은 1.015~1.025), 단백, 당, 잠혈, 우로빌리노겐, 케톤체, 백혈구, 세균 등을 검사할 수 있습니다.

참고로 정상 소변은 일반적으로 담황색~황갈색 투명을 나타냅니다.

요 침사 urinary sediment

요 침사는 소변 채취 후에 가능한 한 빨리(4시간 이내) 검사해야 합니다. 무균적으로 채취한 신선뇨라도 시간이 경과하면 세균이 급속히 증식하게 됩니다. 그러면 요소가 분해되어 소변이 알칼리성이 되며, 적혈구가 파괴되고 원주도 붕괴됩니다.

STEP

400배로 검경하여, 적혈구도 백혈구도 5개 이상/1시야이면 이상 있음
편평상피와 초자원주에는 병적 의의는 거의 없다.

● 경경과 염색

표본은 소변을 1,500회전/분에 10분간 원침하여 제작합니다. 처음에 원주성분이나 트리코모나스를 확인하기 쉬운 저배율로 검경합니다. 이어서 400배로 검경하여, 적혈구나 백혈구를 확인합니다. 대장균, 황색포도구균, 결핵균 등의 균체는 1,000배로 검경합니다. 또 염색은 임균에는 Löffler염색[*1], 세균에는 Gram염색[*2], 결핵균에는 Ziehl-Neelsen염색[*3]으로, 필요에 따라서 적절히 사용합니다.

● 적혈구 red blood cell (RBC)

앞에서 기술하였듯이, 현미경하(400배)에서 관찰하고, 적혈구가 1시야에 5개 이상 확인되면 현미경적 혈뇨입니다. 또 요 1L에 혈액이 1mL(즉 1/1,000) 추가되면 육안적 혈뇨가 됩니다(그림4).

그림4 **적혈구의 요 침사(×400)**

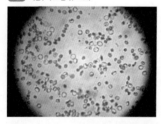

다수의 적혈구가 확인됩니다.

---

* 1 **Löffler염색**
알칼리성 메틸렌블루 염색제를 사용하는 것으로, 임균 등의 나이세리아속(Neisseria) 염색에 사용합니다.
* 2 **Gram염색**
우선 크리스털보라로 염색하고, 다음에 루골액(요오드)으로 처리한 후, 에탄올로 탈색합니다. 이것으로 탈색되지 않는 것이 그람양성균, 탈색되는 것이 그람음성균입니다. 단, 탈색되어 투명해지면 의미가 없으므로, 사프라닌으로 적색으로 염색합니다. 따라서 Gram염색으로 붉게 염색되는 것이 그람음성균입니다.
* 3 **Ziehl-Neelsen염색**
결핵균이나 비정형항산균 등의 마이코박테륨속을 적색으로 염색하는 염색법으로, 특수한 염색제인 석탄산 fuchsin 액과 염산이 사용됩니다.

● **백혈구** white blood cell (WBC)

백혈구뇨가 농뇨라 불리는 것은 앞에서 기술한 바와 같습니다. 요로감염일 때에 세균과 백혈구가 싸운 잔해가 고름입니다. 육안적으로 백탁해 있고, 가열하거나, 산, 알칼리, 에테르를 추가해도 백탁이 소실되지 않습니다(Ultzmann법⟨☞ p.34⟩).

● **무균성 농뇨** aseptic pyuria

결핵, 클라미디아, 바이러스감염, 신간질성병변에서는 농뇨(백혈구만 증가)를 나타내지만, 세균은 관찰되지 않습니다. 이것을 무균성 농뇨라고 합니다.

● **휘세포** glitter cell

세포내 과립이 브라운 운동을 하므로 반짝반짝 보이는 호중구를 말합니다. 신실질 유래의 백혈구로, 신우신염이나 간질성 신염에서 확인됩니다.

● **상피세포** epithelial cell

● **요세관상피**

원위요세관보다 말초인 요세관세포가 탈락했을 때에 보이는 것으로, 백혈구의 1.5~2배의 크기입니다. 이 요세관상피세포가 보이는 경우는 요세관에 변성이나 괴사를 일으키는 질환이 고려됩니다. 구체적으로는 사구체신염, 급성 요세관괴사, 신증후군, 중금속중독 등이 있습니다.

● **이행상피**

신우, 요관, 방광, 요도의 일부를 형성하고 있어서 방광염, 요로결석, 이행상피암, 유두종에서 볼 수 있습니다.

● **편평상피**

외요도구에만 존재하는 것으로, 단순성 방광염에서 볼 수 있습니다. 또 여성은 이 편평상피가 질분비물에 혼입되므로 종종 소변에서 보입니다. 즉 편평상피에 병적의의는 거의 없습니다.

● **원주** cast

소변이 요세관 내에 정체했을 때, 소량의 혈청알부민이 요세관에서 분비되는 Tamm-Horsfall단백[*]이 결합되고 농축되어 생성된 것이 초자원주(硝子圓柱)(유리질원주 hyaline cast)입니다. 이 초자원주가 기질이 되어, 여러 가지 세포가 흡수된 것을 과립원주, 적혈구원주, 백혈구원주, 상피원주, 지방원주, 납양원주(waxy cast) 등이라고 합니다(p.34 그림5).

초자원주는 투명, 무구조이며, 이것을 확인해도 병적의의는 거의 없습니다. 그 밖의 원주가 확인된 경우는 병적이라고 판단합니다. 단, 원주의 존재는 **사구체병변**을 시사하는 것이며, 비뇨기과질환에서는 나타나지 않습니다.

---

* Tamm-Horsfall단백
  요세관에서 분비되는 단백의 일종으로, 알부민의 존재하에서 침전되기 쉬운 특징이 있습니다.

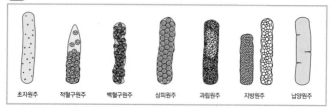

그림5 각종 원주

초자원주　　적혈구원주　　백혈구원주　　상피원주　　과립원주　　지방원주　　납양원주

● 결정 crystal

정상 소변에서도 결정성분(예를 들면, 요산염이나 수산염)이 배설되고 있습니다.

소변이 산성을 나타내고, 정육각형 시스틴결정(그림6)을 확인한 경우는 시스틴뇨증(☞ p.141)을 의심합니다. 그 밖에도 산성뇨에서 보이는 요산염이나 수산칼슘결정(그림7), 알칼리뇨에서 보이는 인산염이나 인산마그네슘·암모늄염이 있습니다.

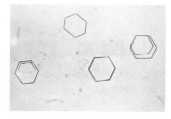

그림6 시스틴결정(89-D-45)

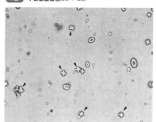

그림7 수산칼슘결정(98-I-33)

▨ 요세균검사

신선뇨를 배양검사하여, 10^5개/mL 이상의 세균수가 있는 경우, 그 세균을 원인균으로 하는 요로감염증이 존재한다고 생각합니다. 또 세균뇨뿐이며 농뇨를 수반하지 않는 경우를 무증후성 세균뇨라고 합니다.

▨ Ultzmann법(p.35 그림8)

혈뇨, 농뇨, 염류뇨가 있으면 소변이 혼탁합니다. 이 소변 혼탁의 감별에 유용한 것이 Ultzmann법입니다. 본법에서 포인트가 되는 것은 우선 첫째, 요산이 가열에 의해서 용해되는 점입니다. 둘째는 인산과 탄산이 초산 첨가로 용해되는데, 그때 휘발성 탄산이 CO_2가스를 발생시키는 데 반해서, 인산에는 변화가 나타나지 않는다는 점입니다.

그림8 Ultzmann법

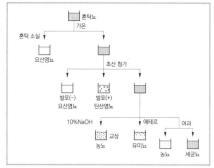

요세포검사 urinary cytology

앞에서 기술하였듯이, 신우, 요관, 방광과 요도의 대부분은 이행상피로 덮여 있습니다. 따라서 이 부위에 발생하는 악성종양의 대부분은 이행상피암입니다. 그리고 **이행상피암**에서는 요중에 이행세포가 높은 비율로 나타나므로, 진단에 도움이 되고 있습니다.

Papanicolaou염색[*]에서, 세포의 형태를 Class Ⅰ ～ Ⅴ까지 분류하고, Class Ⅰ, Ⅱ를 음성, Ⅲ을 의양성, Ⅳ, Ⅴ를 양성이라고 판정합니다. 특히 상피내암의 진단에는 요세포검사 양성이 결정적 근거가 됩니다.

③ 정액검사 semen analysis

남성불임증의 원인구명과 정낭 · 전립선질환을 진단하기 위해서 시행합니다.

정액은 2～7일 이상 금욕 후 용수법으로 채취합니다. 채취 후 시간이 경과하면 검체가 변화(특히 정자운동률)될 염려가 있으므로, 채취하는 것을 지참하게 하는 것이 아니라 그 자리에서 채취합니다.

정액은 사정 직후는 백탁하므로, 20분 정도 경과 후 액화되고 나서 검사합니다. 표2에 WHO(2010)의 정상 정액의 기준치를 정리하였습니다.

표2 정상 정액의 기준치(WHO, 2010)

항목	기준치
정액량	1.5mL 이상
정자농도	15×10^6/mL 이상
운동률	40% 이상(전진 32% 이상)
정상형태율	4% 이상

---

* Papanicolaou염색
　세포의 핵을 헤마톡실린으로 염색하고, 세포질은 분화도에 따라서 오렌지G, 에오신Y, 라이트그린으로 염색하는 방법입니다.

④ 전립선액검사 prostatic fluid test

전립선액은 염증의 정도에 따라서 변화하므로, 검사하는 의의가 있습니다. 항문으로 삽입한 손가락 끝으로 전립선을 마사지하고, 전립선액을 외요도구로 압출하여 채취합니다. 정상에서는 유백색으로 점조를 나타냅니다.

⑤ 신기능검사 renal functional test

신기능을 평가하는 방법에는 양측 신기능을 한꺼번에 계측하여, 종합적으로 보는 총신기능검사와 좌우 신기능을 따로 검사하여, 그 차이를 보는 분신기능검사의 2가지가 있습니다. 전자는 내과에서 일반적입니다. 그러나 비뇨기과질환에서는 편측 신기능에만 장애를 초래하고, 총신기능에는 이상을 나타내지 않는 증례가 많아서, 분신기능검사가 중요합니다.

■ 총신기능검사

- PSP의 대부분이 근위요세관에서 분비·배설된다
- Fishberg농축시험에서는 하나라도 비중이 1.022 이상이면 정상이라고 판정

● 클리어런스에 의한 검사

● 사구체기능

사구체 여과량 glomerular filtration rate (GFR)는 이눌린(Inulin) 또는 크레아티닌을 사용하여 측정합니다. 기준치는 100mL/분입니다. 신기능(사구체기능)이 저하되면, BUN이나 혈청크레아티닌 수치가 상승합니다. 특히 GFR이 20~30mL/분 이하가 되면 현저해집니다.

● 신혈행기능

신혈장류량 renal plasma flow (RPF)과 파라아미노마요산 para-aminohippurate (PAH)의 클리어런스는 거의 같고, 기준치는 500ml/분입니다. 여과율 filtration fraction (FF)은 GFR/RPF로 구하고, 기준치는 0.2입니다.

● PSP시험

요세관기능을 검사하는 검사입니다. PSP (phenolsulfonphtalein)는 알칼리로 붉게 염색하는 색소로, 체내에서는 대사되지 않고, 약 5%가 사구체에서 여과되며, 나머지의 대부분이 근위요세관에서 분비·배설됩니다.

본법에서는 우선 피험자에게 배뇨 후에 물 300~500ml를 마시게 하고, 30분 후에 PSP 6mg을 정맥 내에 주사합니다. 그 후, 15분, 30분, 60분, 120분마다 채뇨하여, PSP의 농도를 검사하는 것입니다. 기준은 15분치에서 20~50%, 30분치에서 40~60%, 120분치에서 55~85%로 되어 있습니다. 참고로 15분치는 크레아티닌 클리어런스와 깊은 관계가 있습니다.

● Fishberg 농축시험

전날 오후 6시 이후 금식하고, 당일 기상 시부터 1시간마다 3회 채뇨합니다. 이 3분뇨 중, 적어도 하나가 비중 1.022 이상이면 정상이라고 판정합니다. 신기능 중 처음에 장애를 받는 것이 농축기능입니다.

■ 분신기능검사

● 인디고카민 배설시험 indigocarmine dye excretion test

0.4% 인디고카민 5mL를 정주하고 방광경하에서 양측 요관구에서 청색 색소가 배설(그림9)되기까지의 시간을 검사하는 검사입니다. 인디고카민은 근위요세관에서 배설되므로 요세관기능을 측정할 수 있습니다(정상에서는 3분 이내에 흐린 청색뇨가 출현하고, 5~7분에 진한 청색이 된다). 환측 요관구에서는 색소출현시간이 지연되거나 염색이 흐린 현상이 일어납니다.

단, 상부요로에 수신증 등의 요로폐색이 있으면 그 영향이 미치는 점, 신티그램(scintigram)을 함으로써 적은 침습으로 필요한 데이터를 얻을 수 있다는 점 등으로 인해 현재는 본 검사의 우선도가 저하되고 있습니다.

따라서 요관이소개구가 의심스러운데, 통상의 방광경으로는 요관구를 알 수 없을 때나 누공이 어디에 있는지 검색할 때 등에 적극적으로 사용됩니다.

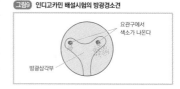

그림9 인디고카민 배설시험의 방광경소견

요관구에서 색소가 나온다

방광삼각부

● 배설성 요로조영, 정맥성 요로조영

intravenous urography (IVU)

정상인 경우, 조영제를 정주한 지 5분 정도면 요로가 조영됩니다. 이 조영제의 배설상태가 분신기능을 나타내고 있습니다. 농염이나 조영이 개시되기까지의 시간 등에서 좌우 차가 확인되면, 신기능에 좌우 차가 존재하게 됩니다.

● 레노그램 renogram, 신티그램 scintigram

p.54~58을 참조하십시오.

● 요관카테터법

요관카테터를 좌우 신우에 삽입하고, 따로 소변을 채취하여 데이터를 비교하는 검사입니다(그림10). 정상에서는 양, 비중, 전해질 등에 차가 확인되지 않습니다. 그러나 신혈관성 고혈압의 경우는 환측의 소변량 감소, 나트륨 배설량 감소, 침투압 상승, 크레아티닌 농도 상승 등이 보입니다. 또 좌우 신장의 소변을 따로 채취하여 비교하면, 허혈신의 진단이 가능합니다.

요관카테터법은 침습성이 높고 소변의 채취 그 자체가 어려우며, 똑같은 데이터를 RI검사나 하대정맥혈 샘플링에서 얻을 수 있다는 점 때문에, 최근에는 거의 시행되지 않습니다.

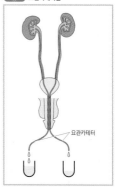

그림10 요관카테터법

요관카테터

B | 요로기능검사

❶ 요역동학검사 urodynamic study

> **STEP**
> - 방광내압이 400mL을 넘으면 요의가 높아진다
> - 요도내압은 외요도 조임근부가 가장 높다
> - 요류검사는 배뇨시간, 배뇨량, 최대요속을 기록한 것

■ 방광내압측정 cystometry

피검자를 앙와위로 하고 방광에 카테터를 삽입, 멸균수 또는 CO_2를 천천히 방광 내에 주입해 가며 내압 변화를 측정하는 검사입니다.

방광내압상승과 요의의 출현은 방광 내의 요저류량의 증가와 비례하여 상승하는 것은 아닙니다. 정상 방광의 최대용량인 약 400mL(실제로는 200~500mL로 개인차가 있다)까지는 요저류량이 증가해도 내압이 조금밖에 상승하지 않다가 400mL를 넘으면 급격히 상승하며, 동시에 요의도 높아지고, 그 결과 배뇨라는 행위가 시작됩니다(그림11).

이 검사는 방광기능장애의 원인을 진단하는 데에 매우 유용합니다.

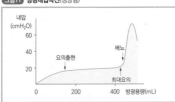

그림11 방광내압곡선(정상형)

■ 요도내압측정 urethral pressure measurement

요도내압측정(p.39 그림12)에는 도중에 여러 개의 구멍이 뚫린 특수한 카테터를 사용합니다. 카테터에 액을 주입했을 때, 그 구멍으로 액이 흘러나오는지의 여부는 구멍 부분에 접해 있는 외측 조직의 압력과 액을 주입하는 압력의 대소에 따라서 결정됩니다. 따라서 액이 요도로 밀려나오는지, 나오지 않는지의 한계압을 측정하면, 요도내압을 알 수 있습니다.

카테터가 속까지 삽입되었을 때, 즉 구멍이 뚫린 부위가 방광 내에 있을 때에는 이 압력은 방광내압을 나타내게 됩니다. 그리고 서서히 카테터를 잡아빼면, 정상인 경우는 방광경부를 나온 곳에서 서서히 요도내압이 상승하여 피크에 이르고, 서서히 저하되기 시작하여, 마지막에는 거의 일정한 내압으로 외요도구에 도달

합니다. 이 요도내압이 가장 높은 곳이 외요도조임근이 있는 곳입니다.

전립선비대증, 신경인성 방광, 요실금 등의 검사에 사용됩니다.

그림12 요도내압측정

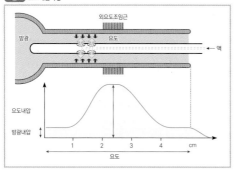

요류검사 uroflowmetry

배뇨곤란의 정도를 객관적으로 비침습으로 평가할 수 있는 방법이며, 특히 하부요로폐색의 진단에 유용합니다.

요류곡선은 배뇨시간, 배뇨량, 최대요속을 기록한 것으로, 통상은 그림13과 같은 형태가 되며, 노화에 따라서 요속의 최고치가 저하되고, 배뇨곤란이 있으면 시간이 연장됩니다. 이것을 사용하면, 배뇨곤란의 정도나 원인이 기질적인 것인지 신경인성 방광인지, 어느 정도 감별할 수 있습니다.

그림13 요류곡선의 모식도와 전립선비대 증례

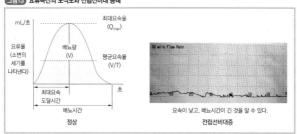

요속이 낮고, 배뇨시간이 긴 것을 알 수 있다.

정상   전립선비대증

■ 잔뇨측정 residual urine measurement

피검자에게 배뇨 후 즉시 앙와위를 취하게 하고, 하복부초음파검사로 대략의 잔뇨량을 측정합니다. 정확한 잔뇨량을 측정하려면 도뇨가 필요하지만, 전립선비대증 환자의 경우는 전립선이 손상되어 출혈할 수 있으므로, 일반적으로는 하지 않습니다.

② 신우 · 요관기능검사

여기에서는 Whitaker시험에 관해서 해설하겠습니다. 본 검사는 요관의 압력측정을 하는(요로폐색을 검사한다) 방법입니다. 방광과 신우 2곳에 카테터를 삽입하고, 인디고카민액으로 착색한 생리식염수를 신우 측 카테터를 통해 지속펌프로 10mL/분으로 주입합니다. 그리고 동시에 신우와 방광의 내압을 측정합니다. 신우와 방광의 내압 차가 14cmH$_2$O 이하를 정상이라고 하며, 그 이상의 압력 차가 있는 경우는 요관에 저항이 있다(통과장애가 있다)고 생각합니다.

C | 요로조영
urography

요로가 소변을 배설하는 경로라는 기본적 기능을 이용하여, 조영제를 주입하고 그 형태 변화를 검사하는 검사입니다. 최근에는 초음파검사, CT, MRI 등의 정밀도도 향상되어 이들의 중요도가 증가하고 있지만, 요로조영은 비뇨기과적 검사의 기본입니다.

① 신요관방광 단순촬영 plain film of kidney, ureter and bladder (KUB)

조영제를 주사하기 전의 신장, 요관, 방광의 상태를 촬영한 복부 단순X선 촬영을 말합니다. 조영소견을 검토하기 위한 비교 재료로 중요합니다. 단, 남녀 모두 요도가 영상에 들어가도록(남자는 전립선이나 외요도구도) 촬영해야 합니다(p.41 그림14).

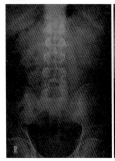

그림14 남성의 KUB사진

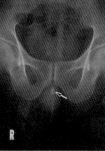

본 증례에서는 골반부 단순 X선에서 요도결석(←)이 발견되었습니다.

● 판독포인트

● 신장의 위치 (그림15a)

잘 보면 신장의 윤곽을 알 수 있습니다. 정상에서는 간의 존재로, 우신이 좌신보다 약 1cm 아래에 있습니다.

● 석회화 (그림15b)

신장에서 방광 또는 요도에 이르는 경로에 석회화가 보이지 않는지를 체크합니다. 이것은 요로결석(그림 14 오른쪽)이나 종양·낭종·동맥류에 의한 이소성 석회화의 유무를 확인하기 위해서입니다. 결석의 경우는 그 위치나 크기에서 자연배석을 기대할 수 있는지의 여부, 그 음영의 농도에 의한 성분의 예측, 나아가서는 그 위험도 어느 정도 추정할 수 있어서 치료법 선택의 지침이 됩니다.

그림15 KUB의 포인트

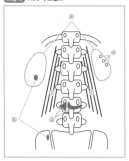

● 요근음영 (그림15c)

이것이 명확하지 않은 경우는 신주위농양, 종양, 혈종(이것은 특히 외상일 때에 중요) 등을 의심합니다.

● 골음영 (그림15d)

골형성 소견이 있으면 전립선암의 골전이가, 골용해성 소견이 있으면 신세포암이나 폐암의 전이 등이 의심스럽습니다.

● 이상가스음영 (그림15e)

신장의 윤곽에 일치하여 이상한 가스음영이 확인되는 경우는 기종성 신우신염(☞ p.112)이, 방광내 이상가스음영이 확인되는 경우는 방광장루(☞ p.266)가 의심스럽습니다.

● 기타

장관가스음영이 확인되면, 장폐색(일레우스) 등이 진단되는 경우도 있습니다.

② 배설성 요로조영 excretory urography

경정맥적으로 조영제를 투여하고, 그 조영제가 신장에서 배설되는 상태를 촬영합니다. 정맥성 요로조영(IVU)으로 조영이 불충분하다고 예측되는 경우에는 조영제를 증량한 점적정주요로조영(DIP)을 시행합니다(그림16).

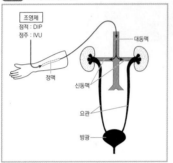

그림16 IVU와 DIP의 모식도

조영제
점적 : DIP
정주 : IVU

정맥

대동맥

신동맥

요관

방광

■ 조영제와 부작용

STEP 조영검사는 요오드알레르기와 갑상선기능항진증에는 절대적 금기

● 조영제

수용성 요로조영제에는 이온성과 비이온성이 있습니다. 현재는 침투압이 그다지 높지 않은 점, 이온부하가 없으므로 체내의 단백결합이나 효소에 대한 저해작용이 적은 점 때문에 비이온성 조영제가 흔히 사용되고 있습니다.

● 부작용

침투압, 이온부하, 비친수기(非親水基) 성질 등에 의한 용량의존성 물리적 반응과 화학적 반응 및 용량비의존성 아나필락시양 반응으로 크게 나누어집니다.

예방에는 약제과민성 등의 기왕력을 상세히 문진하는 것이 중요합니다.

● 물리적 반응

열감, 혈관통, 탈수(혈장량 증가), 혈관내피장애, 적혈구 변형 등을 나타냅니다.

● 화학적 반응

신기능장애를 나타내는 수가 있습니다. 이 경우는 수분을 충분히 보충하고, 사용하는 조영제의 종류나 사용량이 최소한이 되도록 주의해야 합니다.

🔴 아나필락시양 반응

경증에서는 재채기나 소양감을 나타내는 정도입니다. 중증에서는 두드러기나 부종(후두부종은 호흡곤란을 일으켜서 위험), 기관지경련, 쇼크, 심정지 등을 초래합니다. **경증례에는 H₁수용체 길항제나 H₂수용체 길항제, 부신피질스테로이드제를 정주합니다.** 후두부종 이상의 중증례에는 **아드레날린의 근주가 제1선택이며, 부신피질스테로이드제나 기관지확장제의 정주도 동시에 합니다.**

🔴 절대적 금기

요오드 알레르기인 사람이나 중증 갑상선기능항진증 환자에게는 절대로 사용해서는 안됩니다.

🔴 상대적 금기

천식 등의 심한 알레르기 반응을 확인한 사람, 혈청크레아티닌 2.0mg/dL 이상을 나타내는 신기능부전증례(조영제는 이온부하나 침투압활성이 높아서, 신기능에 부담을 가한다), 고령자의 탈수 시, 고도의 심기능장애, 골수종이나 중증당뇨병 환자 등이 상대적 금기가 됩니다.

📕 정맥성 요로조영 intravenous urography (IVU)

IVU의 목적은 신장 · 요관 · 방광의 위치나 형태의 이상 유무와, 신우에서 방광까지 요로의 통과장애 유무를 검사하는 것입니다.

🔴 조영의 실제

40mL 조영제를 여러 차례로 나누어 정주합니다. 이 경정맥적으로 투여된 조영제가 신장에 도달하고 배설되는 과정에서,

```
신실질이 조영된다(신장의 형상을 알 수 있다).
                    ↓
          신우 · 신배가 조영된다.
                    ↓
            요관이 조영된다.
                    ↓
            방광이 조영된다.
```

실시간으로 관찰(통상은 5분, 10분, 15분으로 임의를 촬영)하여, 이상의 유무를 체크합니다(p.44 그림17). 또 IVU에 앞서서 반드시 KUB를 촬영합니다. 이 2가지를 동시에 하면, X선 투과성이 높은 공간점유성 병변(X선투과성 결석이나 요관종양 등)의 판정에도 유용합니다. 며칠 전에 KUB를 촬영했다고 해서 생략해서는 안 됩니다.

이와 같이 IVU는 특수한 기기를 필요로 하지 않고, 요로장기의 형태적 평가에 유용하며, 동태적인 기능도 알 수 있어서, CT나 MRI가 보급된 현재도 신우, 요관검사의 중심적인 역할을 하고 있습니다. 특히 **신실질상**(腎實質相)의 모양은 좌우 분신기능을 평가하는 데에도 중요합니다(신기능에 좌우 차가 있으면, 조영제 배설에 좌우 차가 보인다). 주의해야 할 점은 소아나 젊은 여성에 대한 방사선조사와 부작용입니다.

그림17 정상 IVU영상

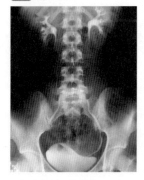

양 신장에서의 배설이 양호하고, 신우·신배 모두 변형이나 압박은 확인되지 않습니다.
도중에 요관이 조영되지 않는 부분이 있지만, 이것은 이상이 아닙니다. 요관은 연동운동으로 소변을 아래쪽으로 내려보내고 있으므로, 촬영 시에는 이와 같은 상태를 나타냅니다.

● 판독포인트

● 신실질소견(腎實質相)

신실질의 농도, 신장의 변형이나 회전이상의 유무, 좌우 차, 결손의 유무를 봅니다. 이 체크포인트에 해당하는 대표적인 질환은 말굽신, 융합신장, 신종양이나 신낭종입니다. 만성 신우신염이나 신경색에서는 신장의 윤곽에서 요철이 확인되는 수가 있습니다.

● 신배·신우의 변형, 확장의 유무(그림18)

조영제 주입 개시 후 3분 정도에 신배, 신우로 배출되기 시작합니다. 소신배는 7~8개 확인되고, 이것이 2~3개 모여서 대신배가 되는 것이 일반적입니다. 실질부의 점거성 병변에서는 신우·신배가 압박을 받아서 변형되는 경우가 많아집니다. 수질해면신(☞ p.80)처럼, 신배유두에서 추체를 향해서 솔로 그린 듯한 집합관에 확장이 있는 경우, 조영제가 저류되어 유두부에 솔로 그린 듯한 영상을 얻게 됩니다. 또 산통 발작 시에는 환측에서 조영제의 배설이 지연되거나 배설이 전혀 확인되지 않습니다. 이와 같은 소견이 나타났다고 해서, 바로 무기능신장(문자대로 신장이 기능하지 않는 상태)이라고 진단해서는 안됩니다.

그림18 IVU의 특징적 소견

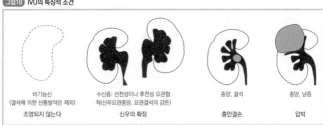

비기능신 (결석에 의한 산통발작은 제외)	수신증: 선천성이나 후천성 요관협 착(신우요관종양, 요관결석의 감돈)	종양, 결석	종양, 낭종
조영되지 않는다	신우의 확장	충만결손	압박

● 요관의 상태

요관은 연동하고 있어서, 몇 장의 필름에서 주행, 중복, 변형, 확장의 유무를 종합적으로 판단해야 합니다 (특히 움직임이 감소되어 유연성이 소실되지 않았는지 등). 결석이나 종양으로 요류가 나빠지면, 그곳에서 부터 상부로 요관의 확장이 확인됩니다. 하부요관의 확장이 확인될 때(특히 소아나 여성에게 신우신염의 기왕이 있는 경우)는 방광요관역류증이 의심스럽습니다.

● 방광의 상태

방광의 크기나 형태(게실의 유무), 충만결손(방광종양 등)의 유무, 전립선에 의한 압박의 유무를 확인합니다.

본 검사에서는 검사 전에 반드시 배뇨하게 하므로, 방광에 다량의 요가 확인될 때에는 평소부터 잔뇨가 있는 것이 아닌지 의심스럽습니다.

정상 정면 영상에서, 남성의 방광은 가로가 긴 타원형을, 여성은 자궁에 의해서 위가 오목한 형태입니다.

■ 점적정주 신우조영 drip infusion pyelography (DIP)

약 100mL의 조영제를 5~10분간 점적정주하고 조영하는 것입니다. 정맥성 요로조영(IVU)과 다른 점은 이 수기뿐이며, 이외에는 기본적으로 같습니다. 조영제의 투여량이 많은 점과 침투압 이뇨에 의해서 IVU보다 양호한 조영을 얻는 것이 특징입니다.

통상의 IVU에서 신우·신배의 조영이 선명하지 않다고 예상되는 경우(사전의 초음파검사에서 현저한 수신증이 보이거나, 경도의 신기능장애가 보일 때)에 합니다.

❸ 역행성 신우조영 retrograde pyelography (RGP)

> **STEP**
> • RGP의 적응은 경정맥 투여로 신우가 깨끗하게 조영되지 않는 경우와 요오드 알레르기가 있는 경우
> • RGP의 금기는 활동성 요로감염증인 경우

● 조영의 실제

방광경으로 보면서 요관카테터를 방광→요관→신우로 역행성으로 삽입하고, 그곳으로 조영제를 주입하는 것입니다(p.46 그림19). 단, 조영제가 잘 들어가지 않는다고 해서 무리하게 주입하면, 신우를 뚫고 신실질 내로 조영제가 누출되므로 주의해야 합니다.

RGP의 양측 동시 시행은 요관부종을 일으켰을 때에 급성 신후성 신부전을 일으킬 위험이 있으므로 해서는 안 됩니다.

판독의 포인트는 기본적으로 IVU와 같지만, 요로의 폐색 부위나 그 원인 등을 검색하는 등의 목적에 적합합니다(p.46 그림20).

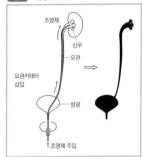

그림19 역행성 신우조영

조영제

신우

요관

요관카테터
삽입

방광

조영제 주입

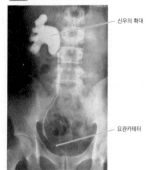

그림20 우측 역행성 신우조영상

신우의 확대

요관카테터

RGP에 의해서 우측 신우요관이음부협착증
(☞p.87)에 의한 수신증이 판명되었다.

● **적응과 금기**

　　적응의 첫째는 IVU나 DIP로 상부요로가 충분히 조영되지 않았을 때, 즉 신기능의 악화로 경정맥적 투여로는 신우가 깨끗이 조영되지 않는 경우입니다. 또 하나는 **요오드 알레르기**가 있는 경우입니다(RGP는 경정맥적 투여가 아니므로 가능). 단, CT나 MRI로 필요한 정보를 얻을 수 있어서 현재는 적응 범위가 좁아지고 있습니다. 조작은 무균적으로 하며, 주입하는 조영제에 항균제를 섞거나, 검사 후에는 예방 목적으로 항균제를 투여합니다.

　　한편, 활동성 요로감염의 존재가 의심스러운 경우는 금기입니다.

④ 경피적 선행성 신우조영 percutaneous antegrade pyelography

　　고도의 수신증 때문에 요로가 조영되지 않는 경우에, 피검자에게 복와위를 취하게 하고, 배부에서 초음파로 신우·신배를 확인하면서, 신우에 직접 천자하여 조영제를 주입하고, 요로를 촬영하는 것입니다 (p.47 그림21).

그림21 선행성 신우조영상

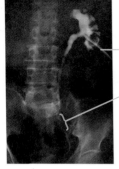

신루카테터

파쇄된 여러 개의
결석 조각이 요관으
로 내려옴

본 증례는 왼쪽 요로에 발생한 사슴불결석에
경피적 신쇄석술을 한 후에,
요로의 통과 상태를 검사하기 위해서
시행한 것입니다. 요관의 하부에 여러 개의
결석 조각이 내려와 있는 것을
알 수 있습니까?

적응과 이점

IVU에서는 적절한 소견을 얻지 못하고, RGP도 시행할 수 없는 증례가 적응입니다. 즉 전립선비대증, 고도의 수신증 등이 적응이 됩니다.

본 검사는 능숙하게 하면 인공음영(artifact)*을 일으키는 빈도가 낮고, 보다 상세한 소견을 얻을 수 있습니다.

천자침을 이용하여 신루를 설치하는 것이 가능하며, 그곳으로 요배출(drainage)을 시키고 신기능을 회복시킬 수 있습니다. 또 신루가 필요한 Whitaker시험(☞ p.40)도 할 수 있습니다.

그 밖에 증례에 따라서는 진단에 이어서 경피적 신쇄석술이나 내시경적 신우성형술도 동시에 할 수 있습니다.

합병증

천자침에 의해서 혈관이 손상된 경우의 출혈이 가장 중증입니다. 따라서 출혈 경향이 없는 것을 확인한 후에 실시합니다. 요로감염이 합병되어 있는 경우는 검사 전에 항균제를 투여해야 합니다

⑤ 방광조영 cystography (CG)

■ 역행성 방광조영 retrograde cystography

방광소견을 얻는 것이 제1목적인 경우는 카테터를 요도에서 방광에 삽입하여 역행성으로 조영제를 주입하는 것이 일반적입니다. 이렇게 함으로써 보다 선명한 영상을 얻을 수 있고, 방광질루 및 방광장루의 진단이나 방광외상의 진단에도 유용합니다. 또 요로재건술 등의 수술 후에 소변이 새는지를 확인하기 위해서 시행하기도 합니다.

---

* 인공음영 artifact
영상검사에서 실제로는 없는 것이 나타나거나, 본래의 형태가 왜곡되어 영상처리된 것입니다.

또 방광조영 후에 배뇨하면서 촬영하면, 다음에 기술하는 배뇨방광요도조영이 됩니다.

■ 배뇨방광요도조영 voiding cystourethrography (VCUG)

역행성 방광조영 후, 계속해서 배뇨하게 합니다. 그때(배뇨 시) 정상에서는 요관이 조영되지 않지만, 방광요관역류(VUR)(☞ p.94)가 있으면 요관이 보입니다(그림22).

모니터로 관찰하면서 촬영하므로, 배뇨 상태를 능동적으로 볼 수 있어서, 생리적인 배뇨하에서 방광경부의 개폐 상태를 관찰할 수 있습니다. 또 요도게실이나 **방광경부 경화증**, **후부요도판막**, **신경인성 방광** 등도 알 수 있습니다. 외상에 의한 방광 손상의 정도, 신방광 조설 후 봉합부에서의 누수 유무의 확인에 사용하기도 합니다.

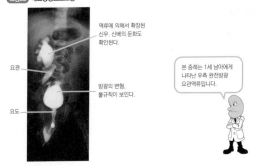

그림22 **배뇨방광요도조영**

역류에 의해서 확장된 신우. 신배의 둔화도 확인된다.

요관

방광의 변형. 불규칙이 보인다.

요도

본 증례는 1세 남아에게 나타난 우측 완전방광 요관역류입니다.

■ 체인방광조영 chain cystography

요실금이나 방광류(자궁탈)를 호소하는 여성 환자에게 수술 적용을 결정하기 위해서 실시합니다(☞ p.165, 169).

⑥ 역행성 요도조영 retrograde urethrography (RGU)

외요도구에서 역행성으로 조영제를 요도 내에 주입하면서 촬영하고, 요도의 상태를 관찰하는 것입니다(p.49 그림23). 전립선질환의 진단에 경직장초음파검사나 CT 등이 사용되기 전까지 흔히 사용되었습니다.

그림23 정상 역행성 요도조영

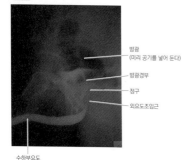

방광
(미리 공기를 넣어 둔다)

방광경부

정구

외요도조임근

수하부요도

● 적응과 이점

역행성 요도조영의 가장 중요한 적응은 남성의 요도협착입니다. 예전에는 임균요도염의 후유증으로 요도
협착이 종종 나타났지만, 화학요법의 진보로 격감되었습니다. 그 때문에 현재 협착 원인의 대부분이 외상이
되었습니다. 구체적으로는 추락이나 교통사고, 전립선에 대한 경요도적 수술이나 비뇨기과적 검사 시 카테
터의 조작 실수 등입니다. 또 최근에는 전립선암에 대한 근치수술인 전립선전절제술 후의 방광ㆍ요도문합
부에서 소변이 새는지를 확인할 때 사용하는 경우가 많아지고 있습니다.

요도가 짧은 여성은 요도조영을 하는 질환이 거의 없지만, 요도게실의 진단에 사용되기도 합니다.

⑦ 정낭조영 vesiculography

정관의 통과장애나 정낭의 형태를 볼 때에 하는 검사입니다. 음낭에 소절개를 하고, 정관이 노출된 상태에서
직접 정관 내에 주입바늘을 삽입하여 조영하는 것이 일반적입니다. 남성불임(특히 무정자증*) 환자의 정로
검색에 주로 시행됩니다. 그러나 합병증으로 정관협착을 초래하기도 하므로, 특히 미혼 남성이나 임신을 희
망하는 환자에서는 적응을 확실히 확인해야 합니다.

또 정낭의 형태(크기, 좌우 차, 내용액의 성상, 종물성 병변 등)는 CT나 MRI로 확인할 수 있으므로, 정낭
조영을 하는 기회가 격감하고 있습니다.

---

* **무정자증** azoospermia
정액 속에 정자가 전혀 존재하지 않는 것으로, 정자가 만들어지지 않거나 정자의 통로인 정관에 이상이 있는 경우(양측 정세관
결손 등)에 나타납니다.

D | 혈관조영
angiography

종양성질환의 혈행 상태의 파악과 정맥혈(신정맥혈이나 부신정맥혈) 채취가 대표적인 적응입니다. 단, 해부학적 정보를 얻는 수단에는 CT angiography로 대신하고 있습니다. 또 구체적인 혈관조영소견에 관해서는 각론에서 설명하겠습니다.

① 선택적 신동맥조영 selective renal arteriography

Seldinger법*을 사용하여 대퇴동맥에서 하는 조영입니다(그림24). 가장 좋은 적응은 **신동맥협착, 신동맥류, 신동정맥루**라는 신혈관성 병변이 의심스러운 경우입니다. 또 낭성 신종양과 낭종이 생기는 다른 질환과의 감별(CT에서 낭종도 확인되므로, 신종양과의 판정에 혼동스러운 것이 있다), 선천성 신장기형, 신장의 외상, 신성이라고 생각되는 혈뇨를 확인하는 경우에도 적응이 됩니다. 또 신혈관성 고혈압이 의심스러운 증례에서는 본 검사로 협착 부위나 협착의 길이를 확인(이것에 의해서 수술 적응의 유무가 결정된다) 후, 좌우 신장에서 분비되는 혈장레닌활성(PRA)을 측정하기 위해서 하대정맥에 카테터를 삽입하여 신정맥혈을 채취합니다.

그림24 선택적 신동맥 조영상

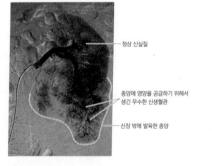

— 정상 신실질

종양에 영양을 공급하기 위해서
생긴 무수한 신생혈관

— 신장 밖에 발육한 종양

본 증례는 좌신
하극에서 발생한
신장암입니다.

● 대표적 소견

신종양에서는 동맥상에서 종양혈관이, 실질상에서 종양농염이 보입니다(그림24). 또 조영제의 저류(pooling)가 보이기도 합니다.

낭종 등의 점거성병변이 존재하면, 동맥분지의 압박상이 보입니다.

---

* **Seldinger법**

천자침에 의해서 경피적(피부를 절개하여 혈관을 노출시키지 않고)으로 가이드와이어를 삽입하고, 이 가이드와이어를 따라서 혈관 내에 카테터를 삽입하는 방법입니다.

또 외상, 침생검 후, 악성종양, 동정맥루 등에서는 동정맥의 단락소견이 보입니다.

② 골반동맥조영 pelvic arteriography

방광종양의 경우에, 종양혈관의 확대에서 침윤도를 검사하기 위해서 사용합니다.

방광동맥은 내장골동맥에서 분지되어 있으므로, 카테터의 끝이 내장골동맥까지 삽입할 수 있는 경우는 그 위치에서, 삽입이 무리인 경우는 총장골동맥의 레벨에서 조영을 개시합니다. 따라서 골반강 내의 동맥계가 모두 촬영되고 있습니다. 그러나 현재는 CT나 MRI의 보급으로 거의 시행하지 않게 되었습니다.

③ 부신혈관조영 adrenal angiography

원발성 알도스테론증의 국소진단에는 부신동맥조영이 아니라 부신정맥조영을 합니다. 단, 부신동맥의 가지가 가늘게 나누어져 있어서, 정확한 조영은 어렵습니다. 따라서 현재는 부신 신티그램이나 부신정맥 혈중 알도스테론 측정이 시행되는 경우가 많아지고 있습니다.

E | CT촬영술
computerized tomography

신장, 부신, 골반 내의 종양 병변, 비뇨기과영역의 외상의 확인(존재 진단)뿐 아니라, 질적 진단, 병기 결정에도 중요한 역할이 있습니다. 또 X선 투과성 결석의 검출에도 유용합니다.

비조영CT와 조영CT(그림25)가 있습니다.

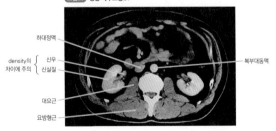

그림25 정상 복부조영CT

하대정맥

density의 { 신우
차이에 주의 { 신실질

복부대동맥

대요근

요방형근

CT에서 사용되는 조영제는 신배설성인 점에 추가하여, 요세관이나 집합관에서는 수분의 재흡수가 일어나므로, 신·요로계의 영상이 한층 증강되고, 혈관 조직과의 선명도(농도)에 차가 생겨서, 실질 내의 종양성 병변 검출이 용이해집니다.

헤리칼(스파이럴) CT나 더 진보된 다열검출형 CT가 등장하고 있습니다(p.52 그림26 : 컬러 권두화).

그림26 정상 신장의 CT에 의한 3차원 해석

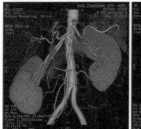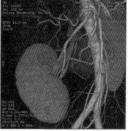

CT를 3차원 해석하여 상세한 신혈관계가 확실해져서,
수술의 시뮬레이션에 크게 도움이 된다.

F MRI촬영술
magnetic resonance imaging

MRI의 성능이 향상됨에 따라서, 앞에서 기술한 혈관조영을 대표하는 침습성이 높은 검사법을 대신하고 있습니다.

CT와 비교할 경우의 MRI의 최대 장점은 **방사선피폭**이 없는 점입니다. 또 CT는 형태적 진단에 유용하지만, MRI는 질적 진단에 유용합니다. 특히 호흡에 의한 움직임이 적은 골반내장기가 좋은 대상입니다.

● 적응과 금기

MRI의 적응은 CT와 거의 같지만, **전립선암**의 검출과 그 병기 진단에는 특히 위력을 발휘합니다.

조영제에 사용되는 것은 가도펜테테이트 디메글루민(Gd-DTPA)이며, 부작용은 요오드제보다 적어지고 있습니다.

MRI가 금기가 되는 것은 **심장 페이스메이커, 뇌동맥류 클립, 내이(內耳) 임플란트** 체내에 금속이 삽입되어 있는 환자입니다.

● 대표적인 소견

신장의 T1강조상에서는 피질이 수질보다 고신호이므로, 정상에서는 피질과 수질의 경계가 명료하지만, 신기능장애를 일으키면 경계가 불명료해집니다. T2강조상에서는 정상에서도 피질과 수질의 경계가 불명료하고, 동시에 지방보다 고신호가 됩니다(p.53 그림27, 28). 그 밖의 부위의 정상상에 관해서는 p.53 그림29, 30을 참조하십시오.

신세포암에서는 낭포상을 나타낸다거나, 종양 내부에 출혈이나 괴사가 존재한다거나, 일정한 신호를 나타낸다고는 할 수 없습니다.

수신증이나 낭포성 질환으로 요로에 물이 저류되면, 그 물은 T1강조상에서는 저신호로, T2강조상에서는 고신호가 됩니다.

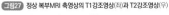

그림27 정상 복부MRI 축영상의 T1강조영상(좌)과 T2강조영상(우)

간장　담낭　신장　　　　　간장　담낭　신장

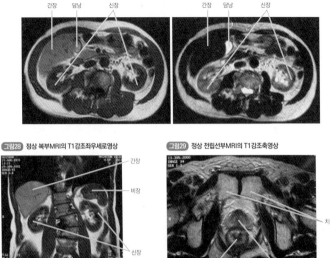

그림28 정상 복부MRI의 T1강조좌우세로영상

간장

비장

신장

그림29 정상 전립선부MRI의 T1강조축영상

치골

직장　　　　　전립선

그림30 정상 방광부MRI의 T2강조축영상(좌)과 앞뒤세로영상(우)

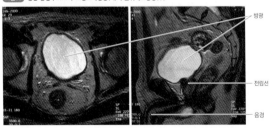

방광

전립선

음경

F

MRI촬영술

G | MR 요로조영술

MRI를 사용하여 요로를 조영하는 방법입니다(그림31). IVU로 조영되지 않는 요로(신기능이 저하된 수신증 등)도 조영이 가능하며, 경정맥성 조영제가 필요 없습니다. 또 방사선피폭을 피할 수 있어서 소아의 폐색성 요로질환 검사에 적합하다고 할 수 있습니다.

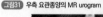
그림31 우측 요관종양의 MR urogram

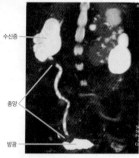

수신증

종양

방광

H | 핵의학검사
nuclear medicine study

특정 장기에 친화성이 높은 방사성 동위원소 radioisotope (RI)로 표식한 약품을 투여하고, 그 집적의 상태를 검출기로 검출하여 컴퓨터로 해석합니다. 부갑상선(상피소체)이나 신장, 부신 등 비뇨기과영역의 기관의 형태나 기능의 해석에 유용할 뿐 아니라, 후복막종양의 감별진단에도 응용할 수 있습니다.

1 신장동태 신티그래피 dynamic renal scintigraphy (레노그래피 renography)

STEP 분신기능을 계측하는 것으로, 기능저하형, 무기능형, 폐색형의 3가지 이상 레노그램 패턴이 있다.

레노그래피란

신장에 흡수된 후, 소변으로 배설되는 특성이 있는 RI의 실시간 변화를, 신티레이션카메라로 계측하는 것입니다.

방사성물질(핵종)인 ^{99m}Tc-DTPA나 ^{99m}Tc-MAG3은 정맥에서 투여하면, 전신을 순환한 후에 신동맥에서 신장 내부의 혈관상(血管床)으로 가고[혈관상(血管相)], 이어서 사구체에서 여과되거나, 요세관으로 분비되며[기능상(機能相)], 마지막에 신배 · 신우 · 요관을 거쳐서 방광으로 배설[배설상(排泄相)]됩니다(표3). 좌우 신장에 관해서 전체적으로 기능을 보거나, 일부 신실질이나 신우 · 신배로 대상을 좁혀서 계측합니다. 이와 같이 좌우 신장에서 각각 얻은 활동곡선을 레노그램이라고 합니다.

레노그래피는 분신 기능의 동태를 체외에서 계측할 수 있는 점과 환자에게 고통이나 위험을 주지 않는 점이 장점이며, 재현성 및 정량성이 부족한 점이 단점입니다.

표3 · 신장의 핵의학검사에 사용되는 핵종과 작용부위

핵종	작용부위
99mTc-DTPA	사구체에서 여과된다(GFR 지표).
99mTc-MAG3	근위요세관 내로 분비된다(ERPF 지표).
99mTc-DMSA	피질의 근위요세관세포 내나 간질에 집적되며, 요중 배설이 적다.

GFR : 사구체 여과율, ERPF : 유효 신혈장류량

■ 정상 레노그램

정상 신장에서는 레노그램이 3상(相)으로 이루어집니다(그림32).

- **혈관상(血管相)** : 주사 후 약 20초 만에 급경사로 상승하는 부분입니다. 정주 후에 심장을 경유한 RI가 동맥혈을 타고 신장에 모이는 상태를 나타내며, 신조직의 혈액 용량을 나타냅니다.
- **기능상(機能相)** : 분비상이라고도 하며, 혈관상에 비해 다소 완만한 균배를 나타내며, 3∼5분 지속되다가 피크에 이르는 부분으로, 신장에 대한 RI집적과 혈중에서 요세관으로의 분비 상태를 반영합니다. 따라서 사구체 여과와 요세관기능을 나타냅니다.
- **배설상(排泄相)** : 완만하게 하강하는 곡선을 나타내고, RI가 신우에서 배설되어 요관으로 흘러가는 상황을 반영하므로, 요류상태를 알 수 있습니다.

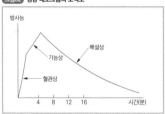

그림32 · 정상 레노그램의 모식도

■ 이상 레노그램

기능저하형(신혈류장애 등을 나타내며, 혈관상의 시작이 나빠진다), 무기능형(신기능이 현저히 저하되면 처음에 핵종이 들어간 것만으로 축적도 배설도 되지 않는다), 폐색형(요관의 폐색이 있으면 핵종이 축적되는 한편 배설되지 않는다)이 있습니다(p.56 그림33).

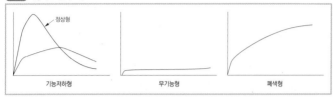

그림33 이상 레노그램의 모식도

정상형

기능저하형 무기능형 폐색형

푸로세미드 이뇨 레노그램

레노그램으로 요로폐색 패턴이 보이는 경우,
이것만으로 요로폐색이 존재한다고 판단하는
것은 위험합니다. 그래서 루프이뇨제인 푸로세
미드(furosemide)를 투여한 상태에서 레노그램
의 배설상을 봅니다(그림34). 푸로세미드의 이
뇨작용에 의해서 배설상이 급격히 하강하는 경우
는 폐색이 존재하는 것이 아니라, 신우가 확장되
어 있는 것에 기인하는 소변의 일시적 저류라고
판단할 수 있습니다. 수신증 등으로 신우가 확장
되어 있으면 요로의 사각(dead space)이 되고,

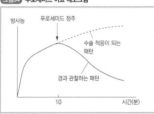

그림34 푸로세미드 이뇨 레노그램

방사능 푸로세미드 정주

수술 적응이 되는 패턴

경과 관찰하는 패턴

10 시간(분)

RI가 정체하여 방사능이 높은 채이지만, 이뇨가 일어나면 저하됩니다.

본 검사는 신우요관이음부협착증(영유아가 선천성수신증을 나타내는 대표 질환)의 수술 적응의 유무를
결정하는 것에 사용됩니다.

2 신장정태 신티그래피 static renal scintigraphy

투여된 RI가 어떻게 신장에 모이는지를 보는 것입니다. 즉 어느 시간에 영상으로 잘라낸 신장의 형태
적 변화와 기능을 파악하는 검사 방법입니다.

핵종에는 ^{99m}Tc-DMSA를 사용합니다. 이것은 투여 후 약 2시간에 기능하고 있는 네프론에 흡수되므
로, 신피질의 형태적 변화가 나타납니다. 레노그래피에서 사용하는 ^{99m}Tc-DTPA나 ^{99m}Tc-MAG3가 신장
에서 잘 집적되어 배설되는 것과는 다릅니다(p.55 표3).

판독포인트

우선, 신장의 위치, 크기, 형상을 봅니다. 예를 들면, 말굽신에서는 그 형태가 확실합니다. 신우신염에서는
신기능이 저하된 반흔화 부위가 있으면, 그곳에서는 RI흡수가 저하되어, 신장애의 정도를 알 수 있는 기준
이 됩니다. 이어서, 신종양이나 신낭포 등의 점거성 병변의 유무를 확인합니다. 단, 이것들은 모두 cold
area(핵종의 집적이 확인되지 않는 부위: 결손상)로 표출(그림35)되며, 그 이상의 감별은 할 수 없습니다.

H
핵의학검사

그림35 신장정태 신티그램의 특징적 소견

정상	신기능의 저하	신종양, 신낭포 등의 점거
	흡기상 (집적의 저하)	결손

③ 부신스캔 radioisotope adrenal gland scintigraphy

■ 부신피질 신티그래피

핵의학에는 부신피질에 대한 집적성이 높은 [131]I-아도스테롤*을 사용합니다. 정상 부신에서는 양측 부신에 거의 같은 정도의 RI집적이 있어서, 좌우 일정하게 부신이 나타납니다.

원발성 알도스테론증에서는 덱사메타존 사전 투여로 건측 및 환측의 정상 부분의 피질조직을 억제하면, 선종이 쉽게 나타납니다. 이것은 본래 원발성 알도스테론증의 선종이 작고, 단순한 RI 투여만으로는 흡수가 눈에 띄지 않는 것에 기인하고 있습니다.

Cushing증후군에서는 선종과 일치하여 강한 집적(hot spot)을 확인하고(그림36), 건측은 피드백에 의해서 억제되어 흡수가 적어집니다. 하수체선종에 의한 Cushing병에서는 양측 부신에 과형성이 일어나므로, 좌우에서 hot spot이 확인됩니다.

그림36 Cushing증후군의 부신피질신티그램(89-E-44)

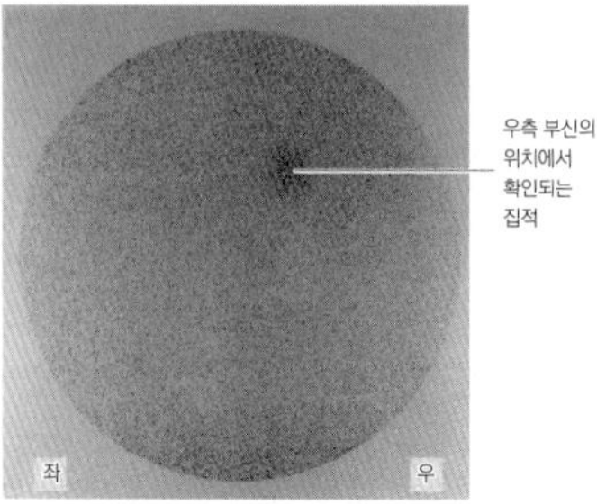

우측 부신의 위치에서 확인되는 집적

좌   우

■ 부신수질 신티그래피

^{131}I-MIBG(metaiodobenzylguanidine)가 부신수질이나 교감신경 말단세포에 집적하는 것을 이용합니다. ^{123}I-MIBG를 사용하기도 합니다.

부신수질종양(갈색세포종 등)의 진단, 특히 갈색세포종은 이소성 발생률이 높아서, 그 부위의 검색(☞ p.247), 또는 소아의 후복막 발생의 신경아종의 진단에 유용합니다.

---

* [131]I-아도스테롤 adosterol
콜레스테롤의 일종으로, 요오드화 메틸콜레스테롤[131]I라고도 합니다. 부신피질 유래의 종양은 콜레스테롤을 흡수하므로, 이것과 유사한 [131]I-아도스테롤을 투여하면 집적됩니다.

^{99m}Tc 인화합물인 ^{99m}Tc-MDP (methylene diphosphonate)나 ^{99m}Tc-HMDP (hydroxymethylene diphosphonate)를 이용합니다. 즉 인산화합물이 골의 히드록시아파타이트에 모이는 성질을 이용하고 있습니다.

전립선암은 골형성성 골전이를 일으키기 쉬우며(다른 암은 일반적으로 골용해성), 골전이부는 hot spot으로 나타납니다. 단, 골의 염증성병변이나 골절, Paget병, 다른 암의 골전이에서도 똑같은 소견이 확인되므로 주의해야 합니다.

I 방사면역측정법
radioimmunoassay (RIA)

암특이단백에 의한 면역학적 진단법으로서, 비뇨기과 영역에서 사용하는 대표적인 종양표지자를 표4에 정리하였습니다. 각각의 내용에 관해서는 각론의 종양 항목에서 설명하겠습니다.

표4 종양표지자

종양표지자	특징
혈중 α-페토프로테인(AFP)	고환종양의 난황낭종양에서 높은 수치
혈중 β사람 융모성 고나도트로핀(β-hCG)	고환종양의 융모막암종에서 높은 수치
혈중, 요중 암태아성 항원(CEA)	반수 이상의 요로종양에서 상승하지만, 다른 부위의 종양에서도 상승을 나타내는 등, 특이성이 낮다.
혈청 전립선 특이항원(PSA)	전립선암에서 높은 수치를 나타내어, 조기 진단에 유용
혈중 산성포스파타아제(ACP) 전립선 산성포스파타제(PAP)	전립선암의 치료 효과 측정에서 유용
혈중 γ세미노프로테인(γ-Sm)	전립선암에서 높은 수치

J 초음파촬영술
ultrasonography

STEP 초음파검사는 방광은 경피적으로, 전립선은 경직장으로 한다.

① 경피적 검사

요로 · 성기의 대부분의 부위에서 진찰이 유용하며, 촉진보다 정확한 정보를 얻을 수 있는 경우도 종종 있습니다.

■ 정상영상

정상 신실질의 초음파영상은 도너츠 모양의 충실조직으로 보입니다(p.59 그림37). 신피질의 에코레벨은 간실질보다 다소 낮습니다. 또 신수질은 피질보다 더 낮은 에코레벨을 나타내는 역삼각형으로 묘출됩니다.

신실질에 둘러싸인 형태로 고휘도의 충실성 구조물(central echo complex : CEC)로 신우, 신배, 신동정맥 등이 나타납니다.

그림37 정상 신장의 초음파영상

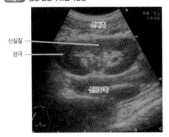

신실질

상극

■ 이상소견

본 검사는 결석증이나 수신증의 진단에 유용하며, 점거성 병변이 있는 경우는 그것이 충실성인지 낭포성인지의 감별에도 사용됩니다. 낭포는 원칙적으로 무에코이지만, 낭포 내에 출혈이 있으면, 그곳과 일치하여 내부에 고에코가 확인됩니다. 신장암은 원칙적으로 신실질과 같거나 고에코를 나타냅니다. 방광암에서도 그림38과 같이 고에코로 나타납니다.

그림38 방광암의 경복부 초음파영상

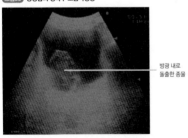

방광 내로
돌출한 종물

② 체강 내 검사

방광에는 방광경검사처럼 경요도적으로 하는(p.60 그림39) 경우도 있지만, 실제로는 앞에서 기술한 경피적 검사를 하는 경우가 대부분이며, 체강 내 검사는 방광종양의 병기 진단 시에만 실시합니다.

전립선에는 경직장으로 검사하는 것이 일반적이며, 비대증이나 암의 검사(그림40) 등에 사용됩니다.

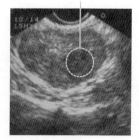

그림39 방광암의 경요도적 초음파단층영상

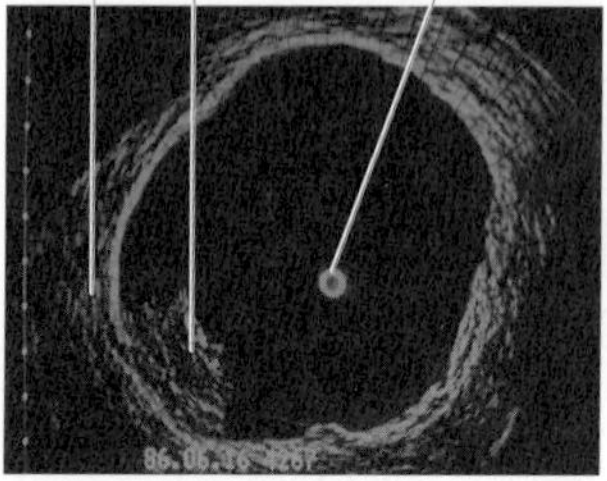

방광근층　　종양　　방광 내에 삽입한 프로브

방광 내로 돌출한 표재성 방광종양이 관찰된다
(방광근층이 유지되고 있다).

그림40 전립선암의 경직장 초음파영상

hypoechoic lesion으로
보이는 전립선암

③ 초음파유도하 천자술

경피적으로 신우·신배에 조영제를 주입하는 것입니다(선행성 신우조영 : ☞ p.46). 신낭종의 내용을 흡인하거나 세포검사를 위한 조직을 채취하는 데에 부위를 확정하기 쉽고, 유용합니다(그림41).

그림41 신낭종의 초음파영상(천자)

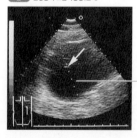

신낭종

실선은 천자침의 진입 방향을
나타내고 있습니다.
천자침이 화살표 끝까지
삽입되어 있는 모습입니다.

④ 컬러 도플러법

물체가 이동하고 있는 부분(혈구가 흐르는 혈관)을 검지하고, 초음파영상에 겹치는 것입니다. 탐촉자에 근접하는 혈류는 적색계통으로, 멀어지는 혈류는 청색계통으로 표시됩니다.

본법 외에 더 진보된 파워 도플러법을 사용하여 혈류의 상태(즉 혈관의 주행 상태)도 알 수 있게 되었습니다.

비뇨기과 영역에서는 고환의 혈류장애가 일어나는 고환꼬임의 진단에 컬러 도플러법이 사용된 것이 시작이지만, 현재는 신혈관성 병변(신경색, 신동정맥 기형, 신동정맥루, 신혈관성 고혈압, nut cracker현상 등)이

나 종양병변(신세포암, 신혈관근지방종, 신우암, 신
낭종 등)의 고정밀도 영상이 가능해지고 있습니다
(그림42).

그림42 좌측 신우주변낭종의 컬러 도플러 에코도

신우주변낭종
(parapelvic
cyst)

신장

K | 생검법
biopsy

경피적 침생검, 개방생검, 내시경하 생검이 있습니다. 어느 방법으로 생검을 하는지는 대상 기관이나
병태에 따라서 다릅니다. 예를 들면, 침생검의 적응은 피부면에서 비교적 가까운 위치에 있는 장기로,
초음파로 위치를 확인할 수 있으며 바늘이 들어갈 수 있을 정도의 적당한 경도가 있는 점 등이 그 조건
이 됩니다.

STEP 경피적 침생검이 금기인 질환은
화농성 신질환, 신장의 위치이상, 출혈성 소인, 단신증, 신세포암, 고환종양,
갈색세포종

1 신생검 renal biopsy

적응
만성 사구체신염, 신경화증, 신증후군, 교원병에 수반하는 신증, 아밀로이도시스 등의 진단을 확정하기 위
해서 실시합니다. 경과관찰 중에 반복함으로써, 질환의 진행 상황을 알 수 있습니다. 이식신장에서 기능저하
가 나타나는 경우, 그 원인도 검색할 수 있습니다.

방법

경피적 침생검 percutaneous needle biopsy
피험자를 복와위로 하고 초음파로 모니터하면서 근층과 근막을 국소마취 후 요배부에서 검침을 삽입합니
다. 검침을 뺀 후의 지혈은 자연히 됩니다. 출혈경향이 있는 환자에서는 본법은 금기입니다.

● **개방생검** open biopsy

대부분이 전신마취하에서 실시합니다. 피험자를 측와위로 하고 피부를 절개하여 신장에 도달한 후, 직시하에 생검하는 방법입니다. 피험자의 육체적 부담이 커지지만, 검체채취 후에 지혈을 확인할 수 있어서 안정성에서는 침생검보다 뛰어납니다. 소아에게는 신장(腎臟)이 작은 경우와 침생검이 위험을 수반한다고 생각될 때에 적용이 됩니다.

● **내시경하 생검** endoscopic biopsy

피험자에게 전신마취를 한 뒤, 이산화탄소로 후복막강을 부풀리고 복강경하에 하는 생검입니다. 적응의 대부분은 개방생검의 적용이 되는 케이스입니다.

● **금기**

금기의 대상이 되는 것이 많은 것은 경피적 침생검입니다.

● **경피적 침생검의 금기**

화농성 신질환 등의 감염 부위에 바늘을 삽입하는 것은 바람직하지 않습니다. 또 신장의 위치이상이면 생검을 잘 하지 못하여 다른 장기가 손상될 수도 있습니다. 출혈성 소인 등 대출혈을 일으키는 경우도 금기입니다. 단신증인 경우는 신기능이 손상되면 생명이 위험해질 수도 있습니다.

신세포암은 출혈을 일으키기 쉽고 암세포의 파종을 일으키기 쉬운 종양이므로, 의학생 레벨에서는 생검이 원칙적으로 금기라고 생각하십시오.

그 밖에 신생검의 금기에는 전신쇠약, 심부전, 중증 고혈압증, 신경색, 신동맥류 등이 있습니다.

● **상대적 금기**

수신증, 다발성 낭포신, 신결핵, 요독증, 신우신염, 동맥경화증 등을 들 수 있습니다.

● **합병증**

특히 경피적 침생검에서는 출혈에 수반하는 합병증이 나타나는 수가 있습니다. 대량출혈에서는 쇼크를, 그 정도는 아닌 경우라도 혈종형성이나 혈뇨가 보이는 수가 있습니다. 고도의 혈뇨에서는 방광 내에 큰 응혈덩어리가 생겨서 방광탐포나데에 빠지는 수가 있습니다. 또 신동정맥루를 형성하기도 합니다.

② 그 밖의 생검

■ 방광, 요관, 신우

일반적으로 악성종양의 조직진단과 악성도를 판정하기 위해서 내시경하에서 실시합니다.

방광이면 경요도적 역행성으로, 요관·신우에서는 역행성 외에, 경피적 선행성으로 내시경을 넣고 하기도 합니다.

유두상 종양인 경우에는 생검과 동시에 절제하기도 합니다. 절대적 금기는 없습니다.

■ 전립선

종양의 감별진단과 악성도를 판정하기 위해서 실시합니다. 전립선암의 호발부위가 직장에 가까워서 경직장(p.63 그림43) 또는 경회음(음낭과 항문 사이)으로 초음파 가이드하에 하는 것이 일반적입니다. 내시경에서 경요도적 생검은 접근하기 어려운 실정입니다. 절대적 금기는 없습니다.

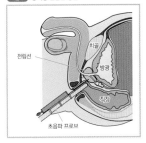

그림43 경직장 전립선 생검

전립선
치골
방광
직장
초음파 프로브

■ 고환(정소)

남성불임증의 원인을 검사하기 위해서 조정기능을 검사하는 데에 사용됩니다. 경피적 침생검에서는 검체를 충분히 채취할 수 없고 출혈을 일으키기 쉬워서 통상은 개방성으로 합니다. 금기는 고환종양이 의심스러운 경우입니다. 합병증에는 음낭혈종, 통증에 의한 쇼크, 혈성 음낭수종 등이 있습니다.

■ 부신

다른 질환의 검사 중에 우연히 발견된 비기능성 부신종양이나 전이성 부신종양이 의심스러울 때에 실시합니다. 단, 갈색세포종은 생검을 하면 쇼크상태가 되는 수가 있어서 금기입니다.

L 비뇨기과적 검사

① 마취 anesthesia

비뇨기과적 검사에서는 여러 가지 기구를 외요도구에서 삽입하는데, 이때에 마취가 필요합니다. 도뇨를 목적으로 하는 카테터 삽입처럼 단시간에 종료하는 검사인 경우는 카테터에 표면마취제를 도포함으로써 시행이 가능합니다. 그러나 내시경검사처럼 장시간이 예상되는 경우에는 척수 지주막하마취나 경막외마취가 시행되기도 합니다. 유소아에서는 전신마취가 필요한 경우도 있습니다.

② 카테터 catheter

우선 비뇨기과검사에 사용하는 주요 기구를 p.64 그림44에 나타냈습니다.

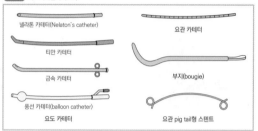

그림44 비뇨기과검사의 도구

- 넬라톤 카테터(Nelaton's catheter)
- 티만 카테터
- 금속 카테터
- 풍선 카테터(balloon catheter)
- 요도 카테터
- 요관 카테터
- 부지(bougie)
- 요관 pig tail형 스텐트

요도 카테터 urethral catheter

검사(배뇨시방광요도조영 등)나 수술할 때에 요도에서 방광까지 삽입하는 라텍스고무, 실리콘, 폴리우레 탄제 등의 관입니다(그림44). 전신마취나 경막외마취를 이용한 수술 후에 마취의 영향으로 배뇨할 수 없는 경우나, 수술 후의 소변량 관리나 혈뇨의 정도를 관리하기 위해서 카테터를 사용하는 지속도뇨가 필요합니 다. 그 밖에 다른 원인에 의한 배뇨곤란시의 도뇨, 무균적 채뇨가 필요할 때, 방광조영, 방광으로의 약제주입 등에도 사용됩니다.

통상 도뇨에는 굵기가 F14~F16 정도인 카테터를 사용합니다(굵기에 관해서는 ☞ p.66).

카테터를 잠시 방광에 유치할 때에는 빠지지 않도록 방광 내부에서 풍선을 부풀릴 수 있는 풍선 카테터 (balloon catheter)를 사용합니다. 단, 요도 카테터 유치가 장기간이면 요로감염이 필발하고, 방광결석이 생기 기 쉬우므로 주의해야 합니다

참고

도뇨의 실제

● **남성의 경우**

앙와자세인 환자의 귀두관상구를 좌우에서 잡고 음경을 확실히 위로 견인하여 요도를 똑바로 해서, 젤리를 도포한 카테터를 천천히 삽입합니다(p.65 그림45). 카테터의 종류에 따라 2갈래 내지 3갈래로 분기하는 부위까지 충분히 삽입이 되면 카테터를 발 쪽으로 넘겨서 소변의 유출을 확인합니다. 단, 카 테터 삽입 시에 음경의 견인이 약하면 외요도조임근의 바로 앞에서 카테터 끝이 걸려서 삽입되지 않는 수가 있습니다. 요도 카테터는 음경을 머리 쪽으로 향하게 한 상태에서 하복부에 고정시킵니다.

● **여성의 경우**

외요도구가 확인되면, 카테터의 삽입이 비교적 용이합니다. 단, 고령자에서는 외음부나 소음순이 위 축되어 요도구가 속에 위치하므로 확인하기 어려운 경우도 있습니다. 따라서 이와 같은 경우는 좌우의 음순을 충분히 벌리고 외요도구를 확인해야 합니다.

요도의 길이는 4cm 정도이므로, 10cm 정도 삽입하면 충분히 방광에 이르게 됩니다. 마지막으로, 소 변의 유출을 확인하고, 남성과 마찬가지로 하복부에 고정시킵니다.

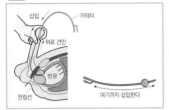

그림45 남성의 도뇨

- 삽입
- 카테터
- 위로 견인
- 방광
- 전립선
- 여기까지 삽입한다

▨ 요관 카테터 ureteral catheter

방광경하에, 요관구에서 요관(신우)을 향해서 카테터를 삽입할 때에 이용합니다. 신우까지 삽입하는 관이므로, 요도 카테터보다 가는 것입니다(p.64 그림44). 분신뇨의 채취, 신우의 세정, 약제의 주입, 역행성 신우조영 등에 사용됩니다. 통상은 굵기가 4F~6F 정도(☞ p.66)의 카테터를 사용합니다.

③ 부지 bougie

이물의 탐지나 협착부의 확장 등의 목적으로, 요도나 그 밖에 비교적 좁은 체관강에 삽입하는 관을 말하며, 일본어로는 소식자(消息子)라고 합니다. 내강이 없는(즉 도뇨할 수 없는) 점이 카테터와의 차이입니다(p.64 그림44).

▨ 금속부지 metallic bougie

요도협착이 경도인 경우에 협착부를 확장하는 데에 사용됩니다. 금속제로, 10Fr 정도부터 26Fr 정도까지 각 사이즈가 갖추어져 있습니다.

▨ 실모양의 가는 부지 filiform bougie

그 이름대로 가는 부지이며, Le Fort법일 때에 사용됩니다. 협착부를 넓히려고 무리하게 금속부지를 직접 삽입하면 요도손상을 야기할 수 있습니다. 그래서 요도에 마취용 젤리를 주입한 후, 실부지를 4~5줄 삽입합니다. 그러면 대부분은 협착부에 걸려버리지만, 그중에는 통과하는 것이 있습니다. 이 통과한 실부지에 금속부지를 연결하고 앞으로 진행시켜서 협착부를 확장하는 것입니다(p.66 그림46).

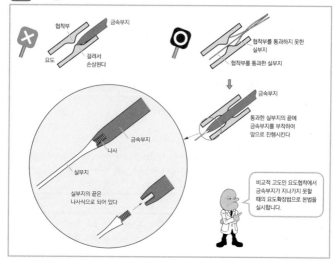

그림46 Le Fort법

협착부

금속부지

요도

걸려서
손상된다

협착부를 통과하지 못한
실부지

협착부를 통과한 실부지

금속부지

통과한 실부지의 끝에
금속부지를 부착하여
앞으로 진행시킨다

금속부지

나사

실부지

실부지의 끝은
나사식으로 되어 있다

비교적 고도인 요도협착에서
금속부지가 지나가지 못할
때의 요도확장법으로 본법을
실시합니다.

비뇨기과적 검사

(참고)

카테터와 부지의 사이즈

카테터와 부지의 직경을 나타내는 데는 2종류의 기준이 있습니다.

● French 사이즈(프랑스식)

F1은 직경 1/3mm이고, 1번 증가할 때마다 1/3mm씩 굵어진다(예를 들면, F12에서는 1/3 × 12 = 4mm)

● British 사이즈(영국식)

No.1은 직경 3/2mm이며, 1번 증가할 때마다 1/2mm씩 굵어진다.

---

④ 스텐트 stent

요관이나 요도에 일정 기간 유치하고, 소변의 drainage를 확보하는 것이 목적인 카테터의 일종입니다(p.64 그림44).

■ 요관스텐트 ureteral stent

결석, 악성종양의 침윤, 요관협착, 방사선치료, 그 밖의 여러 가지 수술 후 등에 일어나는 수신증의 병태 개선에 널리 사용됩니다. 신루(☞ p.290)와 비교하면, 환자의 QOL이 양호합니다. 한번 삽입하면 3개월 정도 유치가 가능하지만, 교환할 때에는 방광경에 의한 조작이 필요합니다.

■ 요도 스텐트 urethral stent

여러 가지 병인으로 요도협착을 일으키고 있을 때, 협착을 확장하여 원만한 배뇨를 확보할 목적으로 사용합니다. 반영구적으로 삽입하는 타입도 있습니다.

⑤ 방광경 cystoscope

> **STEP** 방광경검사의 금기는
> 하부요로 부근의 고도의 활동성염증, 고도의 전립선비대증이나 요도협착

● 수기

마취 후에 음경을 수직으로 잡고 외요도구에서 방광경을 삽입합니다. 그러면 구부에서 저항이 강해져서 앞으로 진행할 수 없게 됩니다. 이것은 음경을 수직으로 하고 있기 때문입니다. 따라서 음경을 대퇴측으로 기울인 후 방광경을 천천히 밀어 넣으면 방광에 도달합니다.

우선 방광 내에 관류액을 주입하고 방광 용량을 측정합니다. 다음에 요도, 방광점막을 관찰하는 것이 일반적입니다.

● 적응과 금기

이 방광경검사의 기본적 수기는 경요도적 전립선절제술(☞ p.282)이나 방광쇄석술(☞ p.151) 등의 수술에도 응용됩니다.

방광경검사의 금기는 급성 방광염, 급성 전립선염, 급성 부고환염, 임균요도염 등의 **염증**이 고도로 활동성인 경우입니다. 또 고도의 전립선비대증이나 요도협착이 존재하는 경우에는 좁아져 있는 요도에 무리하게 방광경을 삽입하면 전립선에서 대출혈이나 요도손상을 초래하게 되므로 금기입니다.

경요도적 조작 시에는 요로감염을 방지하기 위해서 무균적으로 실시해야 합니다. 또 조심해서 하지 않으면 요도나 방광이 손상되거나, 검사 후의 의원성 요도협착이나 요폐의 원인이 됩니다.

● 소견

점막의 상태(정상 점막은 담황색으로 혈관을 확인할 수 있다), 육주(肉柱)형성의 유무, 게실의 유무, 방광 삼각부 · 방광경부의 상태, 요관구의 상태, 결석이나 이물의 유무 등을 검사할 수 있습니다(p.68 그림47).

그림47 방광경 소견과 요도경 소견

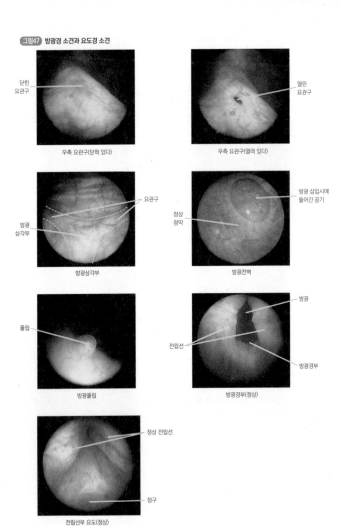

닫힌
요관구

우측 요관구(닫혀 있다)

열린
요관구

우측 요관구(열려 있다)

요관구

방광
삼각부

방광삼각부

방광 삽입시에
들어간 공기

정상
점막

방광전벽

폴립

방광폴립

방광

전립선

방광경부

방광경부(정상)

정상 전립선

정구

전립선부 요도(정상)

M │ 방광천자
puncture of the bladder

● 적응

방광천자는 방광에서 직접 채뇨할 목적으로 실시하지만, 요폐 시에도 종종 실시합니다. 요도 카테터로 도뇨할 수 없을 때가 첫째 적응입니다.

● 수기

방광천자는 초음파 가이드하에서 방광과 복막의 위치를 확인하면서 실시합니다. 초음파를 이용할 수 없을 때는 천자에 의해 복막을 뚫고 소화관을 손상하는 것만은 절대로 삼가야 합니다. 방광은 후복막강 장기로, 그 정부(頂部)에서 후방에 걸쳐서 복막으로 덮여 있으므로, 치골 위 약 2횡지 정중부에서 복벽에 수직으로 천자합니다(그림48). 방광이 가득 차 있는 것을 촉진이나 타진으로 확인하면, 이 위치에서는 소화관이 손상되지 않습니다.

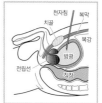

그림48 **방광천자**

비뇨기과
각론

선천성 요로 이상
congenital urinary tract abnormalities

A 신장의 선천적 이상

① 분류와 질환 개요

■ 신장 무형성 renal agenesis

후신 조직의 발생 단계의 이상으로 생기는 것으로, 양측성과 편측성이 있습니다. 본증은 후신 조직과 원기(原基)가 공통인 내외생식기에도 종종 기형이 합병되어 있습니다. 양측성인 것은 그 대부분이 생후 얼마되지 않아서 죽음에 이릅니다. 편측성은 선천성 단신증이라고도 하며, 내생식기 등에 기형이 없으면 특이증상을 나타내지 않고 경과하는 경우도 있습니다. 이 선천성 단신증은 기능하고 있는 신장이 열심히 활동하므로, 종종 대상성 비대를 나타냅니다. 본증의 발생률은 남성이 여성의 3배로 높은 비율입니다.

참고로 태생기 요관아(尿管芽)의 발달에 문제가 있는 경우에는 신장은 저형성(신배의 수, 신실질, 요관은 정상이지만 작은 신장)이 됩니다.

> **참고**
>
> **후신과 요관아(尿管芽)의 발육**(그림1)
>
> 후신은 신장의 기본이며, 태생 5주경에 출현합니다. 또 요관, 신우, 집합관 등의 원기(原基)가 되는 요관아는 태생 3주경에 중신관에서 발생합니다. 이 후신과 요관아는 태생 7주경에 접합하여 신뇨관계가 일체가 됩니다. 요관아가 발생하거나, 발생해도 후신에 도달하지 못하는 경우는 신장 무형성이 됩니다. 태아의 신장은 발육됨에 따라서 서서히 두측으로 이동하여 제12흉추의 높이에 이릅니다.

그림1 요관아의 발육과 후신 조직의 발육

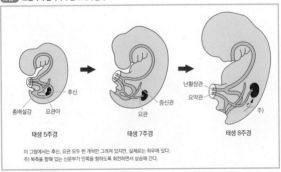

총배설강 요관아 후신

중신관 요관

난황장관 요막관 주)

태생 5주경   태생 7주경   태생 8주경

이 그림에서는 후신, 요관 모두 한 개씩만 그려져 있지만, 실제로는 좌우에 있다.
주) 복측을 향해 있는 신문부가 안쪽을 향하도록 회전하면서 상승해 간다.

■ 이소성 신장 ectopic kidney

선천적인 신장의 위치이상을 이소성 신장이라고 합니다.

신장은 발생 과정에서 골반강에서 T_{12}레벨로 상승하지만, 무언가의 이상에 의해서 이것이 도중에서 정지하여 골반강 내에 존재하게 된 것이 골반신장(pelvic kidney)입니다(그림2).

또 선 자세에서 신장의 위치가 누운자세 시에 비해 2추체 이상 하수되어 있는 것을 신하수(腎下垂) 또는 유주신(遊走腎)(☞ p.74)이라고 합니다.

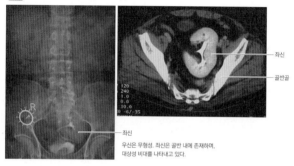

그림2 골반신장의 IVP영상(좌)과 골반부 CT(우)

좌신

골반골

좌신

우신은 무형성. 좌신은 골반 내에 존재하며, 대상성 비대를 나타내고 있다.

■ 융합신장 fused kidney

문자 그대로 신장이 유합된 것으로, 발생 단계에서 좌우의 후신 조직이 융합된 경우에 생깁니다. 또 본증에서는 같은 중배엽에서 유래하는 신혈관, 신우, 요관, 방광삼각부에도 높은 비율로 형성이상이 합병됩니다. 한쪽 신장이 다른 쪽으로 변위된 것(L형 신장 또는 S형 신장)이나, 덩어리 모양의 신장, 말굽신(☞ p.74) 등이 대표적입니다(그림3).

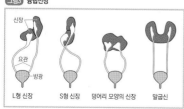

그림3 융합신장

신장

요관

방광

L형 신장   S형 신장   덩어리 모양의 신장   말굽신

낭성 신질환 cystic disease of kidney

선천성으로 신장에 낭종이 생기는 질환은 소아의 기형으로 매우 흔히 볼 수 있습니다. 게다가 식도폐쇄나
식도기관루 등의 신장 외 기형의 합병률도 높아서, 대부분 신생아기에 사망합니다.

낭성 신질환은 유전성과 비유전성으로 크게 구별됩니다(표1).

표1 주요 낭성 신질환

유전성 낭성 신질환	비유전성 낭성 신질환
• 상염색체 우성 낭신(☞ p.77)	• 수질해면신(☞ p.80)
• 상염색체 열성 낭신(☞ p.79)	• 단순 신낭종(☞ p.81)
• 다발기형군에 합병된 낭종	• 후천성 낭성 신질환(☞ p.82)
결절성 경화증, von Hippel-	
Lindau병(☞ p.79)	

② 신하수(유주신) renal ptosis

앞에서 기술하였듯이, 와위 시에 비해서 입위 시에 신장이 2추체 이상 하수된 경우를 말합니다(1.5추체
까지는 정상 범위). 선천적으로 신장 주위 지방조직의 지지력이 취약한 경우에 생기는데, 후천적인 것은
마른 여성에게 쉽게 볼 수 있는 내장하수증의 하나로 이해할 수 있습니다(오른쪽에 호발).

● 증상·진단

측복부 둔통이나 요통(특히 저녁 무렵에 많으며, 옆으로 누우면 편안해진다), 현미경적 혈뇨, 기립성 단백
뇨* 외에, 위장 증상이나 고혈압이 나타나는 수가 있습니다.

● 치료

증상이 없으면 **경과 관찰**하지만, 위에 기술한 증상이 출현한 경우에도 복벽의 긴장을 유지하기 위한 근력
증강이나 코르셋의 착용 등의 보존적 치료를 합니다.

요통이 심하고, 요류장애가 확인되며, 신우신염이 반복되는 경우 등에는 복강경하 신고정술을 실시합니
다. 관혈적 신고정술을 실시하는 경우도 있지만, 침습이 커서 최근에는 거의 실시하지 않습니다.

③ 말굽신 horseshoe kidney

• 융합부(협부)는 대동맥의 전방, 신장의 하극에 존재한다
• Rovsing징후는 양성

---

* **기립성 단백뇨** orthostatic proteinuria
신장에는 이상은 없는데 출현하는 단백뇨로, 입위나 보행할 때만 나타나고, 와위에서는 나타나지 않습니다. 사춘기에도 종종 나
타납니다.

태생기의 후신은 상승 도중에 제동맥과 교차하는데, 본증은 제동맥에 이상이 있는 경우에 그 영향으로, 신장이 융합되어 말굽형을 나타내는 것입니다. Turner증후군(☞ p.255)이나 18 trisomy*에 합병되기도 합니다.

일반적으로 융합부(협부)는 대혈관의 전방, 제3~4요추레벨에 존재하고, 대다수가 신장의 하극에서 보입니다(즉 상극유합은 드물다). 요관은 협부의 전방을 통과합니다(그림4).

또 본증은 발생이상이므로, 후에 기술하는 중복요관이나 방광요관역류(VUR), 내외성기 이상 등이 비교적 높은 비율로 합병되므로 주의해야 합니다.

그림4 **말굽신** horseshoe kidney

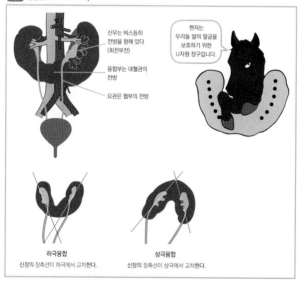

신우는 비스듬히 전방을 향해 있다 (회전부전)

융합부는 대혈관의 전방

요관은 협부의 전방

편자는 우리들 말의 말굽을 보호하기 위한 U자형 장구입니다.

하극융합
신장의 장축선이 하극에서 교차한다.

상극융합
신장의 장축선이 상극에서 교차한다.

● **증상**

신우가 전방을 향하고 요관이 협부 전방에서 신장의 전면을 넘어가듯이 주행하고 있어서 요관이 압박을 받고 수신증을 일으키는 것입니다. 수신증을 나타내면 요로감염증이나 결석형성 증상이 출현합니다.

---

* **18 trisomy**,

대부분 47,XX, + 18을 나타내는 상염색체 이상입니다. 특이안모(이개저위, 소악증, 후두돌출, 높은 비근), 손가락의 굴곡구축, 지적장애, 근긴장항진, 심기형, 신기형, 장회전이상증 등을 확인합니다. 대부분이 생후 1년 이내에 사망합니다.

본증에서는 배굴위를 취하면 협부와 척주가 슬부의 혈관이나 신경을 압박하므로, 국소통, 복통, 구역질이 나타납니다(Rovsing징후). 단, 이것은 전굴로 소실됩니다.

● 검사

KUB만으로도 어느 정도는 가능하지만, 확실히 진단을 내리는 데는 IVU가 필요합니다(그림5 왼쪽 위). 그 밖에 초음파, CT(그림5 아래), MRI도 신장이나 상부요로의 상태를 아는 데에 중요합니다. 동맥조영(그림5 오른쪽 위)은 협부절제술 시행 시에 신장의 혈행 상태를 알기 위해서 실시합니다.

그림5 **말굽신의 IVU영상**(왼쪽 위), **혈관조영상**(오른쪽 위), **복부CT**(아래)

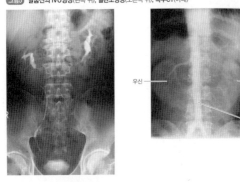

우신 ─────── ─────── 좌신

─────── 협부

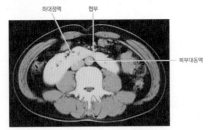

하대정맥   협부

─────── 복부대동맥

● 치료

무증상이면(요로통과장애가 확인되지 않으면) 치료할 필요가 없습니다. 단, 실제로는 해부학적 특징 때문에 요로통과장애를 수반하기 쉬우며, 수신증, 신결석, 감염 등이 쉽게 생깁니다. 이 합병증이 중증인 경우에는 협부절제술을 합니다.

4 다낭종신 polycystic kidney

 가족성으로 발생하는 질환으로, 빈혈, 현미경적 혈뇨, 단백뇨, 고혈압 등의 증상을 나타내면서 신기능이 저하되고, 최종적으로 신부전에 이릅니다.

상염색체 우성형과 상염색체 열성형이 있으며, 전자를 흔히 볼 수 있습니다.

■ 상염색체 우성 다낭종신 autosomal dominant polycystic kidney disease (ADPKD)

> **STEP**
> • 양측성이며, 고혈압, 빈혈, 신종대가 주증상
> • 뇌동맥류의 발증에 요주의

양 신장에서 크고 작은 여러 가지 낭종이 다수 확인됩니다(단, 낭종 수는 후에 기술하는 상염색체 열성형보다 적다). 이 낭종은 사구체, 요세관, 집합관에 생깁니다. 신장은 낭종의 존재로, 스위스 치즈 같은 외관을 나타냅니다(그림6).

정상 네프론도 다수 존재하므로, 성인기에 이르기까지 발증하지 않는 경우도 있습니다(따라서 성인형이라고도 합니다). 그러나 연령과 더불어 낭종이 커지고, 정상 네프론을 압박·장애함으로써 발증합니다.

본증에서는 제16번 염색체 단완에 원인유전자인 PKD1이 동정되는 외에, 제4번 염색체 장완에 존재하는 PKD2 등도 확인됩니다.

그림6 **상염색체 우성 다낭종신**(성인형)**의 스위스 치즈 같은 소견**

일반적으로 내부에 cheese eye라 불리는 기공이 있는 치즈를 스위스 치즈라고 하지.

스위스 치즈 같은

● 증상

40세 이후에 고혈압, 빈혈, 신종대 증상으로 자각하게 되는 것이 전형례입니다. 진행은 느리지만, 대부분 10년 이내에 신부전이 됩니다. 본증에서는 간장, 췌장, 폐에서도 낭종을 확인합니다. 또 뇌동맥류의 발생 빈도도 높아서 두부의 정밀검사도 필요합니다.

● 검사

신기능저하로 시작하여 신부전에 이르므로, 일반신기능검사에서 신기능저하소견을 나타냅니다.

낭종이 존재하면 소변의 흐름이 원만하게 이루어지지 않으므로, 단순 X선 사진에서는 석회화가 확인되는 경우가 많아집니다.

진단에는 초음파나 CT(그림7)가 유용합니다. IVU에서는 거미다리상 변형 spider leg deformity 소견이 보입니다(그림8, 9). 이것은 낭종의 압박으로 상중하의 신배가 술잔 모양으로 변형, 연장, 편평화되어 거미를 위에서 본 모습과 유사하여 붙인 명칭입니다.

그림7 상염색체 우성 다낭종신의 복부CT

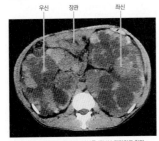

우신   장관   좌신

양 신장 모두 현저히 종대되어 복부를 대부분 점거하고 있다.
신장 내에는 다수의 낭종이 보인다.

그림8 상염색체 우성 다낭종신의 IVU영상

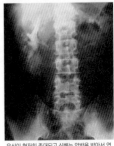

우신이 현저히 종대되고 신배는 압박을 받아서 연장, 편평화되어 있다. 좌신은 신기능이 저하되어 조영제의 배설이 거의 보이지 않는다.

그림9 상염색체 우성 다낭종신의 거미다리상 변형 소견

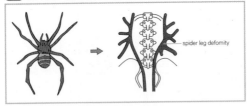

spider leg deformity

● 치료

만성 신부전에 준해서, 진행하면 투석 치료를 합니다. 참고로 투석 환자 중 약 10%가 상염색체 우성 다낭종신에 기인한다는 보고도 있습니다. 최종적으로 신장이식의 적응이 되기도 합니다.

■ 상염색체 열성 다낭종신 autosomal recessive polycystic kidney disease (ARPKD)

작은 낭종이 집합관에 다수 생기는 유전성 질환으로, 원인유전자는 제6번 염색체 단완에 존재합니다. 단, 매우 드물게 확인됩니다.

정상 네프론이 적어서 유소년기에 발증하고(따라서 유아형이라고도 합니다), 대부분 10세 정도에 사망합니다. 통상은 고도의 신부전이 확실해집니다.

가장 중증 케이스는 태아가 소변을 생산하지 못하고 양수과소를 나타내며 사산이 됩니다.

● 증상

유아기 발증인 케이스에서는 단백뇨 등의 신부전 증상이나 측복부종물이 본증을 의심케 하는 계기가 됩니다. 다수의 낭종이 형성되므로 신장이 종대됩니다.

비교적 연장 시기에 발증하는 경우는 신부전 증상이 가볍지만, 고도의 간장애와 문맥압항진을 나타냅니다(선천성 간섬유증*의 합병이 나타난다).

● 검사

복부종물이 촉지되면 우선 복부초음파검사를 합니다. 그래서 다수의 낭종이 확인되면 본증을 의심하여 총신기능검사로 진행하는 것이 일반적입니다.

● 치료

총신기능이 유지되고 있으면 배설성 요로조영이나 CT가 가능하지만, 저하되어 있는 증례에서는 안전을 위해서 MRI를 해야 합니다. 신장이 기능하고 있으면 IVU 소견은 상염색체우세형과 거의 똑같은 소견을 나타냅니다.

⑤ 다발성 기형에 합병된 신낭종

■ 결절성 경화증 tuberous sclerosis

뇌내결절과 피부의 결절성병변 및 신병변을 초래하는 상염색체 우성 유전질환입니다. 보고자와 연관지어 Bourneville-Pringle병이라고도 합니다. 제9번 염색체 장완(9q34)에 *TSCI*, 제16번 염색체 단완(16p13)에 *TSC2*라는 책임유전자가 동정되고 있습니다.

본증은 안면의 혈관섬유종, 지능장애, 경련발작을 3징후라고 하는데, 약 반수에서 신혈관근지방종(조직적으로 혈관, 평활근, 지방성분을 확인하는 종양)이 합병됩니다. 또 신낭종과의 합병도 확인됩니다.

■ von Hippel-Lindau병(VHL병)

혈관이 풍부한 장기에 종양이 발증하는 상염색체 우성 유전질환입니다. 보고자인 독일의 von Hippel과 스웨덴의 Lindau와 연관 지어 이와 같이 부릅니다. 원인유전자는 제3번 염색체 단완의 HVL병 암 억제 유

---

* **선천성 간섬유증** congenital hepatic fibrosis
대부분이 상염색체 열성 유전으로(고발례도 있다), 간비종이나 문맥압항진증에 의한 소화관 출혈과 담도계 감염을 주소로 합니다. 또 상염색체 열성 낭종신이 높은 비율로 합병됩니다.

전자입니다.

척수의 혈관종이나 망막의 혈관종을 나타내는 외에, 신선종, 신세포암, 신낭종, 정소상체낭종이 합병되기도 합니다.

⑥ 수질해면신 medullary sponge kidney

STEP
- 혈뇨나 요로결석으로 종종 발견된다
- IVU에서 꽃다발 모양 또는 꽃송이 모양 음영을 나타낸다

신추체부에 소낭종이 다발하고 집합관이 확장되는 선천성 질환이지만 비유전성입니다. 이와 같이 선천성이지만, 대부분은 30세 이후의 남성에게 발견됩니다(이 연령이 되어 증상이 출현하므로). 통상은 양측성으로, 모든 유두부에 생깁니다.

● 증상

무증상인 것도 있다고 생각됩니다만 상세한 내용은 판명되지 않았습니다. 일반적으로 **혈뇨**, 집합관 내에 소변이 정체되는 것에 의한 요로감염과 그 증상, 결석(다발하기 쉽다)에 의한 산통을 초래합니다(본증은 신결석증의 원인질환의 하나).

● 검사

진단에는 KUB와 IVU가 유용합니다. 전형적인 IVU소견으로, 조영제가 소낭포 내에 가득 차 있으므로 유두부에 꽃송이상 음영을, 또는 조영제가 확장된 집합관에 가득 차 있으므로 꽃다발상 음영(clusters of light)을 확인합니다(그림10).

CT는 신기능의 저하로 IVU로 소견을 얻을 수 없을 때에 사용합니다. 또 초음파는 소아에 대한 장기간의 경과 관찰에 방사선 피폭량을 고려하여 사용합니다.

대부분의 경우, 신우 · 신배는 정상 형태를 유지하고 있습니다.

그림10 수질해면신의 IVU소견의 모식도

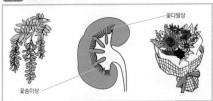

꽃다발상

꽃송이상

● 치료

대증적으로 요로감염이나 결석증에 대한 치료를 합니다. 예후는 대부분의 경우에서 양호합니다.

❼ 단순 신낭종 simple renal cyst

1~여러 개의 큰 신낭종이 생기는 비유전성 질환으로, 통상은 편측성입니다. 초음파나 CT의 보급으로 일상 외래에서 발견되는 빈도가 증가되었습니다. 50세 이상에서는 약 50%로 확인된다는 보고도 있습니다. 선천성이나 후천성 모두 원인은 불분명합니다.

● 증상

통상은 **무증상**이지만, 낭종이 커지면 측복부통이나 종물을 확인하는 것 외에, 수신증이나 혈뇨를 나타내기도 합니다. 드물게 신장의 화농성 염증에 속발하여 화농성 신낭종도 초래합니다. 감염을 일으키면, 그 중증도에 따라서 발열에 패혈증*까지 여러 가지 증상을 나타냅니다. 당뇨병이 있는 경우는 특히 위험합니다.

● 일반검사 등

무증상으로 우연히 발견되기도 하며, 일반적으로 신기능은 정상입니다.

경피적 낭종흡인을 하면, 무색투명한 액체를 확인합니다. 그러나 경피적 낭종흡인에서 혈성인 경우 또는 지방을 확인하는 경우 등은 악성종양의 가능성을 의심합니다.

검사의 항(☞ p.62)에서 이미 기재하였듯이, 신세포암에서는 원칙적으로 생검·흡인이 금기입니다. 따라서 단순성 신낭종이 의심스러운 경우에는 종양과 감별하기 위해서, 첫째 초음파검사를 실시하고, 이어서 CT를 하는 것이 원칙입니다.

● CT 및 IVU소견

CT소견에서는 낭종벽이 평활하고 명료하며, 내부는 균일하게 물에 가까운 density를 나타내고 조영증강 (enhance)되지 않았습니다(p.82 그림11 왼쪽).

IVU에서는 신배의 압박상(p.82 그림11 오른쪽)이, 선택적 신동맥조영에서는 혈관의 압박상이, 신신티그래 피에서 낭포와 일치하는 집적의 결손이 보입니다.

---

* **패혈증** sepsis
체내에 침입한 세균이 숙주의 면역력을 이겨내고, 혈중에 세균이 생착한 상태입니다. 발열, 빈맥, 호흡촉박, 핍뇨, 의식레벨의 저하 등 다양한 증상을 나타냅니다. 합병증으로는 세균이 생산하는 독소에 의한 쇼크나 신부전, 심부전, 폐수종 등이 있습니다.

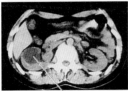

그림11 단순성 신낭종의 복부단순CT(왼쪽 위), 복부조영CT(왼쪽 아래), IVU영상(오른쪽)(CT와 IVU는 다른 증례)

신낭종

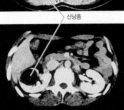

하신배가 압박을
받고, 확장

낭종과 그에
수반하는
네프로그램의
확장신영상

🔵 치료

단순 낭종에서 요로의 압박이 현저하지 않으면 그대로 경과 관찰합니다. 큰 낭종으로, 종물이 촉지되거나
요로의 압박소견이 확인되면 경피적 drainage를 합니다.

B 신우와 요관의 선천적 이상

신우 및 요관의 선천성 기형에도 수(數)의 이상(중복요관), 주행 및 개구부의 이상(하대정맥후요관이
나 요관의 이소개구 등), 구조의 이상(신우요관이음부협착증, 거대요관, 요관류 등)이 있습니다.

① 완전중복요관 complete double ureter

STEP 포인트는 Weigert-Meyer의 법칙

통상, 요관아(尿管芽)는 좌우에 각각 1개씩입니다. 이것이 2개로 나누어져 후신 조직에 도달하면, 완전중복요관(즉 신장에서 방광에 이르기까지 1개의 신장에서 2개의 요관이 나오는 형태)이 됩니다(그림12).

또 발생 시는 한 개였던 요관아가 도중에 나누어져 2개의 신우를 형성한 것이 불완전중복요관 incomplete double ureter입니다. 따라서 방광에 대한 개구부는 1곳입니다(그림12). 완전중복요관의 발생에 남녀 차 및 좌우 차는 없습니다.

그림12 완전중복요관과 불완전중복요관

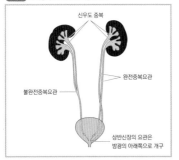

신우도 중복

완전중복요관

불완전중복요관

상반신장의 요관은
방광의 아래쪽으로 개구

● Weigert-Meyer의 법칙

완전중복요관의 경우는 2개 발생한 요관아는 도중에 교차하여 신장에 도달합니다. 그러면 신장의 상극에서 나온 요관(상반신장의 요관)은 방광의 아래쪽으로 개구하고, 신장의 하극에서 나온 요관(하반신장의 요관)은 방광의 위쪽으로 개구합니다. 이것이 Weigert-Meyer의 법칙입니다(그림13).

그림13 완전중복요관의 형성

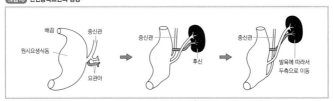

배꼽   중신관   중신관   중신관

원시요생식동   후신

요관아   발육에 따라서
                              두측으로 이동

● 증상

통상은 무증상이며, 다음과 같은 합병증이 나타나지 않으면 본인은 증상이 없습니다. 또 본증은 종종 다

른 질환의 검사 중에 우연히 발견됩니다.

이소성 요관(☞ 다음 페이지)이 존재하면 개구부의 위치에 따라서 수신증(☞ p.130)과 그 결과 생기는 결석, 요로감염증, 요실금 등이 합병증으로 나타납니다.

● 검사

본증이 의심스러울 때는 우선 IVU(그림14)를 하고, 이어서 확정진단이나 치료 방침을 결정하기 위해서 방광경으로 요관구의 상태나 요관이소개구의 상태 등을 체크합니다.

[그림14] 양측 완전중복요관의 IVU영상

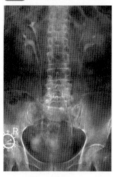

양 신장에서 나온 각각 2줄의 요관이 방광까지 조영되어 있습니다.

● 치료

신기능이 저하되지 않도록 하는 보존적 요법이 기본이 되며, 합병증을 확인하는 경우는 그것에 대한 치료를 합니다.

② 이소요관 ectopic ureter

S T E P 지속성 요실금이 확인되는 여아는 요관의 이소개구를 의심한다

 발생 과정의 이상에 의해서 요관이 방광보다 말초에서 개구한 것입니다. 본래 요관이 되는 요관아는 중신관에서 분지하여 후신 조직을 향해서 길어지고, 이것과 접합하여 후신(후의 영구신장)이 형성됩니다. 그러나 요관아가 중신관에서 분지할 때에 문제가 생기면 후신의 형성이 저해되면서 요관구의 개구부도 이동(방광 외 개구)하게 됩니다(p.85 그림15).

앞에서 기술한 완전중복요관의 상반신장의 요관은 종종 본증을 나타냅니다.

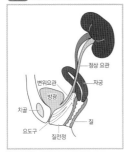

그림15 여성의 이소요관의 개구 위치

- 정상 요관
- 자궁
- 변위요관
- 방광
- 치골
- 질
- 요도구
- 질전정

● 개구 부위

여아의 요관의 개구부는 요도, 질전정, 질 등입니다. 이에 반해서 남아는 후부요도나 정낭에 개구하는 것이 일반적입니다. 본증은 남아에게는 매우 드물게 보입니다.

● 증상

여아에게는 종종 지속적인 요실금이 나타납니다. 이것은 조임근 기능이 약하거나 질에 개구하는 것에서 유래합니다. 그러나 남아에게는 요관개구부(후부요도나 정낭)가 외요도조임근보다 근위에 위치하므로, 요실금은 나타나지 않습니다.

그 밖에 소변의 역류로 인한 비뇨기계 감염이나 수신증도 나타납니다.

● 검사·치료

본증의 대부분은 위의 증상과 복부초음파, IVU, 방광요도경 등으로 진단합니다. 그 때문에 발견 시에 이미 신장이 고도의 기능장애에 빠져 있어서 신요관 적출이 필요한 경우도 있습니다.

③ 하대정맥후요관 retrocaval ureter

- 요관이 하대정맥 뒤를 주행하고 있다
- 대부분이 오른쪽에 발생

혈관계의 발생이상에 의해서(요관의 발생이상이 원인이 아니다) 요관이 하대정맥의 뒤를 주행하게 된 것입니다.

하대정맥은 좌우의 상·하·후의 3가지 주정맥이라는 태생정맥에서 발생합니다. 이 태생기의 후주정맥과 상주정맥은 요관의 배측에, 하주정맥은 요관의 복측에 존재합니다.

태생정맥에는 퇴화하는 것과 분화되어 가는 것이 있습니다. 우상주정맥이 분화하여 신장부 이하의 분절이 되는 것이 정상 발생이지만, 우하주정맥이 잔존하여 하대정맥 신장부 이하의 부분으로 분화된 경우에 본 기형(하대정맥후요관)이 발생합니다(그림16).

따라서 대부분의 경우 오른쪽에 발생합니다. 이것은 하대정맥이 오른쪽에 있는 것(발생과정에서 우주정맥이 잔존하여 하대정맥이 형성되므로)으로 이해할 수 있습니다.

그림16 태생정맥과 하대정맥후요관의 발생

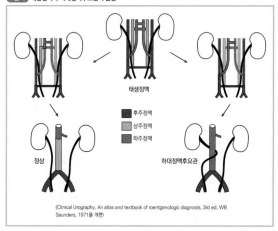

태생정맥

■ 후주정맥
■ 상주정맥
■ 하주정맥

정상

하대정맥후요관

(Clinical Urography, An atlas and textbook of roentgenologic diagnosis, 3rd ed, WB Saunders, 1971을 개편)

● 증상

무증상인 증례가 많지만, 요관이 고도로 압박을 받으면 요의 흐름이 원활하지 않으므로 수신증과 그로 인한 측복부통, 2차감염에 의한 발열, 결석증과 이에 기인하는 혈뇨 등이 생기게 됩니다.

● 검사

IVU나 역행성 신우조영 등을 하면 하대정맥과의 교차부보다 아래의 요관이 조영되지 않게 되는 한편, 교차부보다 위의 요관이나 신우는 확장되어 "J" 또는 "distinctive hook shape(전형적 갈고리형)"상을 나타냅니다(p.87 그림17). 그 밖에 초음파, CT, MRI의 소견도 참고합니다.

그림17 하대정맥후요관의 IVU영상(왼쪽)과 RGP 영상(오른쪽)

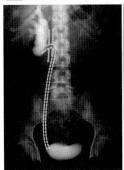
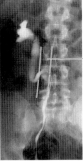

하대정맥

● 치료

요관을 절단하여 정상 위치로 되돌린 후 단단문합하는 경우가 많아지고 있습니다.

④ 신우요관이음부협착증 ureteropelvic junction stenosis

> **STEP** 선천성 요로협착을 쉽게 일으키는 곳은 신우요관이음부와 요관방광이음부

> 신우요관이음부에 나타나는 협착의 대부분은 선천성입니다. 원인은 이 부분의 섬유성 비후나 근층의 형성·발육부전이라는 조직학적 형성이상이 대부분이지만, 혈관의 주행이상 등으로 압박을 받아서 생기는 경우도 있습니다.
> 선천성 상부 요로통과장애 중에는 신우요관이음부 협착에서 기인하는 수신증이 가장 많아지고 있습니다 (선천성 수신증이라고 합니다).

● 증상

소아에서는 수신증의 병발증상인 발열, 복통, 복부종물이 대표적입니다. 현재는 태아기의 무증상 중에 요로의 확장이 초음파검사로 발견되어 진단을 내리게 되었습니다.

때로 간헐성 수신증을 나타내기도 합니다. 이 간헐성 수신증은 식사나 수분 섭취 후의 이뇨에 의해서 수신증이 증강되는 것으로, 복통이나 오심 등의 소화기증상이 갑자기 나타났다가 자연히 사라지는 경과를 보입니다.

● 검사

진단은 초음파, IVU (RGP, AGP)(p.88 그림18), CT, 신장 신티그래피, 레노그래피 등으로 합니다. 간헐성 수신증이 의심스러울 때에는 발작 시의 초음파검사가 유용합니다.

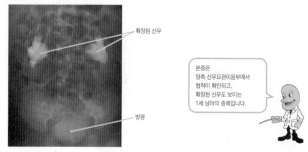

그림18 신우요관이음부협착증의 IVU영상

확장된 신우

본증은
양측 신우요관이음부에서
협착이 확인되고,
확장된 신우도 보이는
1세 남아의 증례입니다.

방광

🔵 치료

태아 및 신생아에게 나타나는 것은 신우요관이음부의 발육에 수반하여 자연히 경감되는 것을 기대할 수 있으므로 보존적 치료를 합니다. 이것은 신생아기에는 윤주근(輪走筋)뿐인 신우·신배 이음부에 성장함에 따라서 사주근(斜走筋)이 출현하게 되고, 서서히 성인과 같은 그물망 구조를 구축하게 되기 때문입니다.

감염이 반복되거나 결석증이 합병되는 경우, 혹은 신기능장애의 진행 염려가 있는 경우, 요관의 폐색이 고도인 경우 등의 증상에 대해서는 적극적으로 외과적 치료를 합니다. 대부분은 협착된 부위를 넓히는 신우성형술(pyeloplasty)이 시행됩니다.

협착되어 있는 부위는 기질적인 것으로, 협착부보다 근위에 존재하는 확장된 신우도 실제로는 "기능적으로 죽은 조직"인 경우가 많아지고 있습니다. 따라서 성형술을 시행해도 연동불량인 부위가 잔존하고 수신증이 개선되지 않는(요관의 기능을 하지 못한다) 경우가 있으므로, 수술 시에는 절제해야 할 부위와 남겨야 할 부위를 확인하는 것이 중요합니다(그림19).

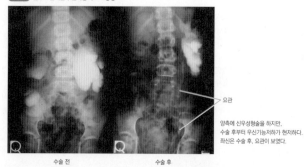

그림19 신우요관이음부협착증의 IVU영상

요관

양측에 신우성형술을 하지만,
수술 후부터 우신기능저하가 현저하다.
좌신은 수술 후, 요관이 보였다.

수술 전   수술 후

다음은 대표적인 신우성형술 3가지입니다.

● Anderson-Hynes법(그림20)

dismembered법("절단된"이라는 의미)이라고도 하며, 현재 주류를 이루고 있습니다. 확장된 신우도 절제하는 것은 기능적 협착을 없애는 목적 외에, 이것을 방치하면 성형술을 해도 그 dead space가 요류의 흐름 개선을 방해하는 것을 방지하기 위해서입니다. 정상 신우처럼 깔대기모양으로 성형하는 것이 이상적입니다. 또 이 dead space는 요로감염의 원인이 될 수도 있습니다.

그림20 Anderson-Hynes법

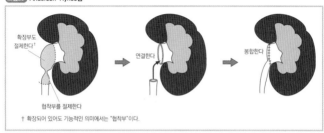

확장부도 절제한다†

연결한다

봉합한다

협착부를 절제한다

† 확장되어 있어도 기능적인 의미에서는 "협착부"이다.

● Y-V plasty

그림21에 나타냈듯이 요관~신우에 Y자형 절개를 한 후에 협착부를 확장하고, V자형 flap을 이 Y자에 맞추어 봉합하는 것입니다. 본법에서도 신우를 깨끗한 깔대기모양으로 성형할 수 있으며, 신우의 연동에 의한 요흐름도 정연한 상태로 개선할 수 있습니다. 적응이 되는 것은 신우요관이음부가 좁아진 경우입니다.

그림21 Y-V plasty

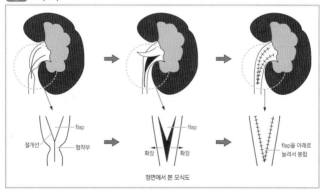

절개선

협착부

flap

확장   확장

flap

flap을 아래로 늘려서 봉합

정면에서 본 모식도

● Culp-Scardino법(그림22)

　　확장된 신우를 나선 모양으로 절개(spiral-flap)한 뒤, 잡아당겨서 협착부에 보충하고, 펼치듯이 성형하는 방법입니다. 단, 보충에 사용하는 신우조직이 이미 기질적으로 변화되어 버린 경우는 의미가 없습니다.

그림22 Culp-Scardino법

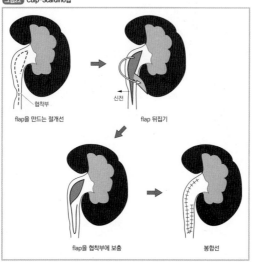

flap을 만드는 절개선　　　　　　flap 뒤집기

flap을 협착부에 보충　　　　　　봉합선

⑤ 거대요관 megaureter

　　요관이 확장되었을 때, 그 정도가 매우 고도인 것을 거대요관이라고 합니다. 선천적으로 거대요관을 초래하는 대표적인 질환에는 폐색성 거대요관과 역류성 거대요관, 그리고 비폐색성·비역류성 거대요관의 3가지가 있습니다.

■ 폐색성 거대요관 primary obstructed megaureter

요관 하단부(대부분은 몇 cm에 걸치는 범위)에서 연동운동이 일어나지 않는 부분(adynamic segment)
이 선천적으로 존재하는 것입니다. 협의의 거대요관은 이 타입을 나타냅니다.

기질적인 폐색은 없어도 연동이 부족한 부분이 존재하면 기능적으로 폐색 상태이므로, 원활한 소변의
흐름이 손상되어 거대하다고 할 정도로 요관이 확장됩니다(그림23). 선천적으로 하단부요관의 평활근에
문제가 있는 것으로 생각됩니다.

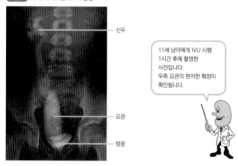

그림23 우측 거대요관의 IVU영상

신우

요관

방광

11세 남아에게 IVU 시행
1시간 후에 촬영한
사진입니다.
우측 요관의 현저한 확장이
확인됩니다.

● 치료

거대요관은 요로감염이 반복되거나 신기능의 저하를 일으키는 수가 있으므로 기능적 폐색부를 절제합니
다. 이 기능적 폐색부는 요관의 하단에 위치하므로 절제 후에는 요관과 방광을 다른 부위에서 새로 연결해
야 합니다. 이런 경우에는 방광요관역류를 방지하기 위한 수술을 동시에 해줍니다.

■ 역류성 거대요관 primary reflux megaureter

원발성 방광요관역류나 이소요관 등이 존재하면, 소변의 역류를 초래하여 거대요관이 되는 수가 있습니
다. 이와 같은 증례에서는 원질환에 대한 치료와 역류에 대한 치료를 합니다.

■ 비폐색성 거대요관 nonobstructed megaureter, 비역류성 거대요관 nonreflux megaureter

폐색성 거대요관과 같은 폐색이나 역류성 거대요관과 같은 역류가 확인되지 않는데도 때로 거대요관
이 존재하는 경우가 있습니다. 이것은 임신 중의 태아 초음파 검사 시에 발견되기도 합니다.
앞에서 기술한 신우요관이음부협착증의 경우에는, 요관이 확장되어 있는 부위가 신우요관이음부의
상부요로(즉 요관의 근위측)입니다. 따라서 본증과는 부위가 다릅니다.

● 증상·치료

증상이 없는 비폐색성·비역류성 거대요관은 확장과 더불어 경감되는 수가 있으므로 경과 관찰합니다.

6 요관류 ureterocele

선천이상의 하나로, 요관구 및 그 주변부에서 협착이나 근층의 이상, 또는 요관의 개구부전을 초래하
여 요관의 방광점막하 부분이 팽창된 것입니다. 단순성과 이소성이 있습니다.

> **STEP**
> • 배설성 요로조영에서 cobra head sign을 나타낸다
> • 완전중복요관에 합병되는 요관류는 이소개구 측에 발생한다

■ 단순성 요관류 simple ureterocele

정상 위치에 개구되어 있는 요관에 생기는 요관류입니다. 방광이 확장되어 형성되어 가는 과정에서
요관 하단이 주머니모양이 된 것입니다.

● 증상

요로감염증, 신·요관류 내 결석, 신기능장애, 복부종물, 배뇨장애 등의 증상이 본증 발견의 계기가 됩니다.
여아는 요도가 짧아서 혹이 외요도구 밖으로 탈출(요관탈)하는 수가 있습니다(p.93 그림24).
외요도조임근보다 원위에 이소성 요관류의 개구부가 있는 경우나 요관탈이 존재하는 경우는 요실금이 있
는데, 요도조임근보다 근위에 요관류가 존재하는 경우는 원칙적으로 요실금은 없습니다.
또 요로감염증은 방광요관 역류(☞ p.94)를 수반하는 경우에서 흔히 볼 수 있는데, 요관류가 존재하는 요관
자체가 역류를 일으키기 쉬운 것은 아닙니다. 완전중복요관이 있으면 자매 요관에서 역류가 확인되는 경우가
많아집니다. 이와 같이 증상은 요관류 자체에서 기인하는 것 외에, 동시에 합병되는 기형에도 좌우됩니다.

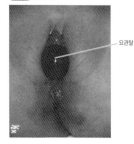

그림24 요관류탈

요관탈

외요도구에서 혹이
탈출해 있는
10세 여아의 증례입니다.

📍 검사

　　배설성 요로조영에서 cobra head sign으로 표현되는 변형이 보입니다(그림25, 26). 이것은 조영제가 혹에
고여 있기 때문입니다.

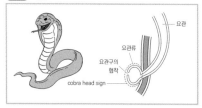

그림25 요관류

요관

요관류

요관구의
협착

cobra head sign

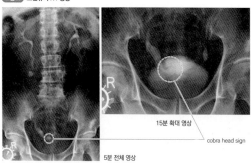

그림26 요관류의 IVP영상

R

15분 확대 영상

cobra head sign

5분 전체 영상

● 치료

신기능에 이상이 없거나 증상이 없는 경우에는 치료가 필요 없습니다. 신기능장애나 감염 등을 확인하는 경우는 내시경적으로 혹을 절개합니다.

■ 이소성 요관류 ectopic ureterocele

요관의 이소개구부에 요관류가 합병된 것입니다. 소아의 완전중복요관에 요관류가 합병되는 경우는 신장의 상극과 연결되어 있는 이소성 요관구에 보입니다(그림27).

그림27 완전중복요관의 경우

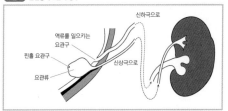

● 검사

신생아~영유아기에 방광요관역류에 의해서 일어나는 급성 신우신염을 계기로 발견되는 경우도 종종 있습니다. 최근에는 태아의 초음파검사에서 발견되는 예도 증가하고 있습니다.

초음파나 IVU에서 본증이 추측되면, 방광경으로 직접 관찰(요관의 이소개구부가 팽창되어 보입니다)하여 진단합니다.

● 치료

신기능이 유지되고 있는 경우는 혹절개를 검토하게 됩니다. 또 신기능이 불량한 경우는 요관의 이소개구에 준하여 신뇨관을 적출하는 경우가 있습니다.

⑦ 방광요관역류 vesicoureteral reflux (VUR)

정상 요관은 방광저의 후방에서 방광벽으로 진입하여 방광벽내를 비스듬히 주행한 후, 방광 내에서 개구하고 있습니다. 이 때문에 소변이 방광 내에 가득 차면 방광벽에는 균등하게 압력이 가해지고 벽내요관이 이 방광 내압에 의해서 압박을 받아 내강이 좁아집니다. 통상은 이러한 원리에 의해 방광에서 요관으로의 소변의 역류가 방지되고 있습니다. 그러나 여러 가지 원인에 의해 이 기능에 장애가 생겨서 방광 내의 소변이 요관이나 신우로 역류한 상태가 방광요관역류입니다(p.95 그림28).

원발성 VUR은 선천성으로 흔히 나타나지만, 배뇨장애가 있는 남성 고령 환자나 자궁암 수술 후 신경인성 방광이 있는 여성 환자에게는 속발성으로 VUR이 일어나기도 합니다.

그림28 **방광요관역류의 발생기전**(벽내요관이 짧은 경우)

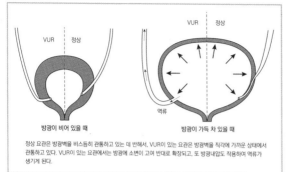

정상 요관은 방광벽을 비스듬히 관통하고 있는 데 반해서, VUR이 있는 요관은 방광벽을 직각에 가까운 상태에서 관통하고 있다. VUR이 있는 요관에서는 방광에 소변이 고여 반대로 확장되고, 또 방광내압도 작용하여 역류가 생기게 된다.

● 원인

- 원발성 VUR의 원인은 벽내의 짧은 요관이나 방광삼각부의 약한 근층 때문이다
- 속발성 VUR의 원인은 신경인성 방광이나 방광염 등 여러 가지이다

● 요관방광이음부의 선천이상에 의한 것

요관이 방광벽에 비스듬히 주행하지 않거나(벽내 요관이 짧다), 요관 또는 방광의 근충발육이 나쁜 선천적 이상 등에 의해서 역류(원발성 역류)가 생깁니다. 단, 요관방광이음부는 생후에도 어느 정도 성장·발달하므로, 소아의 원발성 역류 중 일부는 자연치유(소실)도 기대할 수 있습니다.

● 선천기형에 의한 것

완전중복요관(☞ p.82)에서는 요관구가 방광 내의 정상 위치에서 개구하는 경우와 정상 위치보다 상부에서 개구하는 경우가 있습니다(Weigert-Meyer의 법칙). 특히 후자에서는 벽내 요관 길이가 짧아서 역류가 쉽게 일어나게 됩니다. 또 1줄의 요관이라도 요관구가 방광경부나 후부요도에서 이소개구하는 경우에는 배뇨 시에 역류가 쉽게 일어나게 됩니다.

이소성 요관류(특히 상방신우에서의 요관이 혹을 형성하기 쉽다)는 완전중복요관이 합병되기 쉽고, 이때 혹이 없는 요관(하방신우에서 혹이 없는 요관은 방광 내에서는 상부에 위치한다)에 역류가 쉽게 발생하기 쉽습니다. 원칙적으로 요관류 그 자체에는 역류가 일어나지 않습니다(p.94 그림27).

● 속발성 역류의 원인

하부 요로통과장애(요로협착, 전립선비대증)나 신경인성 방광이 있는 경우, 방광 내에 육주 형성(☞ p.134)이나 게실을 형성하여 역류가 쉽게 일어나게 됩니다. 또 요관류 절제 후 등, 요관구의 역류방지 기능이 손상되었을 때에도 쉽게 일어납니다.

그 밖에 방광결석 등으로 중증 방광염이 생겼을 때나 방광결핵으로 섬유화가 생겨서 방광벽 내의 요관폐쇄 기능이 손상되었을 때, 위축방광이 나타났을 때에도 쉽게 일어납니다. 이것은 방광 용량이 감소되어 방광

내압이 쉽게 상승하기 때문입니다.

증상

역류 그 자체는 무증상이며, 합병증 증상이 전면에 나타나기 때문에 환자가 비뇨기과를 수진하지는 않습니다. 역류의 원인질환 증상도 출현합니다.

분류

역류의 정도는 표2의 국제 분류에 따라서 grade I~V로 분류합니다.

표2 VUR의 역류 정도의 국제 분류

grade I	grade II	grade III	grade IV	grade V
요관뿐인 역류	신우·신배까지 역류하지만 확장·변형이 없다	신우와 요관에 경도~중등도 확장 and/or 굴곡이 보이지만, 신배는 정상이거나 경도의 둔원화뿐	신우·신배와 요관에 중등도 확장 and/or 굴곡이 보인다. 신배는 둔원화되어 있지만, 대부분은 잔의 형상을 유지하고 있다	신우·신배와 요관에 고도 확장과 굴곡이 보인다. 신배는 완전히 둔원화되고, 잔의 형상을 유지하고 있는 것은 거의 보이지 않는다

검사

STEP 방광요관역류의 확정진단은 배뇨방광요도조영으로 한다

배뇨방광요도조영(VCUG)

VUR은 본 검사로 확정됩니다(p.97 그림29). 단, 임상적으로 VUR이 강하게 의심될 때에도, 1회의 배뇨방광요도조영으로 역류를 증명하지 못하는 경우도 있습니다. 그 경우는 배뇨방광요도조영을 반복해서 하기도 합니다.

배설성 요로조영

IVU를 하면 신실질이나 신배의 형태 변화를 볼 수 있고, 신반흔의 합병 유무도 알 수 있습니다(p.97 그림30).

방광경검사 cystscope

요관구의 형상이나 위치, 삼각부근층의 상태, 육주 형성이나 게실의 유무를 검사합니다.

VUR을 일으키지 않는 **정상 요관구**는 원추형이지만, VUR을 일으키는 경우의 요관구 형상은 **스타디움형, 말굽형, 골프홀형** 등을 나타냅니다(p.97 그림31). 이 형에서는 배뇨 시에 요관구가 완전히 폐쇄되지 않기 때문에 VUR을 일으킵니다.

또 앞에서 기술하였듯이, 역류가 있는 요관구는 정상 위치보다 **상부로 편위**(요관 이소개구)되어 있는 경우가 있습니다(p.97 그림32). 이와 같은 경우는 벽내요관이 짧아지기 때문에 역류하기 쉬운 것입니다.

그림29 방광요관역류증의 배뇨 방광요도 조영상
(93-F-30)

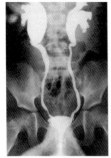

양측 모두 신우에 이르는
grade II~III의 역류를
나타내고 있다.

그림30 우측 만성 신우신염의 IVU영상

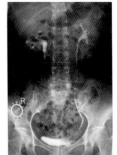

우측 신배의 변형, 둔화를 확인할 수 있다.

그림31 방광경에 의한 요관구의 형상

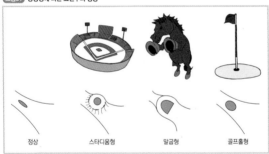

정상   스타디움형   말굽형   골프홀형

그림32 요관구의 편위

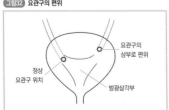

요관구의
상부로 편위

정상
요관구 위치

방광삼각부

● 그 밖의 검사

분신기능검사를 하고, 신기능의 저하가 보이면 수술 적응이 됩니다.

신장의 형태나 성장을 주기적으로 관찰하는 데에는 초음파검사가 유용합니다. 단, 역류증 진단은 할 수 없습니다(컬러 도플러법에 의한 역류 진단이 시도되고 있습니다).

● 치료

> 원발성 VUR에서는 역류에 기인한 급성 신우신염을 반복하는 증례, 고도의 역류가 있는 증례, 배설성 요로조영으로 수신증이 진행되는 증례, 레노그램에서 역류신장의 기능저하가 보이는 증례 등, 신기능장애가 확인되는 증례는 외과적 치료의 적응이 되는 것이 일반적입니다.
>
> 속발성 VUR은 배뇨장애에 기인하는 VUR이므로, 원질환을 치료함으로써 자연히 소실되는 점이 원발성 VUR과 다릅니다.

● grade에서 본 치료 방침

grade I, grade II 의 역류는 약 반수가 자연 소실되어 신기능장애가 진행되는 경우가 거의 없기 때문에 대부분 보존적으로 경과 관찰합니다.

grade III 이상의 증례에서도 20~30%가 자연 소실되지만, 진행성 신기능장애를 쉽게 일으키므로 대부분은 수술요법의 적응이 됩니다.

● 원발성 VUR의 치료 방침

반복되는 감염과 역류라는 물리적 부하가 신장의 반흔화와 신부전을 일으킵니다. 그러므로 경우에 따라서는 요로감염의 예방 목적으로 취침 전에 소량의 항균제를 장기간 투여하는 **보존적 치료**를 하고 **경과를 관찰**합니다(자연 치유되는 것도 있다).

시간이 지나도 치유되지 않거나 재발이 반복되는 증례는 수술을 합니다.

● 속발성 VUR의 치료 방침

요로감염증→신우신염→신기능저하→신부전이 되는 것을 방지하기 위해서 원인질환에 따른 치료를 합니다(자연 치유는 기대할 수 없다). 예를 들면, 전립선비대증이라면 경요도적 전립선절제술, 자궁암 수술 후의 말초신경장애로 인한 신경인성 방광이라면 간헐적 자가도뇨 등입니다.

● 수술법

대다수의 수술식은 방광과 요관을 새로 문합하여 치료하는 수술식(방광요관신문합술)입니다. Politano-Leadbetter법, Cohen법, Glenn-Anderson법, Paquin법, Lich-Gregoir법 등 고안자의 이름이 붙여진 많은 수술식이 있습니다(상세한 내용은 ☞ p.286).

● 합병증

VUR은 신우신염의 최대 기초질환으로, 소아에게 반복해서 일어나는 이른바 복잡형 신우신염을 확인하는 경우에는 항상 VUR을 염두에 두어야 합니다.

VUR이 방치되면 신배의 곤봉상 확장이나 신실질의 위축에 이르고, 신장 표면이 울퉁불퉁해져서 신반흔이 생깁니다. 이와 같은 반흔 형성·위축신장에 이르는 일련의 신장의 병태를 **역류신장병**(reflux nephropathy, RN)이라고 합니다. 역류신장병의 임상상은 단백뇨와 신기능장애, 때로 고혈압이 합병됩니다. 요단백 양성, 고혈압, 혈청 크레아티닌 수치의 상승 등을 나타내는 고도 신기능장애에서는 역류방지수술을 해도 역류신장병의 진행을 방지하는 것이 불가능합니다(이미 수술 적응의 시기를 놓친 것입니다).

C 방광의 선천적 이상

① 방광외번증 exstrophy of the bladder

하복부의 정중에 복벽결손이 있고, 이것으로 인해서 하복부에 방광이 개구되어 버린 상태입니다.

통상적으로 방광이나 요도(해면체부)는 발생의 최종 단계에서 복측과 융합되는데, 생식절에 위치이상이 있으면 융합이 일어나지 않고(따라서 항상 복측) 방광이 폐쇄되지 않아서 생깁니다.

또 태생 5주가 지나서, 총배설강이 요생식격막에 의해서 요생식동과 항문직장관으로 분리되기 이전에 이상이 생기면, 장관파열을 수반하는 총배설강 외번이 됩니다. 그리고 분리 완료 후에 이상이 생긴 것이 방광외번증입니다.

소아기 중에 신부전으로 사망하는 증례도 적지 않습니다.

● 증상

전형적인 것에는 방광에 연속되는 형태로 요도상열(☞ p.103)이 합병되고, 치골결합도 분리되며, 방광의 전벽이 결손되어 있습니다. 따라서 외부에서 방광의 내면을 관찰할 수 있습니다(그림33). 요실금은 항상 발생합니다. 또 배꼽탈장도 확인됩니다.

● 검사

발생의 이상이므로, 상부요로에도 선천이상이나 기능이상이 없는지, 초음파, DTPA에 의한 신(腎) 신티그램을 비롯한 검사를 합니다. 이것은 신생아의 신기능이 미숙하기 때문에, IVU를 해도 충분한 정보를 얻을 수 없기 때문입니다. 또 이분척추*나 요추부의 지방종이라는 척추 · 척수의 합병이상에도 주의가 필요합니다.

● 치료

목적은 복벽과 방광의 폐쇄, 신기능의 보존과 요자제(urinary continence)의 확립, 요도를 포함한 외음부의 기능적 · 미용적 성형입니다.

가능하다면 생후 48시간 이내에 방광과 복벽을 폐쇄합니다. 그러나 중증례에서는 본래의 방광 기능을 기대할 수 없으므로, 방광전절제술 + 요로전환술 등을 합니다.

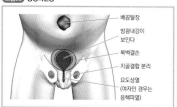

그림33 방광외번증

- 배꼽탈장
- 방광내강이 보인다
- 복벽결손
- 치골결합 분리
- 요도상열 (여자인 경우는 음핵파열)

---

* **이분척추** spina bifida
발생 단계에서 척추의 추궁부는 좌우 극돌기부에서 융합하는데 어떤 이유에 의해서 융합이 정지된 것으로, 요추에 많이 발생합니다. 이 이분척추에는 경막과 지주막이 피하로 돌출한 수막류와 척수신경도 신경근도 돌출한 척수수막류가 있습니다.

❷ 요막관 잔존 urachal rest

발생 단계에서 방광의 정부와 배꼽 사이에 요막관이 형성되는데, 정상에서는 태생 5개월 정도까지 이 요막관이 폐쇄되고 인대가 됩니다(정중제삭, 중제인대). 그러나 어떤 요인에 의해서 요막관이 폐쇄되지 않고 잔존한 것이 본증입니다.

요막관 잔존이 있는 방광의 정부에서는 **방광암**(요막관암; 선암)이 발생하는 수가 있습니다.

● 분류

그 잔존의 정도에 따라서 그림34와 같이 분류됩니다. 또 요막관낭종의 MRI소견을 p.101 그림35에 나타냈습니다.

그림34 **요막관 잔존의 종류**

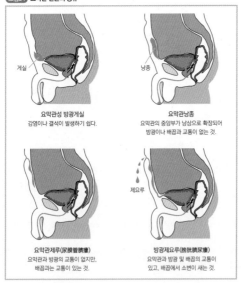

요막관성 방광게실
감염이나 결석이 발생하기 쉽다.

요막관낭종
요막관의 중앙부가 낭상으로 확장되어
방광이나 배꼽과 교통이 없는 것.

요막관제루(尿膜管臍瘻)
요막관과 방광의 교통이 없지만,
배꼽과는 교통이 있는 것.

방광제요루(膀胱臍尿瘻)
요막관과 방광 및 배꼽의 교통이
있고, 배꼽에서 소변이 새는 것.

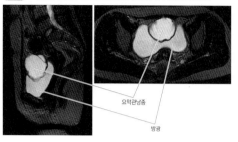

그림35 요막관낭종의 방광부 MRI의 T2강조 앞뒤세로영상(좌)과 T2강조 축영상(우)

요막관낭종

방광

● 치료

염증을 확인하는 경우는 외과적으로 절제합니다.

D 요도 및 포피의 선천적 이상

❶ 후부요도판막 posterior urethral valve

- 판막의 정체는 점막추벽(점막주름)의 형성
- 고도인 것은 수신증, 수뇨관증을 초래한다

후부 요도에 위치하는 정구의 양측에 점막추벽(점막주름)이 형성되고, 이것이 판막이 되어 요로통과장애를 나타내는 것입니다(그림36). 따라서 남아에게만 나타납니다.

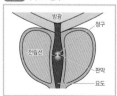

그림36 후부요도판막

방광

정구

전립선

판막

요도

● 원인

요생식격막의 잔존 등이 고려되지만, 상세한 내용은 불분명합니다. 신이형성의 합병도 높은 비율로 보이고, 신기능장애의 발생에도 관여하고 있습니다.

● 증상

요로통과장애의 정도가 여러 가지이며, 고도일수록 수신증, **수뇨관증**(☞ p.130)에서 신부전이 될 위험이 높고, 출생 후 조기부터 증상이 출현합니다.

신생아기에 확인되는 증상은 반복되는 요로감염증, 요폐, 복부의 팽창(잔뇨에 의한 방광의 확장) 등입니다. 생후 1개월 건강검진할 때에 빈혈이나 체중증가의 불량 등과 같이 신부전을 배경으로 한 증상으로 인해 처음 발견되는 경우도 있습니다.

● 검사

요로통과장애가 고도가 되면 위에서 기술한 수신증이나 방광게실 및 육주 형성(☞ p.134)이 출현하므로 초음파검사에서 그 소견들을 얻을 수 있습니다. 유아에서는 치골결합이 아직 골화되지 않아서 초음파검사에서 확장된 후부 요도와 방광경부의 비대도 확인됩니다.

또 배뇨 시에 외요도구로의 유류가 장애를 받으므로, 배뇨 시 방광조영을 하면, 후부 요도의 확장이나 정구 하방에서 요도협착소견을 보입니다. 확정진단은 요도경으로 합니다.

● 치료

경요도 내시경으로 판막을 절개·절제합니다.

---

② 요도하열 hypospadias

외요도구가 정상 위치보다 근위부, 음경의 복측면에서 개구한 것으로, 발생 단계에서 태생기의 요도벽과 요도구의 폐쇄부전에 기인합니다.

> **STEP**
> • 46, XY DSD에 합병된다
> • 주증상은 배뇨장애와 발기장애
> • 치료는 삭대절제와 요도성형술

● 원인과 개구부위

남자 태아는 태생 14~16주에 테스토스테론 분비가 피크가 되어 귀두에 이르는 요도가 형성되지만, 이 시기의 테스토스테론 분비부전이나 분비 시기의 어긋남, 표적조직 내에서의 작용부전 등이 원인입니다. 종종 46, XY DSD(☞ p.253)나 난소고환성 DSD(☞ p.252)에 합병됩니다. 따라서 염색체이상, 성분화이상, 정류고환 등의 기형을 수반하는 경우도 있습니다.

삭대조직(결합조직 다발)이 없는 경도의 원위 요도하열에서, 음낭부~음경음낭이음부에 요도가 개구하는 고도의 근위 요도하열까지 다양합니다(p.103 그림37).

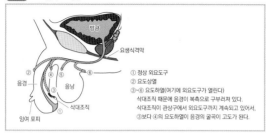

그림37 요도하열과 요도상열

① 정상 외요도구
② 요도상열
③~⑥ 요도하열(여기에 외요도구가 열린다)
　삭대조직 때문에 음경이 복측으로 구부러져 있다.
　삭대조직이 관상구에서 외요도구까지 계속되고 있어서,
　③보다 ⑥의 요도하열이 음경의 굴곡이 고도가 된다.

② 요도상열
음경　④　⑥　음낭
　③
① 삭대조직
잉여 포피

방광
요생식격막

● **증상**

　요도하열은 일상생활에 거의 지장이 없이 간과하는 정도부터, 남녀의 성별 판정에 혼란스러운 성분화이상증(disorder of sex development, DSD)에 해당하는 것까지 여러 가지입니다.

　통상 요도하열이 있는 영유아(남아)는 귀두가 노출되어 있고, 귀두 배측에서 잉여 포피가 확인됩니다. 따라서 포경이 아닌(귀두가 노출되어 있다) 영유아를 보면 요도하열에 주의해야 합니다.

　고도인 요도하열은 음경이 작고 음낭의 발육이 불량하며, 정류고환(☞ p.106)을 수반하는 경우가 많으므로, 46, XY DSD와의 감별이 중요합니다.

　본증에서는 배뇨장애와 발기장애를 나타냅니다. 이것은 삭대조직이 복측에 있어서 음경이 복측으로 굴곡되어 있기 때문입니다. 따라서 발기하면 오히려 굴곡이 증가되고, 서서 배뇨할 수도 없습니다. 고도의 근위 요도하열에서는 성행위가 불가능합니다.

　요도는 요생식격막을 지나고 있으므로 요실금은 없습니다.

● **치료**

　요도하열이라고 진단을 내리면, 대부분 수술(삭대절제술과 요도성형술) 적용이 됩니다. 요도성형술은 부족한 요도를 성형하여 외요도구를 귀두부 끝 중앙에 만들어 주는 것입니다. 이 2가지 수술은 한 번에 하는 경우와 2단계로 나누어 하는 경우가 있습니다.

　수술은 환아나 가족의 정신 면도 고려하여, 3~4세경에는 완치되도록 계획을 세웁니다.

③ 요도상열 epispadias

　남아는 요도가 음경의 배면에 개구(그림37, p.104 그림38)되어 있습니다. 여아는 음핵과 음순 사이 또는 복부에 요도가 개구되어 있습니다. 이것은 발생 단계의 이상으로 생깁니다. 그 원리는 방광외번증과 같으며, 질환 개념으로는 방광외번증의 경증인 것으로 생각하십시오.

　개구부가 근위일수록 외관은 방광외번증에 가까우며, 남아는 음경의 변형과 요실금의 정도가 고도입니다. 치골결합은 미완성으로, 방광 내부에 손가락을 삽입할 수도 있습니다.

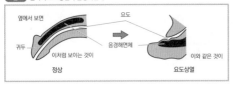

그림38 남아의 요도상열과 음경해면체

옆에서 보면
귀두
이처럼 보이는 것이
정상

요도
음경해면체
이와 같은 것이
요도상열

증상·치료

외요도구의 개구부는 요도하열과 마찬가지로 귀두부에 있는 것부터 치골부에 있는 것까지 여러 가지입니다. 외요도구가 귀두부에 개구되어 있는 것 이외에는 요실금이 있습니다. 이것은 요도가 요생식격막을 지나지 않기 때문입니다.

치료는 요도성형과 조임근을 재건합니다.

4 포경 phimosis

귀두가 포피로 덮인 상태입니다. 수동적으로 포피를 뒤집어서 귀두가 노출되는 것이 가성포경이며, 포피 끝이 협소하여 반전·노출되지 않는 것이 진성포경입니다. 신생아에게는 귀두와 포피가 유착되어 있어서 거의 100%가 진성포경이지만, 성장함에 따라서 자연히 뒤집어져서 사춘기 이후에는 5% 이하가 된다고 보고되어 있습니다.

나 부른거야?

합병증

진성포경은 귀두포피염(p.121 그림9), 성매개감염증, 음경암과의 관련이 지적되고 있습니다. 따라서 이것들을 예방하기 위해서 음경을 청결하게 유지하는 것이 중요하며, 경우에 따라서는 후에 기술하는 수술이 시행됩니다.

합병증으로 귀두포피염이 반복되면 포피가 유착되어 버려서(그림39) 음경의 포피구가 핀홀(pin hole) 모양이 되어 외요도구가 보이지 않는 상태가 되어버리는 수도 있습니다. 이와 같은 경우는 배뇨가 어려워서 방광에 요가 저류되고 수신증이나 수뇨관증이 되며, 신후성 신부전이 되는 예도 적지만 확인됩니다.

그림39 남아의 포경의 합병증

요도
외요도구
염증 때문에 유착된다
유착으로 핀홀 모양의 포피구가 되는 수도 있다

치료

배면절개 dorsal incision

음경 배부의 포피에 세로로 절개하고 뒤집어서 귀두부를 노출시킨 후 가로로 봉합하면 귀두가 노출된 상태가 됩니다(그림40 위). 주로 소아의 진성포경에서 실시합니다.

● **환상절제술** circumcision

귀두부에 덮여 있는 여분의 포피를 잘라내고 귀두부가 노출된 후에 피부를 봉합하는 것입니다(그림40 아래).

그림40 배면절개와 환상절제술

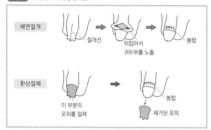

E 고환의 선천적 이상

고환은 태생기에는 복강 내에 있으며, Wolf관의 부고환이 되는 부분과 접하고 있습니다. 태생 5개월 경이 되면 음낭강의 바닥에 종착한 고환길잡이가 테스토스테론의 작용으로 수축되고, 고환이 당겨지듯이 복막을 따라서 하강해 갑니다. 그리고 28주경에는 내고샅륜의 위치까지 하강합니다. 그 후, 고샅관을 통과하여 음낭부에 정착합니다. 그 일련의 발생에 장애가 생기면 정류고환이나 이소고환 등 고환의 위치이상이 생깁니다(그림41).

그림41 정류고환과 이소고환의 발생기전

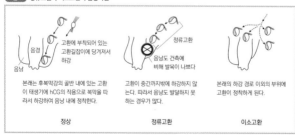

본래는 후복막강의 골반 내에 있는 고환이 태생기에 hCG의 작용으로 복막을 따라서 하강하여 음낭 내에 정착한다.

고환이 중간까지밖에 하강하지 않는다. 따라서 음낭도 발달하지 못하는 경우가 많다.

본래의 하강 경로 이외의 부위에 고환이 정착하게 된다.

| 정상 | 정류고환 | 이소고환 |

> 정류고환과 이소고환은 방치하면 남성불임이나 고환종양의 원인이 된다

① 정류고환 undescended testis

정상 하강로 도중에서 고환이 정지하여 멈춘 상태(정류)입니다. 복강내, 고삽관, 고삽부음낭내 등에 정류하지만, 성분화이상을 수반하지 않는 것은 내고삽륜 근처에 있는 경우가 대부분입니다. 성분화이상을 수반하는 것은 본래 난소가 있어야 할 높은 위치인 경우가 많아집니다.

일반적으로 신생아의 약 5%정도, 저출생 체중아에서는 20~30%에서 나타납니다. 또 정류고환의 약 80%는 일측성입니다. 정류고환은 출생 후 자연 하강하는 경우도 있어서, 1년 후에는 약 1%로 감소됩니다. 그러나 그 후에는 거의 하강하지 않는다는 점에서, 1세아 검진이 중요합니다.

● 원인

위에서 기술한 일련의 발생 과정에 관여하는 인자의 이상으로 일어납니다. 구체적으로는 고환의 발육부전이나 이상, 고환길잡이의 부착이상이나 중도정지, Leydig세포의 테스토스테론분비부전, 정관·고삽동정맥·정삭의 발육부전 등입니다. 또 Y염색체와 고환을 가지고 있어도 Müller관 억제물질의 작용이 약하면 Müller관이 잔존하게 되므로 고환의 하강이 억제됩니다.

● 진단

외관상 음낭이 작거나 음낭 내에 고환이 촉진되지 않는 점에서 본증이 의심되고, 초음파검사나 MRI로 진단합니다. 고환이 복강 내에 정류되어 있는 경우의 진단에는 복강경이 유용합니다.

● 합병증

음낭은 외부와 접촉하고 또 음낭의 주름이 자동차의 라디에이터와 같은 역할을 하므로, 통상 고환은 체온에 비해서 2℃ 정도 낮게 유지되고 있습니다. 정자형성세포는 온도에 예민하므로, 사춘기 이후까지 방치된 양측 정류고환은 남성불임의 원인이 됩니다.

또 정상 고환에 비해서 고삽부고환에서는 약 10배, 복부고환에서는 약 60%의 악성화율을 나타냅니다. 이 상배세포로 점이나 온도 상승 등이 그 이유이지만, 상세한 내용은 불분명합니다. 또 수술로 음낭 내에 고정해도 그 발생 빈도에는 변함이 없습니다.

본증의 경우, 다른 요로의 선천이상이 합병되는 경우가 많아지고 있습니다. 이것은 발생 단계에서의 고환미성숙이 안드로겐 분비나 성선자극호르몬 효과 발현 불량으로 연결되기 때문입니다.

외고삽 탈장*의 합병도 많아지고 있습니다. 복강 내에 있던 고환은 고환길잡이에 의해서 음낭 내로 하강하는데, 동시에 고환길잡이의 복측에는 초상돌기가 발생해 있어서 함께 복벽을 탈출합니다. 초상돌기로 만

---

* **외고삽 탈장** external inguinal hernia
복부내장(대부분의 경우는 장, 때로 난소)이 내고삽륜에서 고삽관을 거쳐서 외고삽륜으로 탈출한 것으로, 초상돌기의 폐쇄부전에 의한 것입니다. 초상돌기는 오른쪽이 늦게 폐쇄되므로, 남아에게는 오른쪽에 호발합니다. 그에 반해서 여아에게는 빈도도 적고 좌우 차도 없습니다. 장이 감돈되면, 괴사할 위험이 있으므로, 생후 3~5개월정도까지 상태를 보고 관혈적 치료를 합니다.

E
고환의 선천적 이상

들어지는 횡근근막 개구부가 내고샅륜이고, 외막사근건막에 의한 개구부가 외고샅륜입니다. 초상돌기가 폐쇄되지 않았을 때 장관 등이 음낭 내로 쉽게 하강하게 됩니다.

또 편측례를 방치한 채 두면, 2세 이후에 반대측 음낭내 고환에도 장애가 생깁니다.

● 치료

조정기능저하의 방지를 고려하여, 1~2세까지 고환고정술*을 하는 것이 바람직합니다.

❷ 이소고환 ectopic testis

고환길잡이의 부착이상에 의해서 일어나는 것으로, 고환이 하강할 때에 정상적인 길에서 벗어난 곳에서 정착하게 되는 질환입니다.

정류고환의 한 분류로 생각되지만, 통상 정류고환에 비해 상당히 드문 병태입니다.

---

* **고환고정술** orchidopexy
고살부를 절개하고 살부에 존재하는 고환을 주위에서 충분히 박리하여 본래의 음낭내로 되돌린 후에 고정하는 수술입니다.

제2장
요로·성기의 감염증
urinary tract infection and genital infection

대장균 등의 그람음성균이나 황색포도구균 등의 그람양성균을 일반세균이라고 합니다. 이 일반세균에 기인하는 감염증은, 원인균은 달라도 병상(病像)이 모두 같아서 이들을 비특이적 감염증이라고 합니다. 이에 반해서 바이러스, 결핵균, 기생충 등에 기인하는 감염증은 특이적 감염증입니다. 그리고 신장에서 요도까지의 요로에 생긴 비특이적 감염증을 요로감염증이라고 합니다.

본장에서는 이성 간 또는 동성 간의 성행위에 의해서 전파되는 성매개감염증도 하나의 항목으로 이해합니다.

A | 요로감염증
urinary tract infection

기초질환(-)은 단순성 요로감염증
   대장균에 의한 것이 대부분이며, 급성 경과를 밟기 쉽다
기초질환(+)은 합병성 요로감염증
   대장균이나 녹농균 등 원인이 다수이며, 만성 경과를 밟기 쉽다

① 요로감염증 개요

● 분류

요로감염증은 표1과 같이 분류할 수 있습니다.

경과에 따른 분류의 만성은 감염증상이 부족한 한편, 항균제 치료를 했지만 좀처럼 치유되지 않는 것을 말합니다. 즉 "치유되었다고 생각했는데 재발했다" 등의 케이스가 여기에 해당됩니다.

일반적으로 기초질환이 없는 것을 단순성 요로감염증 uncomplicated urinary tract infection, 기초질환이 있는 것을 합병성 요로감염증 complicated urinary tract infection으로 분류합니다.

단순성 요로감염증은 급성 경과를 밟는 경우가 많고, 자연 치유경향도 강하며, 항균제에 대한 반응도 양호합니다. 이에 반해서, 합병성 요로감염증은 만성 경과를 밟는 경우가 많고, 기초질환이 치유되지 않는 한 난치성입니다. 또 신기능장애나 신부전의 원인이 되기 쉬운 경향을 나타냅니다.

표1 요로감염증의 분류

항목	내용
부위에 따른 분류	신장·신우, 방광, 요도 등
경과에 따른 분류	급성, 만성
기초질환의 유무에 따른 분류	단순성, 합병성

● 원인균

　　단순성 요로감염증의 원인균은 대부분 대장균입니다. 그 밖에 프로테우스속이나 크렙시엘라라는 장내세균도 포함하면 그람음성간균이 70~80%를 차지하고 있습니다. 그람양성구균, 코아그라제 음성포도구균군(CNS), 장구균도 원인균으로 나타납니다.

　　합병성 요로감염증의 원인은 대장균이 약 30%를 차지하는데, 그람양성구균(장구균, CNS)이나 녹농균 등도 많으며, 단순성 요로감염증에 비해 균종이 여러 갈래에 걸칩니다.

● 감염의 기전

　　요로에는 배뇨로 인한 세정, 점막에서의 IgA항체 분비, 그리고 상재세균총의 존재 등의 감염방어기능이 작용하고 있어서, 통상적으로 감염이 생기지 않습니다. 단, 이 방어기능이 저하되었을 때에는 감염을 일으킵니다. 숙주 측 인자에는 전신적 인자와 국소적 인자가 있는데, 후자가 차지하는 의의가 크다고 할 수 있습니다.

● 전신적 인자

　　악성종양, 혈액질환, 대사질환(당뇨병 등), 부신피질스테로이드제 장기 투여 시 등입니다.

● 국소적 인자

　　요로손상, 요류의 이상(선천성 요로기형, 방광요관 역류, 요도협착, 결석, 잔뇨의 존재 등), 이물의 존재(카테터 유치 포함) 등입니다. 또 성행위는 감염의 원인이 되고(특히 여성), 탈수상태(소변량이 감소하므로)도 감염의 기회를 증가시킵니다. 이 국소적 인자는 특히 합병성 요로감염의 기초질환으로 중요합니다.

● 그 밖의 인자

　　세균에 의한 바이오필름(biofilm)이 있습니다. 이것은 세균이 감염병소국소에서 스스로 만들어내는 균체외 다당(glycocalyx)으로 이루어진 점액성(이른바 "갑옷") 상태가 되어 항균제 등의 공격을 방지하는 상태입니다. 반면, 이 "갑옷"은 세균을 병소에 쉽게 머무르게 하는 면도 있습니다. 카테터 유치나 결석의 존재는 바이오필름 형성의 기초가 됩니다.

❷ 신우신염 pyelonephritis

- 압도적으로 여성에게 많다
- 고열, 오한, 구역질, 빈뇨, 배뇨통, 신부통, 배부압통을 주징으로 한다
- 염증을 시사하는 백혈구 증가, 핵의 좌방이동, CRP 양성, 적혈구침강속도(ESR) 증가에 주의

　　세균감염에 의한 신실질, 신우, 신배의 염증으로, 급성 단순성과 만성 합병성의 2가지가 있습니다.

　　급성 단순성 신우신염은 여성에게 많고, 대장균의 방광에서의 역류성 감염에 의한 것이 대부분입니다. 요도가 짧고, 조임근 기능이 약하며, 질이 균의 정체 장소가 되기 쉬운 점 등이 그 원인입니다.

　　만성 합병성 신우신염의 배경으로 영유아에게는 방광요관 역류나 신우요관이음부 협착이라는 요로선천이상, 청장년기에는 상부 요로결석증, 노년기에는 전립선비대증이나 방광종양 또는 신경인성 방광 등이 있습니다.

● 증상

급성 단순성에서는 고열, 오한, 구역질, 권태 등의 전신증상이 매우 심하게 나타납니다. 빈뇨나 배뇨통 등의 방광염 같은 증상이 선행하거나, 육안으로 혼탁뇨를 확인하는 경우도 있습니다.

국소증상에는 신복통, CVA tenderness (+) 등이 보입니다. 신부통은 신전성이 부족한 피막 내에서 신실질이 갑자기 종대되기 때문에 생깁니다. 이와 같이 극심한 증상을 나타내지만 패혈증 등에 이르는 경우는 거의 없으며, 예후가 양호합니다.

만성 합병성에서는 둔한 요통 등을 나타내지만 급성 단순성보다 경도인 경우가 많습니다. 단, 환자의 상태변화를 계기로 급성화되면 갑자스럽게 위에서 기술한 급성 단순성과 똑같은 증상이 나타나기도 합니다.

● 검사

요소견(혈뇨, 세균뇨 등), 전신성 염증을 의심케 하는 혈액소견(백혈구 증가, 핵의 좌방이동*, CRP 양성, 적혈구침강속도(ESR) 증가 등), 요배양을 하여 10^5/mL 이상의 원인균을 증명합니다.

만성 합병성이 되면 신장의 수질기능이 장애를 받아서 요의 농축능력이 저하(요침투압 저하)되지만, 편측인 경우는 건측 신장의 대상작용으로 검사상 불명료한 점이 있습니다.

급성기에는 염증을 반영한 신우 및 신배의 발적과 부종을 확인합니다. 이 염증은 신피질·수질로 진전되기도 합니다.

만성화되면 신장 표면이 울퉁불퉁해지고 반흔이 생깁니다. 병소는 신우에서 신실질을 향해서 역행성으로 확대되므로 쐐기상으로 확대되어 보이며(wedge shaped lesion), 병소부의 신장 표면이 함요됩니다. 더욱 진행되면 말기에는 위축신이 됩니다(p.111 그림1).

이 변화는 IVU에서는 신실질의 비박화, 신배의 둔화와 확장, 신변연의 불규칙 등으로 확인됩니다(p.111 그림1, 2).

---

* **핵의 좌방이동**
급성 감염증에서는 골수에서 성숙한 호중구가 방출되어 간상핵의 비율이 증가합니다. 여기에서 횡축으로 분엽수(분엽이 0인 간상핵을 좌측에, 분엽이 4개의 분엽핵을 우측에 둡니다), 세로축을 호중구수로 하고 그래프를 그리면, 호중구의 분포가 좌측으로 기웁니다. 이것을 핵의 좌방이동이라고 합니다.

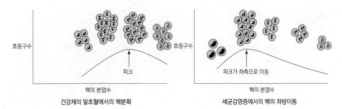

건강체의 말초혈에서의 핵분획   세균감염증에서의 핵의 좌방이동

그림1 만성화된 신우신염의 특징적인 소견

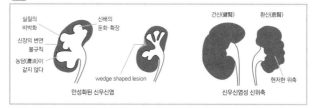

실질의 비박화
신장의 변연 불규칙
농담(濃淡)이 같지 않다
신배의 둔화·확장
wedge shaped lesion
만성화된 신우신염

건신(健腎)
환신(患腎)
현저한 위축
신우신염성 신위축

그림2 만성 신우신염의 IVU영상(위 : 확대), 복부조영CT(왼쪽 아래), VCUG영상(오른쪽 아래)
(동일 증례)

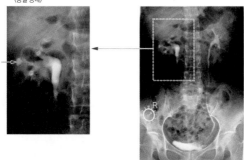

우측 신배는 모두 변형, 둔화가 보이지만, 특히 신중앙부의 신배의 변형이 현저하다.

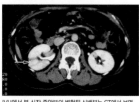

IVU에서 본 신장 중앙부의 변형된 신배부는 CT에서 보면 반흔화되어 있다.

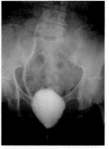

오른쪽 VUR을 확인하고, 우측 신장의 형태학적 변화는 VUR에 의한 만성 신우신염의 변화라고 생각되었다.

● 치료

우선 안정과 수분 보급, 그리고 항균제를 투여합니다. 또 급성증상을 나타내는 것은 입원이 필요합니다.

급성형 원인균의 대부분은 약제내성 경향이 강하지 않은 경우가 많으므로, 우선 **광역페니실린**이나 제2 또는 제3세대 세펨계 등을 제1 선택제로 합니다. 3일 정도 점적투여로 해열하고, 농뇨와 세균뇨가 소실되어 유효하다고 판단되면 경구제로 바꿉니다.

치료에 저항하는 경우나 과거에 신우신염의 기왕이 있는 경우에는 만성 합병성을 의심하고, 이감염성 인자나 기초질환의 검색과 그 치료를 합니다. 만성 합병성의 대부분은 요로폐색 등의 요류가 정체되는 병태나 방광요관 역류가 있습니다. 소변의 정체가 계속되면 정체된 소변이 고름이 되어(이와 같은 상태를 농신증이라고 한다) 신실질의 파괴가 급속히 진행되고, 환측 신기능이 소실되거나 패혈증이 병발합니다. 따라서 이것을 막기 위해서 경피적 신루 설치나 역행성 요관 카테터 유치라는 drainage를 하여 신우내압을 내려야 합니다.

③ 기종성 신우신염 emphysematous pyelonephritis

● 원인

신실질이나 신장 주위에 가스를 생산하는 화농성염증입니다. 화농성염증의 원인균은 대장균이나 클레브시엘라(Klebsiella)이며, 당뇨병을 기초질환으로 가지고 있는 환자에게서 흔히 볼 수 있습니다.

그림3 **기종성 신우신염의 KUB 소견**

가스상

● 검사

그림3과 같이 KUB에서 신장부에 가스상이 관찰됩니다.

● 치료

치명률이 높은 중증 감염증이므로 강력한 항균제의 투여와 혈당치의 컨트롤이 필요하며, 때로는 경피적 drainage나 신장절제술이 적용이 되기도 합니다.

> **참고**
>
> **황색육아종성 신우신염** xanthogranulomatous pyelonephritis
>
> 신우신염이 만성으로 경과하면 편측 신장에 종창이나 울퉁불퉁한 것 외에, 조직 단면에서 농성삼출액을 확인하거나 백황색을 나타내는 등, 임상소견이나 병리소견이 신세포암과 혼동스러운 경우가 있습니다. 일반적으로 오랜 경과에 기인하여 무기능신장이 되어 있는 것에서 나타나며, 황색육아종성 신우신염이라고 합니다.
>
> 현미경에서는 탐식된 지질로 채워진 조직구가 열을 이루어 늘어서고(이 때문에 황색), 섬유성 간질 내에 형질세포나 림프구가 보입니다.

④ 신농양 renal abscess

● 원인

신장에 생긴 감염에 의해서 신실질에 농양을 형성하는 것입니다. 만성 요관폐색이나 상부요로결석에 의한 요로의 상행성 감염이 원인인 경우가 대부분입니다. 드물게, 황색포도구균의 피부 병변에서 혈행성으로 생기는 수도 있습니다(그림4). 또 기초질환으로 당뇨병이 있는 환자에게 생기기 쉽습니다.

[그림4] 신농양의 감염경로(좌)와 ^{67}Ga 신티그래피의 모식도(우)

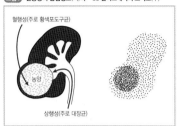

혈행성(주로 황색포도구균)

농양

상행성(주로 대장균)

● 증상

급성으로 발병한 경우는 신우신염과 마찬가지로 오한, 발열, CVA tenderness (+)을 확인하는 외에, 종물이 촉지되는 경우도 있습니다.

만성으로 경과하는 경우는 국소소견이 확실하지 않습니다.

● 검사

KUB에서 신장 윤곽의 종대나 요근 음영 불명료화가 쉽게 확인되지만, 특이적인 것이 아닙니다.

따라서 우선 복부초음파검사를 합니다. 정상 신조직이라고 확실히 구별되는 경계가 있으며, 저에코영역의 종물로 확인됩니다.

CT에서는 불규칙하게 비후된 벽을 가진 low density의 덩어리로 나타나고, 조영하면 그 벽은 enhance됩니다.

신혈관조영에서는 농양부에서 혈관상(−)으로, 주위 혈관의 압박소견을 얻을 수 있습니다. 또 ^{67}Ga 신티그래피에서는 농양부에서 집적이 확인됩니다(그림4).

확정진단을 위해서는 혈액 배양으로 원인균을 증명해야 합니다.

● 치료

우선 농양의 drainage와 항균제를 투여합니다. 신기능이 저하되거나 소실된 경우에는 구명을 우선으로 하고, 신장부분절제술이나 신장절제술을 합니다.

⑤ 신주위농양 perineal abscess

농양이 Gerota근막 내에 형성된 것입니다. 결석증이나 수신증 등이 만성으로 경과하여 중증화된 신감염증에서 생기는 경우가 많습니다. 따라서 만성 요로감염의 기왕은 본증을 시사하는 key word가 됩니다. 참고로 원인균의 대부분은 대장균입니다.

● **증상**

발열, CVA tenderness (+) 측복부종물, 요근경련에 의한 환측 오목면의 척주측만 등이 보입니다.

● **검사**

KUB에서 측복부종물과 요근음영 불명료화, IVU에서 배설상의 지연, 67Ga 신티그래피에 의한 집적 등으로 합니다(그림5).

또 조영CT에서 low density 음영으로 나타납니다(그림6).

그림5 신주위농양의 소견(좌)과 67Ga 신티그래피의 모식도(우)

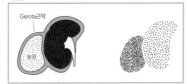

Gerota근막

농양

그림6 우측 신주위농양의 복부조영CT

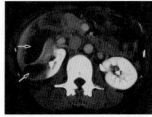

항균제의 투여로 안정화되고 있지만, 여전히 우측 신장의 복측을 중심으로 큰 농양 형성이 보인다(화살표).

● **치료**

신농양과 마찬가지로, 항균제 투여와 고름을 drainage합니다.

---

⑥ 농신증 pyonephrosis

신우·요관결석이나 신우요관이음부 협착 등에 의한 장기간의 요로폐색이 수신증을 일으키고, 또 감염이 추가되어 신실질이 파괴되며, 신장 자체가 고름으로 가득 찬 주머니처럼 된 상태입니다(그림7). 신기능이 급격히 저하되어 단기간에 소실됩니다.

그림7 농신증의 소견

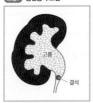

고름

결석

● 증상

급성 신우신염과 마찬가지로 고열 등의 중증 전신증상을 나타냅니다.

● 치료

정확히 진단하고 조기에 처치하지 않으면 패혈증을 초래할 염려가 있습니다. 조기이면 신루(☞ p.290) 를 설치하여 농을 drainage하고, 전신상태를 개선한 후 원인질환을 치료합니다. 그러나 환신은 이미 기능하지 않는 경우가 많아서, 그 경우에는 신장절제술의 적용이 됩니다.

⑦ 방광염 cystitis

세균감염에 기인하는 단순성 방광염과, 간질성 방광염이나 출혈성 방광염 등의 감염증에 기인하지 않는 방광염이 있습니다.

■ 단순성 방광염 simple cystitis

STEP
• 대부분이 대장균의 상행성 감염에 기인
• 배뇨통, 빈뇨, 농뇨를 주징으로 하며, 발열은 보이지 않는다

● 원인

대부분이 그람음성간균(대부분은 대장균)의 **상행성 감염**에 의한 급성 단순성 방광염입니다. 급성 신우신염과 마찬가지로 성적 **활동기 여성**에게 흔히 보입니다. 신혼 시에 과도한 성행위로 발생하는 것을 **밀월방광염**이라고 합니다. 만성 합병성인 것은 남성에게 흔히 나타납니다.

● 증상·진단

급성 단순성 방광염에서는 **배뇨** 종말 시의 **배뇨통**, **빈뇨**, **농뇨**(요혼탁) 가 3주징입니다. 혈뇨를 확인하거나, 하복부에서 불쾌감이나 통증을 느끼는 수도 있습니다. 통상 발열이 확인되지 않으므로, 발열이 생긴 경우는 신우신염의 합병을 암시합니다.

급성 단순성은 증상과 요중의 세균 또는 백혈구를 증명할 수 있으면 진단됩니다.

배뇨통
빈뇨
농뇨

● 치료

급성 단순성은 경증례에서는 방치해도 치유되는 경우가 있습니다. 그러나 우선 수분을 많이 섭취하게 하여 **이뇨**를 촉구합니다. 이어서 보온과 안정에 유념하고 적절한 **항균제**를 투여하면 대부분은 3일 정도로 치유됩니다. 단, 재발하기 쉬우므로 주의해야 합니다.

만성 합병성에서는 기초질환의 검색을 포함하여 주의 깊게 대응해야 합니다. 신경인성 방광이나 전립선 비대증, 방광종양이 발견되는 수도 있습니다.

■ 간질성 방광염 interstitial cystitis

방광의 간질(상피와 근육 사이)이 만성 염증을 일으키는 것입니다. 자가면역기전의 관여가 고려되는데, 확실한 원인은 판명되지 않았습니다. 본증은 중년 여성에게 흔히 나타나지만, 일본에서는 비교적 적은 질환입니다.

● 증상

통증을 수반하는 빈뇨나 하복부통 등, 만성 방광염 같은 증상을 나타냅니다. 대부분은 무균성임에도 불구하고 혈뇨나 농뇨가 있습니다.

방광염이나 과활동방광(☞ p.161)으로 치료했는데도 좀처럼 치유되지 않는 경우에 본증이 의심스럽습니다.

● 검사

방광경검사로 진단합니다. 방광벽이 섬유화를 일으키고, 또 궤양을 형성하기 때문에 쉽게 출혈하게 되고 (Hunner궤양), 방광용량이 감소되어 있는 것을 알 수 있습니다.

● 치료

방광경을 시행할 때에 수압으로 방광을 확장하여 치료합니다. 또 항히스타민제가 증상을 완화시킵니다. 항우울제인 염산이미프라민을 투여하기도 합니다. 그 밖에 염증 억제를 기대하며 디메틸술폭시드[*1]를 방광 내에 주입하기도 합니다.

■ 출혈성 방광염 hemorrhagic cystitis

육안적 혈뇨를 수반하는 방광염을 출혈성 방광염이라고 합니다. 주로 바이러스감염(통상 아데노바이러스), 방사선치료 후, 약제(일부 항암제, 면역억제제, 항알레르기제)의 부작용으로, 육안적 혈뇨를 수반하는 방광염 증상(배뇨통, 빈뇨, 잔뇨감)이 나타납니다. 또 세균감염으로 인해 나타나는 급성 방광염에서도 혈뇨가 심해지면 출혈성 방광염이라고 합니다.

■ 호산구성 방광염 eosinophilic cystitis

방광벽의 호산구가 현저히 증가하여 방광벽이 비후해지는 방광염입니다. 알레르기에 기인하는 것으로, 트라닐라스트[*2]를 복용할 때에 나타납니다. 약제의 투여를 중지하면 증상이 개선됩니다.

⑧ 전립선염 prostatitis

일반세균, 결핵균, 진균, 성매개감염증(STD) 등이 원인으로 전립선에 염증을 일으키는 질환으로, 물론 남성만의 질환입니다. 미국의 국립위생연구소(National Institutes of Health : NIH)가 제창한 전립선염 분류

[*1] **디메틸술폭시드** dimethyl sulfoxide (DMSO)
유기화합물이나 무기화합물을 용해하는 약제로, 항염증작용, 진통, 근이완 등의 작용이 있습니다.

[*2] **트라닐라스트** tranilast
기관지천식, 아토피성 피부염, 알레르기성 비염 치료에 사용하는 항알레르기제입니다. 부작용의 하나로 호산구성 방광염이 있습니다.

(1999년)를 표2에 정리하였습니다.

표2 전립선염 분류

카테고리 I		급성 세균성 전립선염
카테고리 II		만성 세균성 전립선염
카테고리 III		만성 비세균성 전립선염(만성 골반통증후군)
	III A	염증성
	III B	비염증성
카테고리 IV		무증후성 염증성 전립선염

■ 급성 세균성 전립선염 acute bacterial prostatitis

- 고열을 수반하는 강한 전신증상 외에 배뇨통, 빈뇨, 요혼탁을 확인한다
- 뉴퀴노론계나 세펨계 항균제가 유효

● 원인

그람음성간균, 특히 대장균의 감염에 의한 것이 가장 많습니다. 요도에서의 역행성 감염, 부고환에서의 선행성 및 혈행성 감염, 주변부에서의 림프행성 감염 등이 원인입니다.

기초병태로서 요도협착이나 전립선비대증이 발견되는 수가 있습니다. 요도 카테터 유치나 내시경 조작 등, 경요도적 처치 후에 발증하는 의원성인 것도 있습니다.

● 증상

갑작스런 오한, 전율, 고열 등의 전신증상이 심하게 나타나고, 배뇨통, 빈뇨, 요혼탁도 나타납니다. 고열을 제외하면, 급성 방광염과 유사한 증상을 나타냅니다. 또 신우신염과의 감별도 중요합니다.

● 검사

직장손가락검사에서 종대된 유통성 전립선을 촉지합니다. 그리고 통상은 4배분뇨법*의 VB2의 요침사에서 농뇨(통상 10/hpf 이상)가 확인되고, 배양에서 원인균이 동정됩니다(급성기에는 균혈증을 일으킬 위험이 있으므로, 전립선마사지나 경요도적 검사는 금기).

혈액검사에서 백혈구 증가, CRP상승이 나타납니다.

● 치료

기본은 절대안정과 항균제의 투여입니다. 전립선에 도달하기 쉽고 항균력이 강한 뉴퀴노론계, 제2 · 제3세대 세펨계 등을 사용합니다. 중증인 경우는 패혈증일 염려도 있으므로 입원 치료하는 경우도 있습니다.

또 배뇨곤란을 호소하는 경우가 있는데, 요도 카테터 유치는 가능한 한 해서는 안됩니다.

---

* **4배분뇨법**

배뇨 개시 후 첫 10mL를 VB (voided bladder urine) 1이라고 합니다. 그대로 약 200mL 배뇨한 후, 5~10mL를 채취하여 이것을 VB2라고 합니다. 여기에서 배뇨를 중지시키고 전립선을 마사지하면 몇 방울의 전립선액이 멸균용기 속에 떨어집니다. 이것이 전립선 압출액(expressed prostatic secretion, EPS)입니다. 이후에 다시 배뇨하여, 첫 10mL를 채취하여 VB3이라고 합니다. 각각의 검체에 세균학적 검사를 할 때, VB1은 요도의 이상, VB2는 방광의 이상(및 급성 세균성 전립선염), EPS 및 VB3은 전립선의 이상(만성 세균성 전립선염)을 반영합니다.

■ 만성 세균성 전립선염 chronic bacterial prostatitis, 만성 비세균성 전립선염 chronic non-bacterial prostatitis

>
> - 만성 전립선염에는 세균성과 비세균성이 있다
> - 전립선 관련 영역의 부정추소를 호소하는 경우가 많으며, 전신증상이 약하다

● 원인

세균감염이 증명되는지의 여부에 따라서 세균성과 비세균성으로 분류됩니다.

만성 세균성 전립선염에는 급성 전립선염이 치료를 거쳐서 만성적으로 이행하는 것과, 처음부터 만성의 형태로 경과를 나타내는 것의 2가지가 있습니다.

비세균성의 원인은 Chlamydia trachomatis 등의 미생물로 추측되고 있습니다.

● 증상

수진의 계기가 되는 국소증상은 배뇨통, 빈뇨, 잔뇨감, 사정통, 회음부 · 고샅 · 대퇴 · 하복부의 둔통이나 불쾌감, 혈정액증*, 성욕감퇴 등, 이른바 전립선 관련 영역의 **부정추소**입니다.

급성 전립선염과는 달리, 말초혈의 임상검사에서 염증반응이 보이는 것은 거의 없습니다.

● 감별질환

감별상 가장 주의해야 할 질환은 방광종양, 특히 방광상피내암이나 전립선암입니다. 따라서 현미경적 · 육안적 혈뇨가 한 번이라도 확인되면, 이 악성질환을 확인하여야 합니다.

● 검사

직장손가락검사를 해도 급성 세균성 전립선염처럼 종대된 유통성 전립선이 촉지되지 않는 경우도 있습니다. 그래서 전립선 마사지에 의한 **전립선 압출액**(expressed prostatic secretion, EPS)이나 마사지 후의 **소변** VB3의 **검경소견**을 참고로 진단합니다. 4배분뇨법의 EPS 또는 VB3에서 균을 검출하면 만성 세균성 전립선염 이라고 진단하고, 균이 검출되지 않으면 만성 비세균성 전립선염이라고 진단합니다.

● 치료

만성 세균성 전립선염에는 항균제를 투여합니다. 또 세균감염이 의심스러운 경우도 항균제를 투여하는데, 효과를 얻는 경우가 많지 않습니다. 그 밖에 장시간의 좌위를 삼간다(좌위에서 일을 하는 직업에서 흔히 나타난 다), 주류나 자극물의 섭취를 삼간다, 수분을 많이 섭취하고 배뇨를 참지 않는다, 몸을 차갑게 하지 않는다, 무거운 것을 들지 않는다, 과도한 성행위를 삼간다, 등의 생활 지도도 중요합니다.

---

* **혈정액증** hematospermia
정액에 혈액이 혼입되어 적색을 나타내는 것입니다. 정낭이나 전립선의 염증 외에 정자수송로의 종양 · 낭종 · 결석 등이 원인 이지만, 대부분은 원인을 동정할 수 없는 특발성 혈정액증입니다.

⑨ 부고환염 epididymitis

- 전립선염에서 역행성으로 파급되는 경우가 많고, 증상은 미부(尾部)에서 시작된다
- 후유증인 정관통과장애에는 요주의

● 원인

전립선, 후부 요도염, 방광염 등이 요·정로에서 역행성, 혈행성, 림프행성으로 파급되어 생기는 질환입니다. 따라서 증상이 원칙적으로 미부(尾部)에서 시작됩니다(그림8).

원인균은 Chlamydia trachomatis, 임균, 대장균이 흔히 보입니다. 요도유치카테터, 경요도적 수술, 하부 요로수술 후에 발증하는 경우도 있습니다.

그림8 부고환염

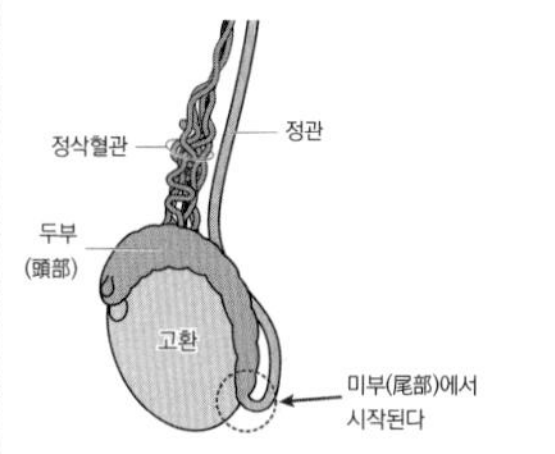

정삭혈관 — 정관
두부 — (頭部)
고환
미부(尾部)에서 시작된다

● 증상

급성인 것과 만성인 것이 있습니다.

급성인 것에서는 오한, 전율, 고열이 출현하고, 농뇨도 확인됩니다. 위에서 기술하였듯이 통증은 부고환의 미부에서 시작되고, 곧 부고낭에 유통성으로 종대됩니다. 정삭을 따라서 방산통도 출현합니다. 고환을 손으로 받쳐 올려주면 통증이 완화됩니다(Prehn's sign 양성 (+)). 따라서 Prehn's sign 음성(-)인 고환꼬임(☞ p.274)과 감별이 중요합니다.

만성으로 경과하는 것은 급성일수록 극심한 증상이 출현하지 않고, 부고환에서 경결과 압통을 확인하는 정도입니다. 위에서 기술한 세균이 원인인 경우도 있지만, 결핵성 부고환염도 염두에 두어야 합니다(정소상체결핵도 미부에서 발병하여 체부에 미칩니다).

● 검사

급성, 만성 모두 소변검사를 하여 감염균을 증명합니다. 또 신결핵, 방광결핵, 전립선결핵 등에 속발하는 경우가 많으므로, 만성인 경우에는 결핵균도 대상으로 하는 검사가 필요합니다.

● 치료

급성인 경우, 안정(고환 및 부고환의 거상고정, 냉습포, 항염증제의 투여)과 항균제를 투여합니다. 원인이 되는 요로감염증이 있는 경우는 그 치료도 합니다.

예후는 양호하지만 정관의 염증이므로 후유증으로 정관통과장애가 남는 수도 있으며, 양측에 본증을 일으키면 남성불임의 원인이 됩니다.

⑩ 고환염 orchitis

● 원인

대부분은 유행성 이하선염(mumps, 이른바 "볼거리, 항아리손님")에 속발합니다.

● 증상

유행성 이하선염 감염의 며칠 후부터 오한, 전율, 고열과 급격한 음낭부의 종창·통증으로 시작됩니다.

혈청 중의 항체는 증상이 치유될 무렵에 상승하므로, 진단에는 그다지 도움이 되지 않습니다. 따라서 사춘기 이후에 유행성 이하선염에 걸리고 계속해서 고환의 종창 등의 증상이 출현하면, 볼거리고환염(mumps orchitis)이라고 진단합니다.

● 치료

바이러스감염에 기인하는 경우는 안정, 고환의 거상고정, 습포에 의한 냉암법 등의 대중요법이 주체입니다. 1~2주 만에 경감되고, 예후가 양호합니다. 그러나 약 반수에서 정세관위축이 남으므로, 고환이 위축되어 남성불임의 원인이 됩니다.

⑪ 요도염 urethritis

🖊️ 요도염은 성행위와 관련되는 것과 관련되지 않는 것이 있으며(표3), 빈도는 전자가 많아지고 있습니다. 즉 비뇨기과영역에서 취급하는 요도염의 대부분은 성매개감염에 기인하고 있습니다.

표3 요도염의 분류

성행위와의 관련	원인균
있다	임균성(증상이 심하다)과 비임균성
없다	경과에 따라서 급성과 만성으로 분류. 원인균은 그람양성구균(포도구균이 주)과 그람음성간균이 주이며, 때로 혐기성 균인 경우도 있다

● 증상

배뇨통(특히 배뇨 초기)과 고름의 분비가 주증상입니다. 임균성과 비임균성에서는 잠복기간이나 고름의 성상이 달라집니다(☞ p.124, STD의 항).

● 진단

Thompson의 2배분뇨법(☞ p.26)으로 다핵백혈구를 증명합니다.

참고

급성 요도염과 만성 요도염

급성 요도염의 대부분이 단순성입니다. 여성의 경우는 요도가 짧아서 요도염 단독 발병은 매우 드물고, 대부분이 방광염에 합병되고 있습니다. 치료는 항균제의 투여입니다.

만성 요도염의 대부분이 합병성이며, 카테터의 유치나 발거와 관련, 요도협착, 게실, 손상, 결석, 이물에서 속발한 감염 등, 기초질환을 가지고 있습니다. 치료는 기초질환에 대한 대처와 항균제의 투여입니다.

⑫ 귀두포피염 balanoposthitis

● 원인

포경(☞ p.104)에서는 귀두지(포피와 귀두 사이에 쌓인 때)가 쌓이기 쉽고, 여기에서 상재균이 번식하여 감염(S. epidermidis)등 이 일어난 것입니다.

●증상

포피의 종창, 발적, 통증, 농즙분비 등의 증상이 나타납니다(그림9). 방치하면 뾰족콘딜로마나 음경암이 되기도 합니다.

그림9 귀두포피염(소아)

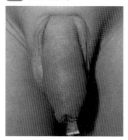

포피가 발적, 종창되어 있습니다.

●치료

소아의 경증례는 포피를 뒤집어서 소독·깨끗이 닦으면 되지만, 항균제의 투여가 필요한 경우도 있습니다. 근본적으로는 귀두포피염의 치유 후에 포경에 대한 수술을 합니다.

⑬ 정낭염 vesiculitis

문자 그대로 정낭에 생긴 염증입니다. 대부분이 전립선염에 병발하는 것으로, 단독 발증은 거의 없습니다. 국소증상도 만성 전립선염과 마찬가지로, 혈정액증이나 사정통 등이 확인됩니다.
치료도 전립선염에 준하여 시행됩니다.

B 요로·성기결핵
urogenital tuberculosis

- 신결핵에서는 신우, 신배, 요관에 협착이 생기고, 회반죽신을 초래한다
- 초기에는 농뇨가 확인되는 정도, 진행되면 신부통이나 종물을 확인한다
- 방광결핵이 합병되면 배뇨통, 빈뇨, 잔뇨감을 확인한다

결핵균은 폐의 초감염소에서 **혈행성으로** 산포되어 신장에까지 도달합니다. 신피질은 감염저항력이 강하므로, 대부분의 경우는 활동성 병변이 되지 않고 자연 치유됩니다. 그러나 그중에는 치유되지 않고 미소농양을 형성하며 신결핵이 되어 결핵균뇨를 배설하게 됩니다. 그러면 감염은 요관→방광→요도로 확대됩니다(그림10).

요로결핵이 관강성으로 파급되면 **성기결핵**(전립선, 정관, 부고환)도 일으킵니다. 이 성기결핵에는 타장기의 결핵병소에서 혈행성으로 일으키는 것과 독립하여 일으키는 것이 있습니다.

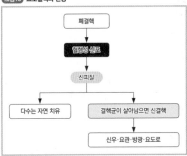

그림10 **요로결핵의 진행**

폐결핵

혈행성 산포

신피질

다수는 자연 치유 ｜ 결핵균이 살아남으면 신결핵

신우·요관·방광·요도로

● 병리

● 신장의 병리

신결핵은 결핵결절을 형성하고, 이것이 치즈화되어 괴사(치즈공동형)하면, 궤양형성으로 진행되어 갑니다. 신우, 요관도 신장과 마찬가지로 궤양 형성으로 진행되는 한편, 자연치유기전이 작용하여 반흔화를 일으키는 부위도 출현합니다. 병변의 반흔화로 신배, 신우, 요관 등에는 협착이 생깁니다. 요관이 폐색되기 시작하면 결핵성 농신증(신우나 치즈공동 내에 고름이 가득 찬다)이 되고, 더욱 완전폐색되면 내용농축이 일어나서 석회화되어, 회반죽신이라 불리는 병태가 됩니다(p.123 그림11). 회반죽신에서는 신기능이 소실되어 있습니다.

● 요관 및 방광의 병리

결핵결절 형성→건락화→괴사→근층을 향해서 접근하여 궤양형성→반흔위축→요관협착으로 진행됩니다. 그 후, 방광에는 자연치유기전이 작용해도 반흔이 형성되고, 용량이 감소되어 위축방광이 됩니다.

그림11 우측 회반죽신의 KUB사진

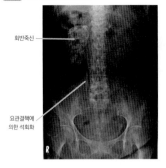

회반죽신

요관결석에
의한 석회화

우측 요관결석 때문에
수신증을 일으켜서,
우측 회반죽신이 된
증례입니다.

● 증상

　　신장에 병변이 국한되어 있는 시기는 **혈뇨**나 쌀뜨물 같은 상태인 **농뇨**를 확인하는 정도입니다. 전신증상
도 처음에는 경도이며, 진행됨에 따라서 미열이나 체중감소, 전신권태감이 출현합니다. 신우, 신배 등에서
폐색이 일어나면 **신통통증, 둔통, 종물** 등이 나타납니다. **방광결핵**이 합병되면 **배뇨통**, 빈뇨, **잔뇨감**의 방광증상
이 출현합니다. 따라서 대부분의 자각증상은 이 단계에서 나타나게 됩니다.

　　정소상체결핵에서는 감염성 염증임에도 불구하고 냉감이 있으며, 압통도 현저하지 않습니다. 정관에는
단단한 결절이 다발하여, **염주상** 변화라고 표현합니다. 정소상체 핵은 **결절결절**과 **치즈공동화**를 거쳐서 궤양
을 형성하고, 음낭피부에 누공을 만듭니다. 누공에서는 바슬바슬한 느낌의 고름이 배설됩니다. 정관염, 정낭
염, 전립선염의 합병도 매우 높은 빈도로 나타납니다. 고환 자체는 말기가 되어 침윤됩니다.

　　양측성으로 정소상체결핵을 일으키면 **남성불임**의 원인이 됩니다. 여성에게는 양측 난소결핵으로, 불임의
원인이 됩니다.

● 검사

　　투베르쿨린반응 양성, ESR 및 CRP의 항진을 확인합니다. 요침사에서는 다수의 백혈구를 확인하지만, 일
반배양검사에서는 원인균이 동정되지 않습니다(**산성 무균성 농뇨**). 그래서 요로결핵을 의심하여 여러 차례
요결핵균을 배양(동시에 도말표본의 항산균염색이 이루어진다)하지만, 분리에 4주 또는 8주의 배양을 요합
니다. PCR법 * 에서는 고감도로 단시간의 검출도 가능합니다.

　　방광결핵을 일으키면 방광경으로 결핵결절이나 결핵성 궤양을 확인할 수 있습니다.

　　IVU나 RGP에서는 신배의 **벌레 먹은 모양**에서 시작되고, 진행되면 **공동형성** 등을 확인하게(p.124 그림12)
되는데, 이것은 신결핵으로 특이한 신우·요관소견입니다.

---

* **PCR법**

polymerase chain reaction법의 약어로, 폴리메라제(중합체를 합성하는 효소)와 특이한 프라이머(생합성을 개시하게 하는 물질)
를 사용하여, 병원체 핵산의 일부를 증폭하여 검출하는 방법입니다.

그림12 상부 요로의 결핵성 변화

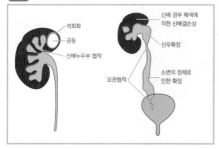

석회화
공동
신배누두부 협착

신배 경부 폐색에 의한 신배결손상
신우확장
요관협착
소변의 정체로 인한 확장

치료

폐결핵에 준한 항결핵제에 의한 화학요법과 요로협착의 예방이 기본입니다. 정소상체결핵이 병발한 경우도 화학요법으로 대응합니다. 무기능신장이 되면 신장절제술의 적응이 됩니다.

C 성매개질환
sexually transmitted disease (STD)

① 요도염 urethritis

성행위에서 기인하는 요도염은 경과에서는 급성 요도염(acute urethritis)으로 분류됩니다. 또 이른바 임균 요도염의 20~30%에서 Chlamydia trachomatis의 혼합감염(즉 비임균 요도염)이 확인됩니다. 이 것은 임균 요도염이라고 진단해도 치료에는 임균과 클라미디아의 양자에 유효한 약제를 투여해야 합니다.

STEP
• 임균 요도염의 잠복기는 2~6일로, 타는 듯한 배뇨통과 분비물을 확인한다
• 비임균 요도염의 잠복기는 약 2주로, 경도의 배뇨통과 요도부의 불쾌감을 확인하는 정도

임균 요도염 gonococcal urethritis

원인

임균(Neisseria gonorrhoeae)을 원인으로 하는 요도염입니다.

임균은 성기에 접촉 감염되어, 전부 요도→후부 요도→전립선, 부고환, 방광으로 진행됩니다. 요도점막 이외에도 자궁경관이나 자궁내막, 눈, 인두, 직장, 관절 등의 점막에도 친화성이 강하여 감염을 일으키는 점에서, 일괄하여 임질(gonorrhea)이라고 합니다.

또 최근의 다양한 성풍속을 반영하여, 임균성 인두염이나 직장염도 나타나는 경우가 있습니다.

● 증상

잠복기는 2~6일로 짧고, 임균이라고 진단했을 때 감염기회가 생각날 정도입니다.

배뇨통(타는 듯한 통증), 빈뇨, 외요도구에서 농성 분비물(아침에 하의가 더러워져 있다)이 보입니다. 전신증상은 그다지 현저하지 않습니다.

● 검사

요도분비물을 Gram염색(☞ p.32) 또는 Löffler염색(☞ p.32)하여 강확대(1,000배 : 유침렌즈를 사용)로 관찰하면, 다핵백혈구 내에 그람음성쌍구균(임균)이 확인됩니다(그림13). 또 요배양이나 DNA 프로브법 또는 PCR법 등으로 항체의 검출도 시행됩니다.

그림13 임균(Löffler염색)(×1,000)

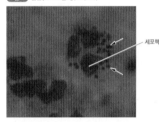

세포핵

화살표는 세포질 내에 다수 흡수된 쌍구균(임균)입니다.

● 치료

음주, 성교, 운동을 금지합니다.

뉴퀴노론계열 및 경구 세펨계열에 대한 임균의 내성화 때문에, 이 항균제들은 권장하지 않습니다. 현재는 경구제 대신에 세펨계나 아미노배당체계 항균제 주사의 단회 투여가 권장되고 있습니다.

● 합병증

예전에는 10년 이상 경과한 후에 전부 요도에 협착을 일으켰습니다. 또 전립선염, 부고환염, 관절염을 나타내는 경우도 있었습니다. 그러나 현재는 전부 요도염을 나타내는 동안에 항균제의 투여로 치유되는 경우가 많아서, 이 합병증들은 대폭 감소되었습니다.

■ 비임균 요도염 nongonococcal urethritis (NGU)

● 원인

성행위로 감염되는 요도염 중, 임질 이외의 것입니다. 원인은 *Chlamydia trachomatis*, *Ureaplasma urealyticum*, *Mycoplasma genitalium* 등이며, 특히 *C. trachomatis*는 NGU의 약 60%를 차지합니다.

● 증상

잠복기는 약 2주간이며, 임균 요도염보다 길어지고 있습니다. 증상은 경도의 배뇨통이나 요도부의 불쾌감 등이며, 불현성 감염도 나타납니다. 요도분비물은 투명~백색, 장액성인 것(임균성에 비해서 매끈하다)이 소량 확인됩니다.

남성의 경우는 클라미디아요도염에서 부고환염이나 전립선염을 일으키기도 합니다. 여성의 경우는 치유해도 난관협착 등의 장애가 남는 수가 있어서, 불임의 원인이 됩니다.

● 검사

요도에서 분비물이 확인될 때, 경과(성행위의 유무)나 그 밖의 증상을 종합하여 본증과 임균 요도염이 의심스러운 경우에는 우선 이 분비물의 검경·배양을 합니다. Gram염색에서 균이 검출되면 임균성 요도염이 의심스러우며, 검출되지 않은 경우는 본증이 의심스럽습니다.

또 소변이나 분비물을 검체로, DNA프로브법이나 PCR법에 의한 클라미디아항원검출법을 하는 것이 일반적입니다.

● 치료

치료 시에는 클라미디아뿐 아니라, 마이코플라즈마나 유레아플라즈마(Ureaplasma)에도 강한 항균활성을 가진 테트라사이클린계나 매크로라이드계 항균제를 투여합니다.

---

❷ 뾰족콘딜로마 condyloma acuminatum

● 원인

사람유두종바이러스(human papilloma virus, HPV) 6형 또는 11형 감염으로 생기는 종양상의 증식으로, 대부분은 성적 활동기인 20~30대에 나타납니다.

● 증상

잠복기간은 2~3개월로 길고, 악성화되는 경우는 그다지 많지 않습니다.

부드러워서 터지기 쉬운 유두양 증식으로, 유경성, 적백색~적갈색을 나타내며, 단발하거나 다발하지만, 통증은 없습니다. 남성은 포피·귀두·관상구 등의 습윤 부분에, 여성은 외음부·항문 주위에 생깁니다(그림14).

그림14 **뾰족콘딜로마의 외음부**
(103-D-42)

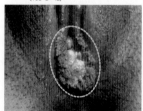

본 증례는 24세 초임부로, 원 안에 유두양 증식이 다발하는 증상이 보입니다.

🔴 치료

전기응고, 레이저응고 또는 절제를 합니다. 치료제에는 바이러스를 억제하는 이미퀴모드(Imiquimod) (베셀나크림, Beselna Cream®)를 투여합니다.

❸ 연성 하감 soft chancre, chancroid

🔴 원인

두크레이 간균(Haemophilus ducreyi)이 원인인 질환이며, 잠복기는 1~5일입니다.

🔴 증상

관상구나 포피 등에 1~여러 개의 유통성 궤양을 만듭니다(변연 톱나상). 그 후, 고샅림프절에도 미치며, 종창·통증→가래톳(유통성 고샅 임파선종(bubo dolens)이라고 한다)라는 경과를 취합니다.

🔴 진단

Haemophilus ducreyi를 증명하는 것으로 진단합니다.

🔴 치료

국소는 청결하게 유지하고, 술폰아미드나 테트라사이클린계 등(페니실린계는 무효)의 항균제를 투여합니다.

❹ 음부헤르페스 herpes genitalis

🔴 원인

단순헤르페스바이러스 I 형 또는 II형 음부감염으로 일어납니다.

🔴 증상

초감염 시에(3~7일 잠복기 후에) 외음부에 통증을 수반하는 소수포가 출현하고, 궤양화되기도 하지만 대부분은 불현성으로 끝납니다.

🔴 검사

수포바닥의 세포성분을 Giemsa염색하면, 핵 내에 봉입체가 있는 세포를 확인하거나, 세포끼리 융합하여 다핵거세포가 되어 있는 것이 관찰됩니다(Tzanck시험*). 또 발증 1~2주 후에 혈청항체가를 검사하면, 4배 이상의 상승이 확인됩니다.

🔴 치료

3~4주에 자연 치유도 기대되지만, 항바이러스제인 아시클로빌(Aciclovir)의 내복과 외용치료를 하는 것이 일반적입니다. 단, 증상이 소실해도 바이러스는 요수·선수 후근신경절에 잠복해 있으므로, 몸의 상태가 불량할 때 등에 성기헤르페스로 재발하는 경우도 적지 않습니다.

❺ 매독 syphilis

매독 트레포네마(Treponema pallidum)의 감염으로, 2~4주간의 잠복기 후, 남성은 귀두, 관상구, 포피, 구순에, 여성은 질전정, 소음순 등에 초기경결이 생기고, 중심부에 궤양을 형성합니다(경성 하감). 고샅림프절은 무통성의 가래톳(무통성 고샅 임파선종 indolent bubo);이'됩니다(제 I 기).
치료는 페니실린이 제1 선택입니다. 상세한 내용은 피부과를 참조하십시오.

---

* **Tzanck시험**
수포피막을 찢고 수포바닥의 세포성분을 채취하여, 이것을 슬라이드글래스에 도포하여 현미경으로 관찰하는 검사입니다.

D 기생충질환
parasitic diseases

① 사상충증(필라리아증 filariasis)

● 원인

반크롭트사상충(Wuchereria bancrofti)에 의한 기생충감염증입니다. 예전에는 큐슈·오키나와·열대지방 거주자에게 나타났지만, 현재는 종식되었습니다. 따라서 본증은 수입감염증으로 발생합니다.

반크롭트사상충의 자충은 모기에게 매개되고, 이 모기에게 물림으로써 사람에게 감염됩니다. 성충체는 림프관 내에 기생하고, 림프관폐색→림프관염, 림프절염→음낭, 사지의 상피병*으로 진행됩니다.

● 증상·검사

발열, 권태감, 림프부종, 음낭수종, 소변에 혈액이 섞이는 증상 외에, 신우 부근의 림프관과 요로에 교통을 형성하여 유미뇨도 나타납니다.

조기에 말초혈액 속에서 호산구 증가가 확인됩니다. 검경으로 우유 같은 소변에서 림프구가 확인되면 유미뇨입니다.

림프관루는 림프관조영이나 역행성 신우조영으로 알 수 있습니다.

● 치료

미크로필라리아에는 디에틸카르바마진(diethylcarbamazine, DEC)을 투여하지만, 성충에는 효과가 없습니다.
유미뇨(림프관루)에는 요관카테터로 신우 내에 초산은용액을 주입합니다.

② 트리코모나스증 trichomoniasis

● 원인

성매개감염증으로, 원충인 Trichomonas vaginalis 감염으로 생깁니다.

● 증상

남성인 경우는 불현성 감염으로 끝나는 경우가 많지만, 때로 전립선염, 부고환염, 비임균성 요도염을 일으킵니다.

여성인 경우는 질염을 일으키고, 황백색·포말상 대하, 외음부소양감을 확인합니다. 혼합감염을 일으키기 쉬우며, 대하는 농성이 되거나 악취를 풍깁니다.

● 검사·치료

세포검사를 하면 서양배형의 충체를 확인합니다(p.129 그림15).
치료에는 항원충제 메트로니다졸을 투여합니다. 질정과 경구제가 있지만, 원칙적으로 경구제를 투여합니다. 또 핑퐁감염을 방지하기 위해서 파트너도 치료합니다.

---

* **상피병** elephantiasis
하지의 림프관폐색에 기인하여 하퇴종창을 나타내며, 피하조직의 반응성 섬유성 증식과 피부의 경화를 초래하여 마치 코끼리 피부와 같은 외관을 나타냅니다.

그림15 요중 **트리코모나스**

백혈구   트리코모나스

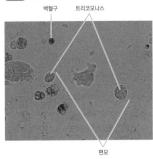

편모

몸의 길이 5~20μm인
계란형의 트리코모나스와
백혈구가 관찰됩니다.

제3장

요로폐색
urinary obstruction

요로폐색을 일으키면 그 장애부위부터 상부요로에 소변이 정체됩니다. 이 소변의 정체는 내압상승을 일으켜서 기질적·기능적 변화가 생기고, 한층 더 장애로 진행됩니다. 요로폐색은 발생부위에 따라서 다음과 같은 증상을 나타냅니다.

- 신장의 변화→수신증(신우·신배의 확장과 신실질의 위축)
- 요관의 변화→수뇨관증(요관근층의 위축과 수축, 소변 수송 기능의 상실)
- 방광의 변화→육주 형성 및 게실형성(☞ p.134)

A 수신증, 수뇨관증
hydronephrosis, hydroureter

- 내압상승에 기인하여 신우·신배가 확장된 것
- 요관결석, 요관류, 말굽신, 전립선비대증 등이 원인
- 긴급조치는 신루조설과 요관스텐트의 유치

신장에서 요도에 이르는 요로에 폐색이 생기면 내압이 상승하여 상행성으로 신우·신배로 전파됩니다. 그러면 신우·신배의 피막이 압력에 대한 저항성이 없어서 쉽게 확장됩니다. 이 형태적 변화를 나타낸 것이 수신증 및 수뇨관증입니다.

신우·신배가 확장되면 신실질이 압박을 받아서 위축·비박화됩니다. 따라서 요세관강 내압이 상승하고, 사구체한외여과*가 저해됩니다. 그리고 요세관 상피세포가 파괴되면, 소변은 간질로 넘치기 시작합니다. 이 원리로 종합적으로 신기능저하를 초래하며, 방치하면 신후성 신부전에 이릅니다.

● 원인

요로의 압박 또는 협착을 일으키는 요인은 모두 수신증의 원인이 됩니다. 이 원인을 선천성과 후천성, 그리고 요로내부의 폐색과 외부에서의 압박에 의한 폐색으로 분류한 것이 p.131 표1입니다.

대표적인 원인질환은 요관결석, 신우요관이음부협착, 거대요관, 요관방광 이음부협착, 하대정맥후요관, 말굽신, 요관류, 후부요도판막, 방광요관 역류, 신경인성 방광, 전립선비대증, 방광경부 경화증 등입니다.

---

* **한외여과 ultrafiltration**
막의 한쪽 용액에 압력이 가해지면 용액은 막의 반대측으로 밀려나는데, 막의 구멍지름보다 큰 물질은 그대로 머물게 됩니다. 이것을 한외여과라고 합니다.

표1 수신증을 일으키는 대표적 질환

	내인성(요로내부의 문제)	외인성(외부에서의 압박)
선천성	• 신우요관이음부협착증(협의) • 요관방광이음부 협착증 • 거대요관 • 원발성 방광요관 역류 • 요관류 • 요관이소개구 • 후부요도판막† • 포경†	• 신낭종, 신우주변낭종 • 신우요관이음부협착증(이상혈관 때문에) • 하대정맥후요관 • 말굽신†
후천성	• 신우·요관결석 • 신우·요관종양 • 요관 협착 • 방광암 • 방광경부 경화증† • 전립선비대증† • 전립선암† • 신경인성 방광† • 속발성 방광요관 역류† • 요도결석† • 외요도구 협착† • 방광류†	• 타장기암의 신문부림프절 전이 • 후복막섬유화증 • 후복막종양 • 타장기암의 방광침윤(전립선암 포함) • 타장기암 림프절 전이에 의한 요관의 압박 • 임신자궁† • 난소정맥증후군 • 의원성 요관손상(결찰, 절단) • 소화관병변(Crohn병, 결장게실염) • 복부대동맥류

† 양측 수신증을 일으키는 경우가 많은 질환(양측에 같은 정도의 수신증을 일으킬 때는 하부 요로폐색을 고려하는 것이 타당)

● 증상

요관 내로의 신결석의 유입 등으로 갑작스런 요로폐색을 일으키면 신우·신배가 확장되어 신피막이 늘어나고, 산통이나 CVA tenderness (+)가 나타납니다. 또 결석이나 악성종양으로 양측 요관의 급성폐색이 일어나면 신후성 무뇨(☞ p.20)가 되어, 급성 신부전 때문에 요독증* 증상이 출현하기도 합니다.

한편, 서서히 폐색이 진행되면 수신증의 진행도 완만하여 요배부의 둔통 정도의 가벼운 증상이나 전혀 무증상으로 경과하기도 합니다.

편측 요로폐색이 만성적으로 경과하는 경우는 초기에는 건측 신장의 대상(代償)에 의해 전체적으로 정상으로 유지됩니다. 그러나 진행되면 사구체 여과량(GFR), 신혈장류량(RPF), TmPAH(요세관 파라아미노마뇨산염 재흡수 극량)의 감소나 농축력 저하(수신증에서는 처음에 신뇨세관이 장애를 받는다)가 출현합니다.

● 검사

● 요로조영

p.132 그림1에 나타낸 바와 같은 신우소견이 보입니다. IVU, DIP, RGP 중 어느 것을 선택하는지는, p.43~46을 참조하십시오. 단, 신기능이 저하되어 조영제의 배설이 보이지 않는 증례에서는 IVU로는 수신

---

* **요독증 uremia**
신부전의 종말상에서, 신기능이 상실되어 전신의 장기에 장애를 일으키고 다양한 증상을 나타내는 것입니다. 주로 정신신경증상(기억력 저하, 환각, 혼수 등), 말초신경증상(하퇴에 생기는 이상감각), 순환기장애(심부전, 부종, 요독증성 심막염 등), 호흡기증상(요독증폐라 불리는 폐수종) 외에 소화성궤양이나 출혈경향도 확인됩니다.

증의 정도를 판정할 수 없습니다(그림2).

초음파검사

소변이 가득 차서 신우·신배가 확장되어 있는 수신증에서는 내부에서의 반사를 확인하지 못하는(검게 비치는) 확장된 신우·신배가 확인됩니다(그림3). 수신증의 정도를 관찰하기에는 적합하지만, 신기능이 어느 정도 남아 있는지는 판단할 수 없습니다.

초음파검사는 전립선비대와 같은 하부 요로폐색에 의한 수신증이나 수뇨관증이 의심스러울 때의 진단에도 유용합니다.

그림1 수신증의 신우소견(우측으로 갈수록 고도 수신증)

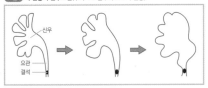

그림2 우측 수신증의 IVU영상

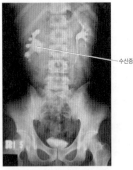

수신증

우측 수신증을 확인하지만, 요관의 정보는 전혀 얻을 수 없으므로 수신증이 발생한 원인을 판단할 수 없다.

그림3 수신증의 초음파영상

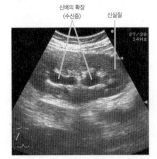

신배의 확장
(수신증)   신실질

CT

단순CT(p.133 그림4)와 조영CT를 하여 신실질의 비박화, 신우·신배의 확장, 요관의 확장 정도를 알 수 있습니다. 또 신기능을 어느 정도 추측하는 것이 가능합니다.

그림4 수신증의 복부 단순CT(105-A-39)

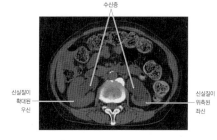

수신증

신실질이
확대된
우신

신실질이
위축된
좌신

소변량의 감소와 전신 권태감을 주소로 내원한 82세 남성의 증례로, 양 신장에서 수신증이 확인되지만, 우측 신실질은 비대, 좌측 신실질은 위축되어 있습니다.

● MRI

물은 T1강조상에서는 저신호로, T2강조상에서는 고신호로 나타납니다. 따라서 좌우세로촬영을 하면 폐색부위를 알 수 있습니다. 단, 요로조영이나 초음파, CT에서 대부분의 정보를 얻는 경우가 많으므로, MRI가 필요한 증례는 한정되어 있습니다.

● 신장 신티그래피

수신증이 어느 정도 신기능에 영향을 미치고 있는지를 검사하는 데는 ^{99m}Tc-DTPA 또는 ^{99m}Tc-MAG3에 의한 레노그래피, ^{99m}Tc-DMSA를 이용한 신장 신티그래피가 유용합니다.

● Whitaker시험

요관의 통과저항을 검사하는 검사입니다(☞ p.40).

● 치료

기본적으로 기초질환의 치료가 포인트가 되지만, 긴급조치로는 다음과 같은 것이 있습니다.

● 신루설치술 nephrostomy

초음파하에 천자하여, 신우에 저류된 소변을 카테터로 직접 체외로 drainage하는 방법입니다(그림5). 요로전환술의 일종으로, 일시적 요로전환으로 시행하는 것과 영구적 요로전환으로 시행하는 것으로 나누어집니다.

그림5 신루

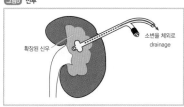

확장된 신우

소변을 체외로
drainage

전자는 환신(患腎) 기능저하의 예방과 회복을 목적으로 하며, 일시 피난적으로 소변의 배설 경로를 만드는 것입니다. 원질환의 치료가 종료되고 요관폐색이 해제되면 제거합니다. 후자는 근치적 치료가 어려워진 진행암에 의해서 요로폐색이 생겼을 때에, 신기능의 보존 목적으로 사용하는 것이 대표적입니다.

요관 스텐트 유치

주로 요관외에서의 압박에 의한 폐색에 적응이 되는 것으로, 방광경적으로 역행성으로 요관 스텐트를 신우까지 삽입합니다(그림6). 소변은 스텐트의 내강을 통해서 방광으로 흐릅니다. 유치하는 스텐트는 주로 double · pig tail · stent(양 끝이 돼지꼬리처럼 돌돌 말린 스텐트)를 이용합니다.

그림6 요관 스텐트(pig tail) 유치

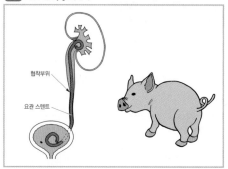

협착부위

요관 스텐트

B 요로폐색에 의한 방광의 변화

STEP
요로폐색이 있으면 방광벽에 육주가 형성되고, 방광벽의 섬유화도 생긴다

발생기전

전립선비대증 등으로 소변의 유출 통로에 폐색이 일어난 경우, 방광은 그 폐색력을 이겨내고 배뇨하려고 노력합니다. 그리고 이 노력을 반복하면 방광의 근육이 비후되고, 간질부는 위축되어서, 탄력성이 없는 힘줄이 들어간 단단한 근육이 되어 버립니다. 이것을 방광경으로 관찰하면, 방광벽이 많은 근육 기둥이 결합된 듯이 보입니다(p.135 그림7). 이 상태가 육주 형성(trabeculation)입니다.

또 이 상태가 지속되면, 점막이 탈장 모양으로 돌출하여 방광게실(膀胱憩室)을 만듭니다.

이렇게 되면 원활한 배뇨가 이루어지지 않게 되어 요관으로 역류하거나 방광근의 섬유화가 생겨 버립니다(그림8).

그림7 육주 형성의 방광경소견

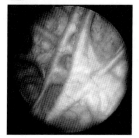

그림8 요로폐색에 의한 방광의 변화

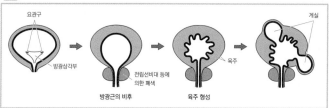

요관구

방광삼각부

방광근의 비후

전립선비대 등에
의한 폐색

육주 형성

육주

게실

증상

배뇨의 세기가 약하고, 요선은 작고 가늘어집니다. 또 방광 내에서 잔뇨가 확인되며, 감염이 쉽게 생기게
되고, 방광결석도 쉽게 형성됩니다.

치료

급성 요폐나 수신증에 빠진 경우는 방광에 카테터를 삽입하여 배뇨하고, 상태가 개선된 후에 원인질환을
치료합니다.

제4장

요로결석
urolithiasis

A 요로결석

신장, 요관, 방광, 요도에 존재하는 결석을 총칭하여 **요로결석**이라고 합니다. 신장·요관의 결석이 **상부요로결석**이며, 방광·요도의 결석이 하부요로결석입니다. 예전에는 상부·하부요로결석의 비율이 거의 50%씩이었지만, 섭취하는 음식(영양)을 중심으로 라이프스타일의 변화나 결석의 핵이 되는 기생충 감염의 감소 등으로 하부요로결석이 감소되어, 현재는 **상부요로결석이 95%**를 차지하고 있습니다.

또 결석은 존재 부위에 따라서 신결석(신배결석, 신우결석), 요관결석, 방광결석 등으로 부릅니다. 요로결석은 남:여 = 2~3:1이며, 20대 후반 이후의 발병이 많고, 상부요로에서는 좌우의 차가 없으며, 10~20%는 양측성으로 나타납니다.

B 요로결석의 형성

- 결석 성분에서 가장 많은 것은 수산칼슘
- 요관으로 내려온 결석은 3가지 생리적 협착부에 머물기 쉽다

● 성인

결석의 발생에는 식사 내용, 직업, 유전, 성별, 지역, 기후 등 여러 가지 요소가 복잡하게 얽혀 있습니다. 특히 상부요로결석의 대부분을 차지하는 **칼슘함유결석**의 원인은 여러 인자가 관련되어 있으며, 환자에 따라서 다양합니다.

일반적으로, 결석이 요중에 형성되는 데는 결석성분의 요중 농도가 과포화상태에 이르러 있어야 합니다. 단, 생체 내에서 요중 결석성분이 과포화에 이른다고 반드시 결석이 생기는 것은 아닙니다. 이것은 요중에는 결석성분의 결정화를 억제하는 성분(마그네슘이온이나 구연산 등)이 함유되어 있기 때문입니다.

● 결석의 성분

결석의 대표적인 성분은 수산칼슘(약 80%를 차지한다), 인산칼슘, 인산마그네슘·암모늄, 요산, 시스틴 등입니다(p.137 그림1).

● 호발부위

상부요로결석은 모두 신장 내에서 형성됩니다. 그리고 이 결석이 어느 날 갑자기, 요관으로 내려와 산통발작을 일으킵니다. 요관으로 내려온 결석은 신우요관이음부, 총장골동맥과의 교차부, 요관방광 이음부의 3곳의 생리적 협착부에 쉽게 머물게 됩니다(p.137 그림2). 이 중에서 가장 좁은 곳이 요관방광이음부(방광벽내 요관부) 입니다.

방광결석에는 요관결석이 방광으로 내려온 것과 방광 내에서 감염이나 이물(유치카테터 등)에 의해서 발생하는 것이 있습니다. 전자는 통상 다음 배뇨로 체외로 배설되는데(요관보다 요도가 압도적으로 지름이 넓어서), 전립선비대증이나 신경인성 방광 등 배뇨장애를 나타내는 기초질환이 있으면 배설되지 않고 방광 내에 머물며, 큰 방광결석이 되는 수가 있습니다.

그림1 상부요로결석의 성분

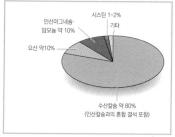

시스틴 1~2%
인산마그네슘·암모늄 약 10%
기타
요산 약10%
수산칼슘 약 80%
(인산칼슘과의 혼합 결석 포함)

그림2 결석의 호발부위(요관의 생리적 협착부)

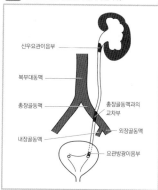

신우요관이음부
복부대동맥
총장골동맥
내장골동맥
총장골동맥과의 교차부
외장골동맥
요관방광이음부

C 요로결석의 원인

상부요로결석의 약 80%는 발생원인이 불분명합니다. 또 한번 결석이 생긴 사람은 5년 만에 약 40%의 사람이 재발한다고 합니다.

이와 같이 약 20%만 요로결석증의 원인질환이 판명되어 있으며, 표1에 열거한 질환이 원인으로 확인됩니다.

표1 요로결석의 발생과 관련된 질환

I 고칼슘혈증·요증을 일으키는 질환	III 요세관이상에 의한 질환
1) 원발성 부갑상선기능항진증	1) 신요세관성 산증
2) 비타민D 중독증	2) 시스틴뇨증
3) 장기와상	3) 아세타졸라미드(녹내장 치료제)의 복용
4) 우유알칼리증후군	IV 고요산뇨증을 야기하는 질환
5) Cushing증후군	V 2차결석과 관련된 질환
6) 특발성 고칼슘뇨증	1) 요로감염증
II 효소이상에 의한 질환	2) 요로폐색성 질환
1) 고수산뇨증	3) 요로전술술
2) 잔틴뇨증	VI 소화기질환
3) 디히드록시아데닌뇨증	VII 비타민결핍

① 원발성 부갑상선기능항진증 primary hyperparathyroidism

STEP 요중 칼슘에 기인하는 요로결석을 형성하기 쉽다

성인에게 나타나는 요로결석의 2~5%가 본증에서 기인합니다. 원발성 부갑상선기능항진증의 약 80%가 선종, 15%가 과형성, 5%가 암입니다. 성비(性比)는 남 : 여 = 1 : 2로 여성에게 많고, 40~50대에 호발합니다.

● 증상

부갑상선호르몬(PTH)의 과잉생산 때문에 뼈에서의 칼슘용출로 인한 섬유성 골염, 요중 칼슘이나 인배설량증가에 의한 요로결석, 소화기증상(오심·구토, 식욕부진, 소화성궤양 등), 집중력 저하나 의식장애 등의 정신신경증상, 피부소양감 등을 나타냅니다.

기능항진인데도 그다지 부갑상선이 종대되지 않는 증례 외에, 이소성인 것도 있습니다.

● 검사

혈액소견으로 혈중 PTH의 높은 수치, 혈청 칼슘치 상승, 혈청 인수치 저하, 고Cl성 대사성 산증이 확인됩니다.

요소견으로 요중 칼슘배설량증가, 요중 인배설량증가(인의 재흡수억제 때문), 요세관 인재흡수율(% TRP) 저하(정상에서는 80% 이상), 요중 AMP 수치 증가를 확인합니다.

부위진단은 CT, 초음파검사, ^{201}T1신티그래피로 합니다.

● 치료

원칙적으로 종대된 부갑상선의 적출술을 합니다.

본증은 내분비질환이지만, 요로결석의 원인의 하나이므로 비뇨기과에서 치료하는 경우도 종종 있습니다.

② 고칼슘혈증·요증을 초래하는 그 밖의 질환

STEP 장기와상과 Cushing증후군은 고칼슘혈증을 일으키므로 요로결석을 형성하기 쉽다

■ 비타민D 중독증 vitamin D intoxication

비타민D는 지용성비타민이므로 과잉섭취하면 축적됩니다. 따라서 장기간에 걸쳐서 비타민D를 10만 단위/일 이상 계속 섭취하면 고칼슘혈증, 고칼슘뇨증이 되어 신결석·신석회화증을 일으킵니다.

즉 구루병이나 골연화증으로 활성형 비타민D를 투여받는 환자는 요주의입니다.

■ 장기와상 prolonged immobility

골절이나 척수손상 등으로 장기와상이 부득이하게 되면, 골의 이화(異化)가 항진되고, 골내의 칼슘이나 인산 등의 요중 배설이 증가하여, 결석이 쉽게 발생하게 됩니다. 우주비행사에게도 똑같은 병태가 발생한다고 보고 되어 있습니다.

■ 우유알칼리증후군 milk-alkali syndrome

우유를 2~4L/일을 장기간 대량섭취하거나, 소화성궤양에 대한 수산화알루미늄겔 등의 알칼리제(제산제) 를 계속 내복하면 고칼슘혈증, 고칼슘뇨증을 나타내어 결석이 발생합니다.

■ Cushing증후군

Cushing증후군은 만성 당질코르티코이드(코르티졸) 과잉에 기인하는 질환입니다. 따라서 본 증후군에서 는 당질 코르티코이드의 작용으로 골에서의 칼슘용출이 일어납니다. 그 결과, 약 20%의 증례에서 요로결석 증이 합병됩니다.

■ 특발성 고칼슘뇨증 idiopathic hypercalciuria

요로결석의 25~50%에는 고칼슘뇨증(일반적으로 4mg/kg/일 이상)이 존재합니다. 그러나 정밀검사를 해 도 고칼슘뇨증을 야기할 것 같은 기초질환을 발견하지 못하고 고칼슘혈증도 확인하지 못하는 경우가 있습 니다. 또 특별히 칼슘을 과잉섭취하는 것도 아닙니다. 이와 같이 원인불명이면서 요중 칼슘배설량이 많은 상태 를 특발성 고칼슘뇨증이라고 합니다.

이 특발성 고칼슘뇨증에는 소화관에서의 칼슘흡수가 증가하고 있고, 신요세관에서의 칼슘재흡수기능이 저하되어 있으며, 골에서의 칼슘용출이 항진되어 있는 등의 병태가 존재합니다.

❸ 고수산뇨증 hyperoxaluria

요로결석의 약 80%는 수산칼슘 단독 또는 혼합이므로, 요중의 수산배설이 증가하는 병태는 결석의 발 생원인으로 중요합니다.

■ 원발성 고수산뇨증

상염색체 열성유전을 나타내는 수산대사이상으로, 5세경까지 요로결석을 일으키는 경우가 많으며, 신부 전으로 이행되기 쉬운 질환입니다. 단, 드물게 보입니다.

■ 장관성 고수산뇨증

만성췌염, 담즙성 간경변증, 광범위 소장절제 후 등에 의한 지질이나 담즙산의 흡수부전이 생기면, 소장에서 흡수되지 않았던 유리지방산이 소화관 내에서 칼슘이나 마그네슘과 결합합니다.

통상, 소화관 내의 수산은 칼슘과 결합하여 분변 중으로 배설되고 있습니다. 그러나 위에서 기술하였듯이 칼슘은 지방산과 결합하므로, 대량의 수산이 남게 됩니다. 그 결과, 장관에서 유리수산이 흡수되어, 고수산뇨증이 일어납니다.

식사성 고수산뇨증

문자 그대로, 식사로 다량의 수산을 섭취하여 고수산뇨증을 나타내는 것으로, 고수산뇨증의 원인으로 가장 많습니다.

수산을 풍부하게 함유한 음식은 시금치, 코코아, 홍차, 초콜릿 등이며, 비타민C는 수산의 전구물질입니다. 고수산뇨증은 이것을 과잉 섭취하거나, 비타민B₁, B₆가 부족해도 야기됩니다.

④ 잔틴뇨증 xanthinuria

잔틴은 푸린대사에 의해서 요산이 되지만, 본증에서는 잔틴옥시다아제 결손으로 이 대사가 장애를 받아 요중에 잔틴과 하이포잔틴이 대량으로 배설됩니다. 이 때문에, 본증의 약 1/3에 결석증이 합병됩니다. 상염색체 열성유전을 나타내는 질환으로, 매우 드물게 나타납니다.

잔틴은 산성뇨에 난용성이지만, 알칼리뇨에서는 쉽게 녹는 성질을 치료에 이용하여, 요알칼리화 약(우랄리트®) 등이 투여됩니다.

⑤ 디히드록시아데닌뇨증 dihydroxyadeninuria

푸린대사효소의 하나인 adenine phosphoribosyltransferase 결손 때문에, 아데닌, 2,8-dihydroxyadenine (2,8-DHA)가 증가하는 매우 드문 질환으로, 상염색체 열성유전을 나타냅니다. 2,8-DHA는 난용성이기 때문에 요로결석증을 일으킵니다.

환자는 저푸린식을 하며, 치료에는 요산생성저해제인 알로푸리놀을 투여합니다.

⑥ 요세관성 산증 renal tubular acidosis (RTA)

신결석이 발생하는 것은 원위 요세관형(distal RTA)이며, 근위 요세관형(proximal RTA)에서는 나타나지 않습니다. 따라서 원위 요세관형에 관해서 해설하겠습니다.

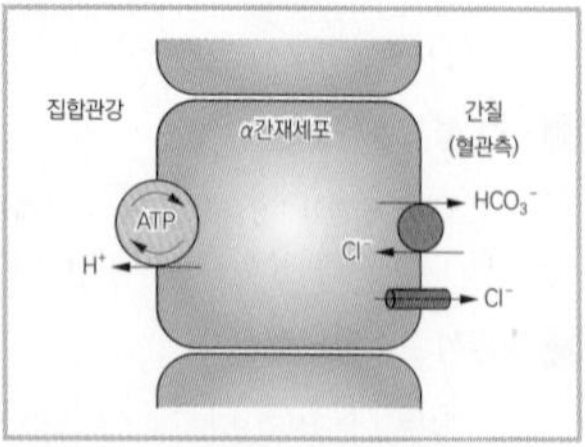

결석의 발생기전

우선, α간재세포에 의한 물질의 수송을 그림3에 나타냈습니다.

원위 요세관형은 집합관 α간재세포의 수소이온의 배설장애에 기인하는 것으로, 소변의 산성화기구가 장애를 받아서 알칼리뇨를 나타냅니다. 그러면 이 수소이온배설의 대상(代償)으로서 칼슘의 배설량이 증가하므로, 인산염이 쉽게 침전하게 되어 인산칼슘결석이 쉽게 형성됩니다. 또 α간재세포의 혈관측에는

HCO₃⁻-Cl⁻-공수송체가 있지만, 본증에서는 HCO₃⁻가 부족하기 때문에 Cl⁻가 체내에 잔존하여, 고Cl성 대사

그림3 α간재세포에 의한 물질의 수송

성 산증을 나타냅니다. 이것에 의해서 구연산(결석형성 저지물질)의 배설량이 감소하여 결석형성이 조장됩니다.

본증은 Sjögren증후군*에서 높은 비율로 나타납니다.

● 검사

양 신장에 소결석이 다발하는 증례에서 요pH가 항상 7 이상이며 저칼륨혈증이 있는 경우에는 본증을 의심하며, 동맥혈가스분석을 합니다. 산혈증(동맥혈 pH<7.4)이 있으면 염화암모늄부하시험을 하여, 요pH가 5.5 이하가 되지 않으면 확정진단합니다.

● 치료

구연산제제나 중조를 투여하여 대사성 산증을 시정합니다.

⑦ 시스틴뇨증 cystinuria

> • 시스틴결석은 X선투과성으로, 단순X선에서는 보이지 않는다
> • 치료는 요알칼리화에 의한 용해

● 결석의 원인

본증은 근위요세관에서 4종류의 아미노산(시스틴 cystine, 오르니틴 ornithine, 리신 lysine, 아르기닌 arginine)이 재흡수장애를 일으키는 질환으로, 상염색체 열성유전을 나타냅니다. 특히 시스틴이 난용성으로, 이것이 결석의 원인이 됩니다. 단, 본증은 전 상부요로결석의 1% 이하에 지나지 않습니다.

시스틴뇨증에서는 결석이 유일한 임상증상으로, 주의하지 않으면 여기에 기인하는 2차성 신장애를 일으킵니다.

● 검사

시스틴결석은 X선투과성 결석으로, 단순X선 촬영에서는 보이지 않습니다.

요침사를 현미경으로 보면 특이한 육각형을 나타내는 시스틴결정(☞ p.34)이 관찰됩니다.

● 치료

요중 시스틴농도를 낮추기 위해서 충분한 수분을 섭취합니다. 또 시스틴결정은 요pH가 산성으로 기울면 석출되고 알칼리성으로 기울면 용해되므로 구연산제제를 투여하여 소변을 알칼리화합니다.

⑧ 아세타졸라미드 acetazolamide의 복용

녹내장 치료제로 사용되는 이뇨제인 아세타졸라미드는 탄산탈수효소억제제이며, 요세관상피에서 탄산의 생성억제, 혈중으로의 HCO_3^- 재흡수와 요중으로의 H^+분비억제를 일으킵니다.

따라서 요세관성 산증과 마찬가지로 요산성화 기능감소와 요중 구연산의 배설이 감소되어, 요로결석을 쉽게 일으키게 됩니다.

---

* Sjögren증후군

눈이나 입이 건조한 원인불명의 만성 염증성질환으로, 자가면역기전이 시사되고 있습니다. 압도적으로 여성에게 많으며, 발증 연령의 피크는 40세 정도입니다. 증상은 구강내 건조와 건성 각결막염이지만, 림프절종창, 간질성폐렴, 원위요세관성 산증, Raynaud현상 등의 선외증상도 나타납니다.

⑨ 고요산뇨증을 야기하는 질환

- 요산결석도 X선투과성으로, 단순X선에서는 보이지 않는다
- 치료는 요알칼리화에 의한 용해

■ 요산과 결석의 형성

고요산혈증은 혈청요산치≧7.0mg/dL이라고 정의되고 있습니다.

체내의 요산은 핵산을 구성하는 푸린염기가 대사되어 생기는 것과, 식사(고기, 생선, 간, 맥주 등)에 함유된 푸린에서 유래하는 것으로 나누어집니다.

요중으로의 요산배설이 증가하면 요산결석이 형성되지만, 여기에는 pH도 관련되어 있습니다. 요중 요산의 용해도는 산성뇨에서 저하되고, 알칼리뇨에서 증가합니다. 따라서 소변을 알칼리화하여 요산결석의 형성을 억제할 뿐 아니라, 형성된 결석을 용해할 수도 있습니다.

참고로 소변은 고기, 생선이나 곡물을 많이 섭취하면 산성으로 기울고, 채소를 많이 섭취하면 알칼리성으로 기웁니다.

■ 결석의 성상

요산결석은 시스틴결석과 마찬가지로 X선투과성 결석으로, 40세 이상의 남성에게 흔히 나타납니다. 또 요중 요산은 수산칼슘결석 형성에도 관여하고 있습니다. 이것은 요산결정이 결석형성의 핵이 되는 것에 기인합니다.

⑩ 속발성 결석과 관련된 질환

요로감염증이나 요로폐색을 기초로 일어나는 결석을 2차 결석이라고 합니다.

■ 요로감염증

소변의 우레아제* 생산균 감염으로 요소가 분해되어 NH_4^+가 생산되고, 소변은 알칼리성이 됩니다. 그러면 인산마그네슘 · 암모늄이 쉽게 석출됩니다.

이것에 의해서 생산된 인산마그네슘 · 암모늄결석은 신우를 채울수록 커져서 사슴뿔석이라고 합니다(p.143 그림4).

우레아제 생산균에는 프로테우스, 크레브시엘라, 녹농균, 포도구균이 있습니다. 또 대장균은 우레아제를 생산하지 않습니다.

---

* **우레아제** urease
  요소 urea를 이산화탄소(CO_2)와 암모니아(NH_3)로 가수분해하는 효소입니다.

그림4 사슴뿔석의 KUB영상(좌)과 적출된 결석의 사진(우)

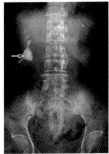

KUB영상에서 신우에 해당하는 부위에서 큰 음영을 확인한다(화살표).

신우를 주형으로 한 듯한 형상의 사슴뿔석(신절석술로 적출).

일본에서는 '사슴뿔석'을 '산호상결석'이라 한다.

🔲 요로폐색성질환

요류의 정체는 결정을 석출하기 쉽게 작용하면서 요로감염을 촉진시킵니다.

이 요류 정체에 의해 생기는 결석의 대부분은 인산칼슘결석입니다. 단, 감염이 합병되어 있으면 위에 기술한 인산마그네슘·암모늄결석이 되는 경우가 많아집니다.

🔲 요로전환술

요로전환술(☞ p.289)을 했을 때, 새로 요관을 문합한 부위는 협착이 생기기 쉬워서 소변의 역류를 일으킬 수도 있으므로, 요로감염에 기인하는 결석이 쉽게 발생하게 됩니다.

방광의 대용으로 장관을 사용한 경우[자가도뇨형 저장기(reservoir) : ☞ p.291]도 마찬가지입니다.

⑪ 소화기질환, 비타민결핍

설사는 탈수와 중탄산 상실을 일으키므로 소변량 감소와 요pH저하를 초래하며, 요산결석을 쉽게 일으키게 됩니다.

또 비타민A 결핍에서는 요로점막상피가 각화됨으로써 결석이 쉽게 생기게 되고, 비타민B_6 결핍에서는 소변으로의 수산배설량이 증가함으로써 결석이 쉽게 생기게 됩니다.

D 상부요로결석
urinary tract

STEP 자각증상은 측복부통, 혈뇨, 결석의 배출

① 자각증상과 객관적 소견

● 자각증상

결석에 의한 요로폐색 때문에 신우내압이 상승하여 신피막이 신전되고, 신우나 요관의 평활근 경련으로 통증이 생깁니다(이때 수신증이 나타난다). 그리고 이 결석이 신우요관이음부나 요관을 막으면 산통발작이 나타납니다. 전형례에서 산통은 측복부에서 요관의 주행을 따라서 하복부로 방산합니다. 신장 내에 결석이 존재할 때에는 오히려 통증이 약하고, 신부 둔통 정도인 경우가 종종 있습니다. 또 요로폐색이 생기지 않으면 무증상인 경우가 많으며, 이것을 잠재결석이라고 합니다. 즉 결석이 클수록 통증이 심한 것이 아닙니다. 오히려 작은 결석이 요관에 내려올 때가 통증이 심한 경우가 있습니다.

결석이 존재하면 현미경적 혈뇨는 거의 대부분 확인됩니다. 또 산통발작을 일으킬 때에는 육안적 혈뇨가 쉽게 출현하게 됩니다. 즉 잠재결석에서는 혈뇨가 유일한 소견이 되기도 합니다. 단, 결석으로 요로가 완전폐색되어 있을 때는 현미경적 혈뇨조차도 확인되지 않는 경우가 있습니다.

결석의 대부분은 "배뇨 시에 통증을 느끼면서 단단한 것이 나왔다"라는 식으로 배출됩니다. 즉 결석의 배출은 대부분 자연히 이루어집니다.

그 밖에 급성 신우신염이 합병되어 발열하거나, 단신(기능적 단신도 포함)에서 결석으로 막히거나, 양측 요관이 동시에 막히면, 무뇨(신후성 무뇨)가 되기도 합니다.

● 객관적 소견

배부(背部)의 늑골척주각에서 압통(CVA tenderness)을 확인하는 것이 일반적입니다.

또 결석증은 복통으로 나타나기도 하여 급성복증을 나타내는 질환과 감별해야 하지만, 급성충수염에 비하면 근성방어가 부족합니다. 여성에서는 자궁외임신이나 난소경꼬임과의 감별에도 주의해야 합니다.

② 검사소견

● 소변검사소견

● 요pH

소변의 pH에서는 결석의 유무를 예상할 수 없습니다. 단, 수산칼슘결석, 요산결석, 시스틴결석에서는 산성뇨를 나타내는 경우가 많고, 인산마그네슘·암모늄결석에서는 알칼리뇨를 나타내는 경우가 많습니다. 또 요세관성 산증(원위요세관형)을 기초질환으로 가지고 있는 환자의 소변은 항상 알칼리를 나타내고 있습니다.

● 요침사

앞에서 기술하였듯이, 현미경적 혈뇨인 경우도 육안적 혈뇨인 경우도 있습니다.

결석증을 기초로 신우신염 등 요로감염이 합병되면, 혈뇨와 동시에 농뇨가 확인됩니다.

● 결정뇨

수산칼슘결석일 때에는 정팔면체의 결정(p.34 그림7)이 보이는 경우가 있습니다. 한편, 시스틴결석에서는 정육각형 결정(p.34 그림6)을 관찰할 수 있습니다.

● 초음파소견

결석증이 의심스러운 경우는 우선 초음파로 스크리닝을 합니다. 배부에서 검사하면, 신장 내의 2mm 이상의 결석이면 대부분 찾을 수 있습니다. 즉 중심부 에코군(CEC)의 고휘도에코와 그 후방의 음향음영(acoustic shadow)이 보입니다. 상부요관에 결석이 존재하고 수신증이나 수뇨관증을 나타낼 때에는 요관결석의 진단도 가능합니다. 요관결석은 수뇨관증이 존재하면, 그 안에서 고휘도에코영상으로 확인됩니다(그림5).

> **그림5** 상부요관결석에 의한 수신증과 수뇨관증의 배부(背部) 초음파영상

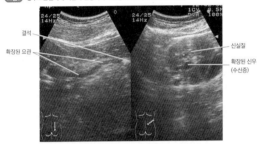

결석
확장된 요관

신실질
확장된 신우
(수신증)

● X선소견

> **STEP** 시스틴결석, 요산결석, 잔틴결석은 X선투과성
> 단, CT에서는 모두 찾을 수 있다

통상은 KUB에서 결석에 의한 석회화영상이 보이지만, X선에서 보이지 않는 결석도 있습니다. p.146 표2에 나타냈듯이, 결석밀도 1,4인 결석이 X선투과성 결석입니다. 또 칼슘함유결석(통상은 X선으로 보인다)에서도 5mm 이하의 결석이나 X선상에서 결석이 골반이나 척추횡돌기와 겹치면, 알기 어려워집니다. 이 경우는 초음파검사, IVU, CT가 유용합니다.

단순CT에서는 X선투과성 결석을 포함한 모든 결석이 확인됩니다. 즉 CT에서 보이지 않는 결석은 없습니다.

KUB에서 석회화상을 확인하고 IVU에서 신우요관영상과 일치하여 그곳에 조영제의 정체(stop sign)가 있으면 진단을 확정해도 틀림없습니다(p.146 그림6).

단, 실제로는 산통발작 시에 IVU를 해도 요관의 경련(spasms) 때문에 신장이 보이지 않는 경우도 있습니다. 이와 같은 경우를 non-visualized kidney(불현신)라고 표현하지만, non-functioning kidney(무기능신장)인지의 여부는 판단할 수 없습니다.

표2 결석성분과 X선투과도(물을 1로 했을 때의 결석밀도)

결석성분	결석밀도
인산칼슘	22.0(비치기 쉽다)
수산칼슘	10.8(비치기 쉽다)
인산마그네슘·암모늄	4.1(흐리게 비친다)
시스틴	1.4(비치지 않는다)
요산	1.4(비치지 않는다)
잔틴	1.4(비치지 않는다)

시스틴, 요산, 잔틴의 결석은 X선투과성이야

그림6 좌측 요관결석의 KUB영상(좌)과 IVU영상(우)(94-F-27)

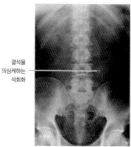
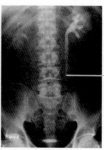

결석을 의심케하는 석회화

석회화는 요관의 주행과 일치. 석회화보다 위쪽은 수신증이나 수뇨관증의 소견을 나타낸다

③ 치료의 실제

- 진통에는 NSAIDs, 경감되지 않으면 펜타조신
- 용해요법의 적용은 요산결석과 시스틴결석

■ 보존적 치료

경과관찰해도 환자(신장)에게 악영향이 없을 것 같을 때, 그리고 자연배석이 가능하다고 생각될 때에 합니다. 구체적인 적용은 감염이 없고, 폐색이 고도가 아니며, 결석의 긴지름이 10mm 이하이고 짧은지름이 5~6mm 이하인 경우입니다.

● 대증요법

산통발작으로 진료받고 요로결석이라고 진단을 내린 환자라도 긴급히 수술을 시행하는 경우는 거의 없습니다. 수술은 우선 산통발작을 진정시키고 전신상태가 안정되어 있을 때에 합니다.

진통에는 NSAIDs(비스테로이드성 항염증제) 등을 사용하는데, 그래도 통증이 경감되지 않는 경우는 비마약성 진통제인 펜타조신(pentazocine) 등을 사용합니다. 또 통증이 가장 강한 위치(피부)에 국소마취를 하기도 합니다. 물론, 요로감염을 수반하면 항균제도 투여합니다.

● 자연배석촉진법

산통발작을 일으키고 있을 때 원인이 되는 결석이 작은 경우가 많아서 충분한 수분을 섭취하게 하거나 수액을 주사하여 1일 소변량을 2,000~3,000mL 이상을 유지함으로써 소변과 함께 배출되는 것을 기대할 수 있습니다.

● 용해요법

구연산제제(구연산칼륨이나 구연산나트륨)로 소변을 알칼리화함으로써 요산결석과 시스틴결석의 용해를 기대할 수 있습니다. 구연산은 칼슘과 가용성 착염을 형성하는 외에, 소변을 알칼리화하여 수산칼슘결정의 형성을 억제합니다.

시스틴결석에는 항류머티스제 d-페니실라민(penicillamine)이나 간질환 치료제인 티오프로닌(tiopronin)을 투여합니다. 어느 쪽이나 시스틴과 mixed disulfide(혼합 이황화물)를 형성하여 소변에서 쉽게 용해됩니다. 요산결석에는 알로푸리놀(allopurinol)을 투여하여 요중 요산배설량을 감소시킵니다.

■ 수술요법

① 결석이 요로를 폐색하고 신기능저하를 일으키고 있을 때, ② 감염이 합병되어서 약물요법이 무효일 때, ③ 산통발작이 반복되고 자연 배석이 어렵다고 생각될 때, ④ 결석이 커서 자연 배석이 어렵다고 생각될 때, ⑤ 결석의 존재가 사회생활에 지장을 초래할 때 등의 5가지 케이스가 수술요법의 적용입니다.

● 개복수술

예전에는 개복수술을 했지만, 그 침습의 크기 때문에 요즘에는 시행하는 경우가 거의 없습니다. 예외는 중증 신기능장애에 빠진 경우에 시행되는 신장절제술입니다.

● 내시경적 수술

● 경피적 결석파쇄술 percutaneous nephro-uretero lithotripsy (PNL)

천자법으로 신루를 만들고 이 누공으로 내시경을 삽입하여 초음파나 레이저로 결석을 파쇄한 후에 적출하는 방법입니다. 신결석 및 상부요관결석(내시경이 닿는 위치의 결석)에 적용이 됩니다.

● 경요도적 결석파쇄술 transurethral lithotripsy (TUL)

경요도적(요관에서 역행성)으로 내시경(요관경)을 삽입하고 결석을 파쇄하는 방법입니다. 체표에는 일절 상처가 나지 않는 이점이 있습니다.

● 체외충격파 쇄석술 extracorporeal shock wave lithotripsy (ESWL)

- 파쇄결석이 요관을 막으면, 통증, 혈뇨, 미열을 나타낸다
- 사전에 요관 스텐트의 유치나 신루를 조설하기도 한다

체외에서 발생한 충격파를 결석에 모아서 파쇄하는 방법입니다(그림7). 충격파의 발생 방식에는 스파크방전방식, 압전방식, 전자방식이 있습니다.

요류가 없으면 파쇄조각을 배설할 수 없으므로, ESWL을 시행하려면 어느 정도 신장의 기능이 남아 있는 것이 필수조건입니다.

합병증으로 혈뇨나 신피막하혈종 등을 일으키는 수가 있습니다. 또 파쇄한 결석이 요관에 걸리면, 환측 측복부에서 통증이 생기거나, 육안적 혈뇨나 미열이 나타나는 수가 있습니다. 따라서 큰 결석에 ESWL을 하는 경우에는 사전처치로 요관 스텐트의 유치나 신루를 조설하기도 합니다.

ESWL의 금기(표3)와 시행 시의 주의사항(표4)을 정리하였습니다.

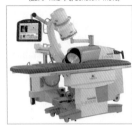

그림7 ESWL장치
(EDAP TMS사제, Sonolith i-move)

표3 체외충격파 쇄석술의 금기

금기사항	이유
심장페이스메이커 장착자	충격파로 페이스메이커 기능에 이상이 발생하거나, 페이스메이커 전위가 충격파 발생의 원인이 될 수 있다.
임신부나 임신 희망 여성	태아나 난소기능에 안전성이 확인되지 않았다.
요관협착 환자	결석이 부서져도 배설하지 못한다.
출혈경향 환자	신피막하혈종이나 대량의 혈뇨가 생길 가능성이 크다.

표4 체외충격파 쇄석술 시행 시에 주의해야 할 점

주의사항	이유
동맥계에 석회화가 있는 경우	잘못하여 동맥의 석회화를 파쇄하면, 대출혈을 일으킬 위험이 있다.
소아	몸이 작아서, 충격파의 진입 경로에 폐가 들어가지 않도록 주의해야 한다(폐에 충격파가 닿으면 폐포가 파열된다).

④ 결석의 예방

결석은 그 성분을 검사하거나 기초질환에 대한 치료를 하고, 식사나 약제투여 등으로 어느 정도 예방이 가능합니다.

STEP
- 칼슘결석에는 사이아자이드와 마그네슘제제의 투여
- 요산결석에는 알로푸리놀(allopurinol)과 구연산제제의 투여
- 시스틴결석에는 구연산제제와 d-페니실라민(penicillamine)의 투여

■일반적 예방

수분 섭취량이 감소되면 소변이 농축되어 결석이 쉽게 발생하게 되므로, 평소에 수분을 많이 섭취하여 소변의 농도를 저하시키는 것이 중요합니다. 또 식사 시에는 수산함유량이 많은 시금치나 죽순을 삼가고, 요산의 근원이 되는 육류나 알코올을 삼가며, 마그네슘이나 구연산배설량을 증가시키는 채소나 해초를 자주 섭취하는 것이 중요합니다.

비타민B$_1$과 B$_6$가 결핍되면 요중으로의 수산배설량이 증가합니다. 이에 반해서, 생선에 많이 함유된 에이코사펜타엔산(Eicosapentaentaenoic Acid)은 수산배설량을 감소시킵니다.

■칼슘결석의 예방

고칼슘뇨증을 나타내는 사람에게는 사이아자이드계 이뇨제를 투여하여 요중 칼슘배설량을 감소시킵니다.

사이아자이드계 이뇨제는 원위요세관의 Na$^+$ - Cl$^-$ 공수송계에 결합하여, Na$^+$와 Cl$^-$의 재흡수를 저하시킴으로써 이뇨작용을 발휘합니다. 나트륨이뇨에 의한 세포외액감소와 그에 수반하는 사구체여과량의 감소로 칼슘의 근위요세관에서의 재흡수가 증가하는 외에, 원위요세관에서의 직접적 칼슘재흡수도 항진하여 요중 칼슘배설이 감소됩니다. 단, 사이아자이드와 요산의 배설경로가 공통되므로, 고요산혈증에 대한 주의가 필요합니다.

요산 생성 저해제인 알로푸리놀(allopurinol)을 투여하여, 칼슘결석의 핵이 될 수 있는 요산의 배설량을 감소시키는 것도 효과적입니다.

수산칼슘결석에서는 원인이 되는 비타민C의 섭취제한을 권유합니다. 또 완하제로 사용되는 마그네슘제제는 수산칼슘의 용해도를 높입니다.

■요산결석의 예방

위에서 기술하였듯이, 알로프리놀을 투여하여 요산의 배설량을 감소시키고, 구연산칼륨이나 구연산나트륨을 투여하여 소변을 알칼리화합니다(구연산은 결석형성을 억제하는 인자). 소변의 알칼리화에는 중탄산나트륨도 사용됩니다.

■시스틴결석의 예방

요산결석과 마찬가지로, 구연산 칼륨 등으로 소변을 알칼리화시킵니다. 그 밖에 용해요법의 항에서도 기재하였듯이 d-페니실라민이나 티오프로닌(tiopronin)을 투여합니다.

⑤ 결석의 합병증

가장 문제가 되는 것은 요로폐색 때문에 수신증이나 수뇨관증을 일으켜서 신기능장애나 감염으로 진전되는 것입니다. 그 밖에는 결석이 장기간 정체하여 조직을 자극하고 궤양형성이나 편평상피화생을 일으키거나, 염증성 폴립을 발생하는 것을 들 수 있습니다.

신석회증 nephrocalcinosis

임상적으로 신실질(특히 수질)에 미만성 석회침착을 일으킨 것입니다. 대부분은 양측성으로 확인됩니다(단, 신장의 낭포벽, 종양, 경색, 결핵, 농양 등에 기인하는 석회화는 제외).

원인은 원발성 부갑상선기능항진증, 요세관성 산증, 해면신, 우유-알칼리증후군, 비타민D 중독, 이뇨제인 다이아목스® 사용, 사르코이도시스 등입니다.

원인질환의 증상 외에 단백뇨나 혈뇨를 확인하거나 요에서 소결석이 배출되는 경우도 있지만, 무증상인 경우도 적지 않습니다.

E 하부요로결석
lower urinary tract lithiasis

하부요로결석의 대부분은 방광결석입니다. 요도결석은 본래 드문 질환으로, 신장~방광의 결석이 걸리는 경우가 많으며, 요도 원발인 결석은 거의 나타나지 않습니다.

❶ 방광결석 bladder stone

수산칼슘과 인산칼슘의 혼합결석이 다수를 차지합니다. 단, 남성에 비해서 요로감염을 많이 일으키는 여성에게는 인산마그네슘·암모늄결석이 많습니다.

방광결석은 6:1로 남성에게 많으며, 이것은 전립선비대증이나 요도협착 등 방광에 소변이 정체되는 질환이 남성에게 많은 것을 나타내고 있습니다.

● 원인

위에서 기술하였듯이, 전립선비대증, 전립선암, 요도협착, 신경인성 방광, 방광게실 등에 기인하는 소변의 정체가 원인입니다.

또 장기간의 유치카테터나 방광벽에 있는 봉합사 등의 이물은 결석형성의 핵이 되고, 감염도 결석의 생성을 촉진시킵니다.

● 증상

산통발작을 특징으로 하는 상부요로결석과는 다릅니다. 실제로는 결석에 의한 자극이나 감염의 병발에 의해서 빈뇨, 배뇨통, 잔뇨감, 혈뇨가 보입니다. 또 결석이 방광경부를 폐색하면 배뇨곤란, 요폐, 요선중절이 나타납니다.

● 검사

KUB, 초음파검사, IVU가 기본입니다. 필요에 따라서 요도방광조영이나 CT, 방광경(p.151 그림8)을 합니다.

그림8 방광결석의 방광경소견

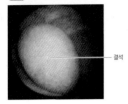

결석

● 치료

이물용 방광경, 쇄석용 방광경, 전기스파크, 초음파결석파쇄장치 등을 사용한 방광쇄석술(cystolithotripsy)이 일반적입니다.

이 방법으로 확실히 치료할 수 있으므로, ESWL에 의한 치료는 거의 하지 않습니다. 약제를 사용한 결석용해도 긴 시간을 요하므로 하지 않습니다.

② 전립선결석 prostatic stone

인산칼슘을 주성분으로 하는 전립선실질 내의 결석입니다. 대부분 무증상으로, 전립선비대증이나 만성 전립선염일 때의 초음파검사에서 우연히 발견됩니다(그림9). 50세 이상에서 나타나기 쉽고, 요로에 대한 영향이 거의 없어서 임상적으로는 중요시되지 않습니다.

경요도적 절제술(transurethral resection, TUR)에서 내선이 깨끗하게 절제되면, 결석도 적출됩니다. 감별은 전립선 특이항원(prostate specific antigen, PSA)이나 CT, MRI, 생검으로 합니다.

그림9 전립선결석의 초음파영상

전립선결석   외선

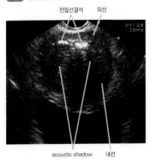

acoustic shadow   내선

하부요로결석

E

A 하부요로의 해부와 생리

1 하부요로의 근육과 신경분포

하부요로를 구성하는 근은 방광의 평활근인 배뇨근, 방광경부에서 막양부요도에 이르는 평활근인 내요도조임근(해부학적 조임근으로서는 의문이 있지만, 생리적 개념으로 고려되고 있다), 막양부횡문근인 외요도조임근입니다. 이 근들을 지배하는 주요 신경은 골반신경, 하복신경, 음부신경 3가지입니다(그림1). 배뇨근의 부교감신경에는 아세틸콜린수용체(근을 수축시킨다)가 분포하고, 교감신경에는 β3수용체(근을 이완시킨다)가 분포되어 있습니다. 또 내요도조임근의 교감신경에는 α1수용체(근을 수축시킨다)가 분포되어 있습니다.

그림1 하부요로의 구성근과 그 신경지배

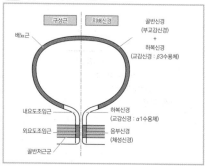

2 방광의 생리

■ 소변의 저장과 배뇨

방광은 소변의 저장(collection of urine)과 배뇨(micturition)라는 상반되는 2가지 기능을 가지고 있습니다. 요실금(urinary incontinence)을 방지하는 기능을 요자제(urinary continence)라고 하는데, 이 요자제가 유지되는 결과(배뇨근이 이완되고, 내요도조임근이 닫힌다) 요저류가 됩니다(p.153 그림2a).

화를 내며 꾸짖거나 기침 등으로 복압이 가해졌을 때나, 요의를 촉구할 때에는 외요도조임근의 수축이 강해져서 요실금을 방지해 줍니다(p.153 그림2b).

한편 배뇨 의도 시(배뇨할 수 있는 태세가 되었을 때)에는 골반신경이 작용하여 배뇨근이 수축되고, 하복신경과 음부신경이 억제되며, 후부요도의 개대, 외요도조임근의 이완으로 원활한 배뇨가 이루어집니다(p.153 그림2c).

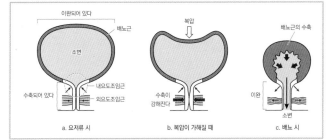

그림2 방광의 생리

이완되어 있다

배뇨근

소변

내요도조임근

외요도조임근

수축되어 있다

a. 요저류 시

복압

수축이
강해진다

b. 복압이 가해질 때

배뇨근의 수축

이완

소변

c. 배뇨 시

■ 정상 소변의 저장과 배뇨가 이루어지기 위한 조건

정상 저장과 배뇨가 이루어지기 위해서는 표1과 같은 조건이 필요합니다.

또 소변의 저장 · 배뇨장애를 초래하는 질환은 주로 표2와 같이 분류됩니다.

표1 정상 저장과 배뇨의 조건
• 소변을 축적할 수 있는 충분한 신전성이 방광에 있을 것 • 방광경부와 후부요도가 적당한 긴장을 유지하며, 방광의 축뇨를 도울 것 • 배뇨 시 방광의 배뇨근이 수축할 때, 소변을 방광에서 밀어내는 데에 충분하고 원활한 수축력이 있을 것 • 배뇨 시에는 방광경부와 후부요도의 긴장이 감소되고, 요도가 개대될 것 (요도저항의 감약) • 방광삼각부 및 요관구 부근의 기능이 정상으로 작용하고, 방광요관역류가 일어나지 않을 것

표2 저장·배뇨장애를 일으키는 질환
저장장애 • 신경인성 방광(주로 핵상형) • 과활동방광 • 복압 요실금 • 간질성 방광염 배뇨장애 • 신경인성 방광(주로 핵하형) • 저활동방광

③ 배뇨의 조절

■ 배뇨중추 micturition center

2가지 상위중추와 1가지 하위중추에서 조절되고 있습니다(p.154 그림3). 전자는 대뇌(전두엽)와 교(橋)에 존재하고, 후자는 S_2~S_4에서 반사궁을 형성하고 있습니다.

구체적으로는 대뇌 및 교와 S_2~S_4 사이(상위 뉴런에 해당)가 외상이나 종양 때문에 파괴되면(핵상형 장애), 하위중추(S_2~S_4)만 배뇨기능을 담당하게 되어, 반사적으로 배뇨하게 됩니다.

그림3 배뇨의 조절

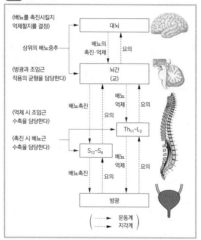

하부요로의 말초신경지배(p.155 그림4)

원심로

소변의 저장에 작용하는 2계통(교감신경과 체성신경)과 배뇨에 작용하는 1계통(부교감신경)이 존재합니다.

- 교감신경(하복신경) : Th_{11}~L_2의 중간외측→ 교감신경 줄기→하복신경→방광경부, 요도에 분포
- 부교감신경(골반신경) : S_2~S_4의 중간외측→골반신경총→방광에 분포
- 체성(수의)신경(음부신경) : S_2~S_4의 전각→음부신경→외요도조임근, 골반저근에 분포

구심로(지각계)

교감신경은 흉요수로, 부교감신경은 천수로 들어가서, 상위 중추인 교와 대뇌피질에 이릅니다.

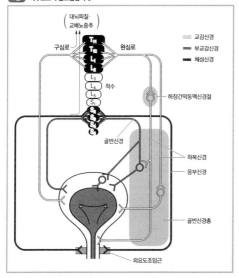

그림4 하부요로의 말초신경지배

B | 신경인성 방광
neurogenic bladder

신경인성 방광은 배뇨에 관여하는 신경(뇌, 척수, 말초신경 전부)의 장애에 의해 방광의 저장 및 배뇨의 기능에 이상이 생겨서 빈뇨, 요실금, 배뇨곤란 등을 일으킨 상태입니다.

STEP

신경인성 방광의 대표적인 원인은
• 무억제성은 뇌혈관장애와 다발성 경화증
• 반사성은 다발성 경화증
• 자율성은 척수손상이나 이분척추
• 지각마비성은 당뇨병
• 운동마비성은 폴리오

① 분류와 신경기능장애에 의한 증상

● 분류

현재 널리 이용되는 분류에 Lapides 분류(표3)가 있습니다. 이것은 방광내압곡선의 소견(그림5)과 신경의 장애부위(p.157 그림6)를 대응시켜서 이해하기 쉬운 분류입니다.

● 신경기능장애에 의한 직접증상

● 저장의 장애

임상적으로는 요실금으로 나타납니다. 요의가 유지되고 있는 증례에서는 빈뇨가 합병됩니다.

● 배뇨의 장애

요의가 유지되고 있는 경우는 요폐, 배뇨곤란, 잔뇨로 나타납니다. 요의가 둔해지는 대표적인 경우는 당뇨병에 의한 지각마비성 방광입니다.

● 신경기능장애에 의한 간접증상

소변의 저장과 배뇨가 원활하게 이루어지지 않기 때문에 요로감염증이나 육주 형성을 비롯한 방광의 기질적 변화 외에 결석이 형성됩니다. 또 방치하면 결국에는 신기능장애에 이릅니다.

표3 신경인성 방광의 분류(Lapides의 분류)와 특징

분류	장애부위	요실금	잔뇨	무억제수축	원질환
무억제성	대뇌운동중추	절박	없음	있음	Parkinson병, 뇌혈관장애, 뇌종양, 다발성 경화증
반사성	천수배뇨중추 이상	반사성	있음	있음	이분척추, 다발성 경화증
자율성	S_2~S_4 이하의 신경	일류성 (溢流性)	다량	없음	척수손상, 척수종양, 이분척추, 골반 내 장기 수술 후
지각마비성	말초지각신경의 후근	일류성	다량	없음	당뇨병, 척수로
운동마비성	말초운동신경의 전근	일류성	있음	없음	폴리오, 대상포진

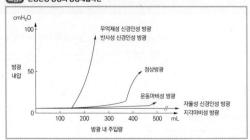

그림5 신경인성 방광의 방광내압곡선

그림6 신경인성 방광의 원인이 되는 장애부위

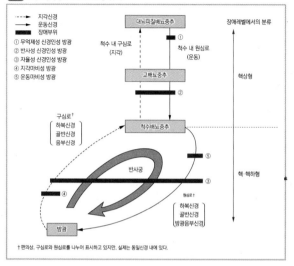

- ----▶ 지각신경
- ──▶ 운동신경
- ▬ 장애부위
- ① 무억제성 신경인성 방광
- ② 반사성 신경인성 방광
- ③ 자율성 신경인성 방광
- ④ 지각마비성 방광
- ⑤ 운동마비성 방광

대뇌피질배뇨중추

교배뇨중추

척수배뇨중추

반사궁

방광

척수 내 구심로 (지각)
척수 내 원심로 (운동)

장애레벨에서의 분류

핵상형

핵·핵하형

구심로†
하복신경
골반신경
음부신경

원심로†
하복신경
골반신경
방광음부신경

† 편의상, 구심로와 원심로를 나누어 표시하고 있지만, 실제는 동일신경 내에 있다.

② 병태와 임상증상

■ 무억제성 신경인성 방광 uninhibited neurogenic bladder

● 장애부위

대뇌피질의 운동계 배뇨중추～교의 운동계 배뇨중추까지의 경로가 장애를 받습니다(그림6). 교에 대한 억제기능이 작용하지 않게 되므로, 방광에 소변이 조금 저류하는 것만으로 교를 통해서 배뇨가 일어나게 됩니다(무억제수축).

● 원인

Parkinson병, 동맥경화증, 뇌혈관장애, 뇌종양, 다발성 경화증 등에 나타납니다.

● 증상

요의를 느끼기 시작하면 참지 못하고 배뇨해 버립니다(절박 요실금). 따라서 빈뇨를 나타냅니다. 배뇨곤란은 없습니다. 요의가 있는(단, 정상 요의와는 다르다) 것은 대뇌지각중추로의 경로가 기능하고 있기 때문입니다. 또 지각이 유지되고 하위의 운동중추가 기능하고 있어서, 잔뇨가 있는 경우는 없습니다.

방광내압곡선 소견(p.158 그림7)을 나타냈습니다.

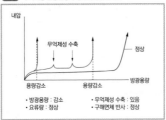

그림7 **무억제성 신경인성 방광의 방광내압곡선**

- 방광용량 : 감소
- 요류량 : 정상
- 무억제성 수축 : 있음
- 구해면체 반사 : 정상

■ 반사성 신경인성 방광 reflex neurogenic bladder

● 장애부위

교와 하위의 배뇨반사중추(S_2~S_4) 사이가 장애를 받습니다(p.157 그림6).

● 원인

척수손상일 때에 높은 빈도로 나타납니다. 수상 직후는 척수쇼크기(spinal shock기)라고 합니다. 소변이 방광에 저류된 채이므로, 도뇨를 해야 합니다.

그 밖에 이분척추, 뇌혈관장애, 다발성 경화증, HAM*에서도 반사성 신경인성 방광이 나타납니다. 단, 다발성 경화증에서는 여러 부위가 장애를 받으므로, 다른 형의 신경인성 방광의 원인이 될 수 있습니다.

● 증상

지각경로가 장애를 받고 있기 때문에 무억제성 수축으로 돌연(요의 없고, 대신에 하복부 불쾌감이 있음) 배뇨하게 됩니다(반사성 요실금). 즉 의식적으로는 배뇨하지 않습니다. 이와 같이 반사에 의한 배뇨이므로, 적은 잔뇨와 배뇨곤란을 확인합니다.

그림8에 방광내압곡선 소견을 나타냈습니다.

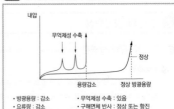

그림8 **반사성 신경인성 방광의 방광내압곡선**

- 방광용량 : 감소
- 요류량 : 감소
- 기타 : 상부요로장애를 일으키기 쉽다
- 무억제성 수축 : 있음
- 구해면체 반사 : 정상 또는 항진

---

* HAM (HTLV-1 associated myelopathy)
human T cell lymphotrophic virus type 1(사람 T 림프구향성 바이러스1형)에 의한 중추신경질환입니다. 흉수측삭의 병변이 많다고 하지만, 섬 모양으로 다발하기도 하므로 배뇨와 축뇨의 어느 쪽 장애도 일어날 수 있습니다.

자율성 신경인성 방광 autonomous neurogenic bladder

장애부위·원인

하위의 배뇨반사중추(S_2~S_4) 이하의 구심로와 원심로가 장애를 받습니다(p.157 그림6). 척수손상, 척수종양, 이분척추, 뇌혈관장애, 골반 내 장기 수술 후에 생깁니다.

증상

지각경로가 장애를 받고 있어서 요의를 느끼지 못하고, 운동경로가 장애를 받고 있어서 자력으로 배뇨할 수 없습니다. 방광에서는 다량의 잔뇨가 확인됩니다. 일류성(溢流性) 요실금(☞ p.167)이 나타납니다.

그림9에 방광내압곡선 소견을 나타냈습니다.

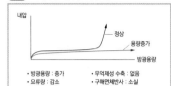

그림9 자율성 신경인성 방광의 방광내압곡선

- 방광용량 : 증가
- 유류량 : 감소
- 무역제성 수축 : 없음
- 구해면체반사 : 소실

지각마비성 방광 sensory paralytic bladder

장애부위·원인

말초지각신경과 구심로가 장애를 받습니다(p.157 그림6). 원인질환으로는 당뇨병이 대표적입니다.

증상

지각이 장애를 받게 됨으로써, 요의는 둔해지거나 (−)가 되고, 그로 인해서 배뇨곤란을 확인하며, 소량~다량의 잔뇨를 확인합니다. 최종적으로 일류성 요실금이 나타납니다.

그림10에 방광내압곡선 소견을 나타냈습니다.

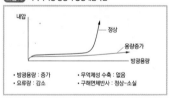

그림10 지각마비성 방광의 방광내압곡선

- 방광용량 : 증가
- 요류량 : 감소
- 무역제성 수축 : 없음
- 구해면체반사 : 정상~소실

운동마비성 방광 motor paralytic bladder

장애부위·원인

말초운동신경과 원심로가 장애를 받습니다(p.157 그림6). 급성 회백수염(폴리오)이나 대상포진으로 나타나기도 합니다.

증상

지각경로에 이상이 없어서 소변이 저류되어 있는 것은 알 수 있지만, 운동경로가 장애를 받고 있어서 배뇨할 수 없습니다. 방광에 저류된 소변 때문에 하복부통을 느끼기도 합니다. 최종적으로 범람요실금이 나타납니다.

그림11에 방광내압곡선 소견을 나타냈습니다.

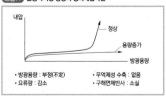

그림11 운동마비성 방광의 방과내압곡선

- 방광용량 : 부정(不定)
- 요류량 : 감소
- 무역제성 수축 : 없음
- 구해면체반사 : 소실

③ 신경인성 방광의 검사

> **STEP** 포인트는 요로조영에 의한 크리스마스트리 모양의 방광과 구해면체반사

치료 방침을 세우기 위해서 잔뇨의 정도를 알아야 합니다. 이것은 배뇨 후에 방광에 카테테를 삽입하여 측정(정확하지만, 침습이 크다)하는 방법과 하복부초음파검사가 있습니다. 그 밖에도 요역동학검사로 방광 내압측정, 요도조임근 근전도, 요도내압측정이 필요합니다. 방광조영과 배설성 요로조영도 합니다.

다음에 특징적인 소견을 기술하였습니다.

● 크리스마스트리 모양의 방광 Christmas tree bladder

요로조영을 하면 고도의 육주 형성과 방광 정부의 융기에서, 크리스마스트리 같은 조영소견(그림12)을 얻게 됩니다. 특히 자율성 신경인성 방광에서 현저히 확인됩니다.

그림12 신경인성 방광의 요로조영상

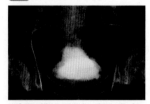

방광은 예쁜 타원형으로 조영되지 않고 변형되며, 변연에 육주 형성에 수반하는 불규칙상, 이른바 크리스마스트리 모양을 나타낸다.

일본에서는 솔방울(pine tree)모양이라 합니다.

● 구해면체반사 bulbocavernosus reflex

p.31에 기재하였듯이, 구해면체반사는 항문에 손가락을 삽입한 상태에서 귀두나 음핵을 자극하면 항문조 임근에(남성은 구해면체근에도) 수축이 나타나는 반사입니다.

반사중추가 L~S에 존재하므로, 이 반사가 소실된 경우에는 S_2~S_4도 상해를 입었다고 생각하여, 자율성 신경인성 방광을 의심합니다.

④ 신경인성 방광 치료의 실제

신경인성 방광에 빠져 버리면 100%의 회복을 기대할 수 없습니다. 따라서 첫째, 신기능의 보존에 힘써서 신기능장애나 VUR이라는 상부요로합병증을 예방합니다. 둘째, 빈뇨, 잔뇨, 요폐, 요실금 등의 하부요로증상을 개선하여 환자의 QOL을 높입니다. 구체적으로는 앞에서 기술한 대로 소변의 저장장애와 배뇨장애의 개선에 힘씁니다.

● 저장장애의 치료

방광이 무억제수축을 일으켜서 **방광요관역류(VUR)**를 일으키는 것이 원인이므로, 그것을 없애는 것을 목적으로 합니다. 약물투여나 신경블록으로 배뇨근의 과활동을 억제한 후에, 방광 내에 저류하는 소변을 간헐자 도뇨로 배설하게 합니다.

● 약물요법

방광벽의 수축은 주로 부교감신경의 자극으로 생기므로, **항콜린제**인 염산옥시부티닌이나 염산프로피베린 등을 사용합니다.

● 신경차단

약물요법으로 충분한 효과를 거두지 못한 경우, 알콜이나 페놀을 사용하여 하위배뇨반사중추를 차단하기도 합니다. 단, 발기중추 등도 $S_2 \sim S_4$에 존재하므로, 발기장애나 하지기능장애가 합병되기도 합니다.

● 배뇨장애의 치료

 청결 간헐적 자가도뇨와 콜린작동제 및 항콜린에스테라제약

방광에 소변이 저류하는 것을 잘 배출시킵니다. 방광의 과팽창과 요로감염의 방지가 목적입니다.

● 카테터를 이용한 도뇨

소변이 저류했을 때, 스스로 도뇨하는 청결 간헐적 자가도뇨를 이용합니다. 통상 3~4회/일을 기준(완전히 자가배뇨할 수 없는 사람과 어느 정도 배뇨할 수 있는 사람, 소변량 등에 따라서 횟수는 case by case입니다)으로 무균적으로 하지만, 엄밀한 완전무균적 조작은 필요하지 않습니다.

● 약물요법

통상 간헐도뇨의 보조적 치료로 실시합니다. **콜린작동제**인 염화베타네콜이나 항콜린에스테라제 작용이 있는 취화 디스티그민, 방광경부나 후부요도의 저항을 감소시키기 위해서 **α1수용체 차단제**인 펜톨라민(phentolamine)이나 프라조신(prazosin) 등을 사용합니다.

C 과활동방광
overactive bladder

 요의절박, 빈뇨, 절박 요실금이 key words

방광에 소변이 충분히 저류되지 않았는데 자신의 의지와는 상관없이 방광이 멋대로 수축되면서 급격히 요의를 느끼게 되며 자주 화장실에 가게 되는 것입니다.

이와 같이 요의절박감(갑자기 요의를 느껴서 참을 수 없게 되는 것)을 주증상으로 하며, 일반적으로 빈뇨나 야간빈뇨를 수반합니다. 단, 절박 요실금은 있을 수도, 없을 수도 있습니다. 즉 본 질환은 자각증상을 중시하는 증후군으로 자리매김되어 있습니다.

분류

원인에 따라서 신경인성과 비신경인성으로 분류됩니다(표4). 과활동방광의 8할 이상이 비신경인성입니다. 신경인성인 것은 교보다 상위의 중추장애에 기인하는 것과 척수장애에 기인하는 것이 있습니다.

비신경인성에는 전립선비대증에 대표되는 하부요로폐색에 의한 것, 연령에 의한 것, 여성에게 나타나는 골반저 이완에 의한 것, 원인불명의 특발성인 것이 포함됩니다.

표4 과활동방광의 원인

1. 신경인성
   - 교보다 상위의 중추장애에 기인
     뇌혈관질환, Parkinson병, 다계통위축증, 인지증, 뇌종양 등
   - 척수장애에 기인
     척수종양, 다발성 경화증, 척수소뇌변성증 등
2. 비신경인성
   하부요로폐색, 고령, 골반저 이완, 특발성

증상

위에서 기술하였듯이, 급격히 요의를 느끼며 참을 수 없게 된다거나, 낮의 빈뇨(1일 8회 이상), 야간의 빈뇨(야간수면 중에 1회 이상 배뇨로 일어난다), 절박 요실금 등입니다.

| 요의 절박 | 빈뇨 | 야간빈뇨 | 절박 요실금 |

진단

앞에서 기술하였듯이, 본증은 자각증상을 중시하는 증후군으로 과활동방광 증상 질문표(OABSS : p.163 표5)를 사용합니다. 이 OABSS의 질문3의 요의절박점수가 2점 이상이고, 질문표의 합계점이 3점 이상이면 과활동방광이 의심스럽습니다. 또 OABSS를 중증도 판정의 기준에 사용하는 경우는, 5점 이하는 경증, 6~11점은 중등증, 12점 이상을 중증이라고 합니다.

과활동방광을 증상에 근거하여 진단하는 경우에는 세균성 방광염·전립선염·요도염, 간질성 방광염, 방광암·전립선암 등, 국소의 질환은 제외해야 합니다.

치료

방광을 수축시키는 아세틸콜린 분비를 약화시키기 위해서 항콜린제를 투여합니다. 주로 사용하는 것은 숙신산솔리페나신, 이미다페나신, 프로피베린 염산염, 주석산 톨테로딘 등입니다.

또 방광을 이완시키는 β3수용체 작동제인 미라베그론 등도 사용합니다.

표5 과활동방광 증상 질문표(OABSS)

과활동방광 증상 질문표

다음의 증상이 어느 정도의 빈도로 있었습니까? 최근 1주간 당신의 상태에 가장 가까운 것을 하나만 골라서 점수의 숫자에 ○표 하십시오.

질문	증상	빈도	점수
1	아침에 일어났을 때부터 잠을 때까지, 몇 번 정도 소변을 봤습니까?	7회 이하	0
		8~14회	1
		15회 이상	2
2	저녁에 잠든 후부터 아침에 일어날 때까지 소변을 보기 위해서 몇 번 정도 일어났습니까?	0회	0
		1회	1
		2회	2
		3회 이상	3
3	갑자기 소변이 마렵거나, 참기 어려웠던 적이 있었습니까?	없음	0
		1주일에 1회보다 적다	1
		1주일에 1회 이상	2
		1일 1회 정도	3
		1일 2~4회	4
		1일 5회 이상	5
4	갑자기 소변이 마렵거나, 참을 수 없어서 소변을 흘린 적이 있었습니까?	없음	0
		1주일에 1회보다 적다	1
		1주일에 1회 이상	2
		1일 1회 정도	3
		1일 2~4회	4
		1일 5회 이상	5

합계 점수 → _____ 점

주1) 질문 문장과 대답 선택지가 동등하면, 형식은 이것과 같지 않아도 된다.
주2) 이 표에서는 대상 기간을 '최근 1주간'이라고 했지만, 사용 상황에 따라서, 예를 들어 '최근 3일 전'이나 '최근 1개월'로 변경하는 것도 가능하다. 어쨌든, 기간을 특정할 필요가 있다.

(일본배뇨기능학회: 과활동방광 진료가이드라인, 2005에서)

참고

불안정방광 unstable bladder

비신경인성 과활동방광과 오버랩되는 병태입니다. 단, 그 정의는 자각증상보다 "방광내압측정에서 저장기에 불수의한 배뇨수축(무억제성 수축)을 확인하는 것"처럼, 객관적검사소견을 중시한 것입니다. 또 과활동방광과 간질성 방광염도 일부 중복되는 부분이 있는 개념이지만, 병태에는 아직 불분명한 점이 있습니다.

D 저활동방광
underactive bladder

 방광을 지배하는 골반신경이 말초에서 장애를 받아 생기는 질환입니다. 본증은 배뇨 시에 방광수축이 장애를 받은 상태에서 **배뇨곤란**과 그에 수반하는 **배뇨증상**이 있습니다.

● 원인
주요 원인은 **당뇨병**에 의한 말초신경장애나 골반 내 수술에서 기인하는 말초신경손상 등입니다.

● 증상
환자는 소변의 끊김이 나쁘다거나, 소변의 배출이 나쁘다, 잔뇨감이 있다, 등을 호소합니다. 따라서 환자는 배뇨할 때 복압을 가하는 등의 노력을 합니다. 또 잔뇨감에서 기인하는 빈뇨도 나타납니다. 중증화되면 요폐도 초래합니다.

● 검사
요류측정에서는 요속이 저하되어 있으며, 잔뇨도 확인됩니다.

● 치료
간헐자가도뇨와 콜린작동제를 투여하지만, 효과는 제한적입니다.

E 요실금
urinary incontinence

① 요도요실금

■ 복압(긴장) 요실금 stress incontinence

> **STEP**
> • 웃음, 기침, 재채기로 생긴다
> • 치료는 골반저근육체조와 β_2수용체 작동제의 투여(효과가 없는 경우는 TVT수술)

 웃음, 기침, 재채기, 무거운 물건 들기 등으로 갑자기 복압이 상승했을 때에 생기는 요실금입니다. 정상에서는 복압의 상승으로 방광내압이 높아져도, 방광경부와 근위요도의 해부학적 구조(복압의 상승이 요도를 압박하는 힘으로 작용하는 구조로 되어 있다) 및 내·외요도조임근이 수축되어 요도 내압을 높이기 때문에, 요자제(urinary continence)가 유지되고 있습니다.

요실금으로 외래를 수진하는 사람의 약 70%는 복압 요실금입니다.

🔴 요인과 병태

출산이나 나이가 들면서 골반저근군 등의 지지조직이 약해지고, 방광이나 요도가 처집니다. 그러면 방광저와 요도 사이의 각도(**방광요도각**)가 커지고 복압 상승 시에도 요도내압이 상승하지 않아서 소변이 쉽게 누출됩니다(이것을 병태①이라고 합니다). 여성은 본래 외조임근 기능이 남성보다 약한 점도 영향을 미치고 있습니다. 또 나이가 들면서 에스트로겐의 감소가 요도점막하층의 혈류를 저하시켜서, 요도조임근부전의 원인이 됩니다(이것을 병태②라고 합니다).

따라서 복압 요실금은 갱년기 여성에게 많으며, 남성에게는 드물게 나타납니다(경요도적 전립선절제술 후에 나타나는 수가 있습니다).

🔴 진단

요실금의 상황 등을 조심스럽게 문진하는 것이 중요합니다.

내진으로 골반저근군의 상태나 방광류 또는 자궁탈의 유무를 진찰합니다. 중증도를 검사하려면 패드테스트*를 합니다. 또 요류·잔뇨검사에서 다른 기능이상이 있는지를 확인합니다.

방광조영의 측면상에서 얻게 되는 요도와 방광저의 각도(**방광요도각**) 측정도 중요합니다(그림13). 여성의 경우는 방광조영 시에 카테터 안으로 금속 체인의 끝이 방광저에 닿을 때까지 넣은 후, 카테터를 빼고, 체인이 이루는 각도를 알 수 있습니다. 본법을 체인방광조영이라고 하며, 정상에서는 90~100°이지만, 병태①에서는 종종 100~200°를 나타냅니다(그림13 오른쪽). 즉 각도가 평탄한 경우는 방광내압이 근위요도로 파급되기 쉬워서, 복압 요실금이 쉽게 생기게 됩니다.

방광내압도 측정합니다. 특히 환자에게 배에 힘을 주게 하고 실금이 일어났을 때의 방광내압을 복압하 요루출압이라고 하며, 복압 요실금(특히 병태②)에서는 60cmH₂O 이하를 나타냅니다.

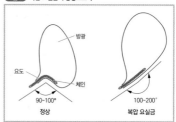

그림13 복압 요실금의 방광요도각

방광

요도

체인

90~100°
정상

100~200°
복압 요실금

---

* **패드테스트** pad test

요실금 정량테스트라고도 하는 검사로, 통상은 패드를 1시간 차게 한 후에 실금에 의한 패드의 중량 증가의 정도를 측정하는 검사입니다.

● 치료

우선, 항문조임근이나 질주위근의 수축이완을 반복하게 하여 요도조임근을 강화시키는 골반저근체조를 합니다. 또 교감신경자극으로 횡문근 수축력을 강화시킴으로써 조임작용이 강화되기 때문에, β3수용체 작동제인 염산클렌부테롤을 사용하기도 합니다.

보존적 치료가 효과가 없을 때는 방광경부를 끌어올려서 방광요도각을 작게 할 목적으로 다음의 수술이 시행됩니다.

● TVT tension-free vaginal tape 수술

중부요도에 접근하는 수술로, 폴리프로필렌제 테이프를 사용하여 해먹(그물침대)처럼 중부요도를 지지하는 것입니다(방광경부나 요도를 끌어올리는 것이 아닙니다). 국소마취로 시행되며, 성공률도 높아서 요즘에는 대부분의 증례에 본법이 시행되고 있습니다.

● Stamey수술

방광경부 거상술이라 불리는 수술식입니다. 구체적으로는 질전벽과 요도를 실로 끌어올리고, 그 실을 치골상부의 복직근에 봉합하여 방광요도각을 작게 합니다(비개복으로 한다).

● Marshall-Marchetti-Krantz법

방광경부 거상술이라 불리는 수술식입니다. Stamey수술과 유사하지만, 본법은 개복하고 질전벽에 3~4 바늘을 꿰매어 요도를 끌어올려서, 치골이면에 고정시킵니다.

■ 절박요실금 urge incontinence

> 정상이라면 요의를 느낀 후에 화장실에 갈 때까지 요도조임근에 힘을 줌으로써 배뇨를 참을 수 있는데, 참지 못하고 실금해 버리는 상태가 절박요실금입니다.
>
> 아~! 늦었다

● 원인

운동성 절박요실금은 방광의 수축을 억제하고 있는 대뇌의 중추에서의 배뇨반사억제계로에 장애가 생겼을 때에 무억제수축이 일어남으로써 생깁니다. 다발성 경화증, Parkinson증후군, 뇌동맥경화증, 뇌경색 등이 대표적 질환입니다.

지각성 절박요실금은 요의가 너무 강하여 대뇌억제중추를 억제하지 못하고 나타나는 것입니다. 급성 방광염, 급성 요도염 등에서 나타납니다.

● 치료

원인질환을 치료합니다. 운동성에서는 무억제수축을 억제할 목적으로 항콜린제를 투여합니다.

E
비뇨기

■ 범람요실금 overflow incontinence

배뇨곤란이 심한 경우는 소변이 방광에 저류됩니다. 이때 어느 정도까지는 방광벽이 팽창하여 대응하지만, 그것이 한계에 이르면 방광내압이 요도내압을 초과하여 소변이 계속 흘러나오는 상태가 되는데, 이것이 범람요실금입니다(그림14). 본증은 기이성 요실금(paradoxical incontinence)이라고도 합니다.

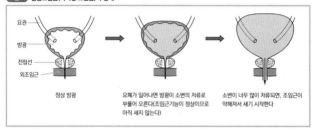

그림14 범람요실금(기이성 요실금)의 병태

요관
방광
전립선
외조임근

정상 방광

요폐가 일어나면 방광이 소변의 저류로
부풀어 오른다(조임근기능이 정상이므로
아직 새지 않는다)

소변이 너무 많이 저류되면, 조임근이
약해져서 새기 시작한다

● 원인

전립선비대증, 전립선암, 요도협착 등을 들 수 있습니다. 또 향정신제의 대부분은 항콜린작용[*]이 있으므로, 장기간의 복용으로 배뇨장애를 일으켜서 본증의 원인이 됩니다.

● 진단

고령의 범람요실금환자나 가족에게 '소변은 잘 나옵니까?'라고 물으면, 종종 '잘 나옵니다'라고 대답합니다. 즉 다량의 잔뇨는 자각하지 못하게 됩니다. 따라서 방광에 다량의 소변이 저류되어 하복부가 팽창되어 있는지를 확인하고, 초음파로 방광의 잔뇨상태를 검사하며, 방광카테터로 도뇨를 시도(본증이라면 다량의 소변이 배출된다)합니다.

● 치료

우선 요도 카테터로 도뇨하거나, 그것이 무리인 경우는 **방광천자**로 다량으로 저류된 소변을 배설하게 합니다. 긴급 상태에서 벗어나면 원인질환에 대한 치료를 시작합니다. 급성요폐의 항(☞ p.171)도 참조하기 바랍니다.

■ 반사성 요실금 reflex incontinence

요의가 없는데도 소변이 새어나오는 상태입니다. 일반적으로 교와 하위의 **배뇨반사중추** 사이가 장애를 받게

---

[*] **항콜린작용** anticholinergic effect
아세틸콜린(신경전달물질)을 저해하여 부교감신경계 작용을 억제하는 것입니다. 구갈, 차명(遮明), 빈맥, 배뇨곤란, 변비 등을 야기합니다.

되었을 때에 나타납니다. 즉 반사성 신경인성 방광에서 볼 수 있는 무억제성 수축으로 일어나는 실금입니다. 따라서 원인질환, 진단, 치료는 앞에서 기술한 반사성 신경인성 방광과 같습니다.

■ 진성 요실금 true incontinence

> 요도의 조임근 장애로 방광에 소변이 고이지 못하고, 신장에서 오는 소변이 그대로 연속적으로 요도에서 유출되어 버리는 상태입니다(지속성 요실금).

● 원인

조임근을 지배하는 신경의 손상이나 요도조임근 그 자체를 장애하는 병태가 원인입니다.

실제로는 직장수술 외에, 남성에게는 경요도적 전립선절제술, 여성에게는 분만이나 부인과 수술에서의 조임근 손상 등이 원인이 됩니다. 또 골반골절에서의 요도막양부 손상에 기인하는 것도 있습니다.

● 치료

원인질환에 따라 치료하며, 요로전환술(☞ p.289)이 필요한 경우도 있습니다.

■ 기능성 요실금 functional incontinence

뇌종양이나 뇌혈관장애 등으로 인한 사지의 운동장애나 인지장애 등이 있으면, 방광요도기능에서는 이상이 확인되지 않아도, 정상 동작이나 보행이 생각대로 되지 않거나 정상 판단을 할 수 없는 등의 이유로 화장실에 가지 못하고 요실금이 되어 버리는 것입니다.

치료는 원인질환에 맞추어 합니다.

② 요도외요실금(진성요실금) extra-urethral incontinence

> 요관이 본래의 위치와 다른 부위에 개구되어 있거나, 요관~방광~요도가 주변의 장기와 통하게 되어 (이와 같은 부위에는 조임기능근이 존재하지 않는다), 진성요실금과 마찬가지로 소변이 지속적으로 누출되는 상태입니다.

● 소아의 원인

소아에게 나타나는 것은 발생학적 이상(대부분이 요관의 이소개구)에 의한 것이 많아지고 있습니다. 그 개구부는 여아에게는 요도, 질, 자궁, 난관에, 남아에게는 정낭, 사정관, 전립선에 있습니다(단, 남아는 요실금을 일으키지 않습니다).

● 성인의 원인

성인에게는 자궁암이나 직장암 등의 골반수술, 경질적 수술 시에 요로가 손상되고 그 치유 과정에서 누공이 형성되어 버린 경우 외에, 골반강 내 종양의 침윤이나 그에 대한 방사선요법의 합병증으로 요관질루, 방광질루, 요도질루가 생깁니다.

● 치료

요관질루에는 요관방광신문합술을, 그 밖의 것에는 누공폐쇄술을 합니다.

③ 유뇨증 enuresis (야뇨증 nocturnal enuresis)

야간의 취침 중에 요실금을 하는 것으로, 이른바 "야뇨(잠을 자면서 오줌을 싸는 것)"입니다. 2~3세 정도까지 나타나는 것은 생리적인 것으로 생각해도 됩니다. 4~5세가 지나서도 남아있는 유뇨증의 원인은 확실히는 밝혀지지 않았지만, 하위의 배뇨반사중추에 대한 상위 억제중추가 미발달한 점, 야간의 항이뇨호르몬의 분비부족, 아동의 정신적 배경 등이 검토되고 있습니다.

어린이를 야단치지 마세요! 끈기를 가지고 대하세요

● 진단

임상의 장에서 중요한 것은 요로감염이 존재하여 그 자극으로 실금하거나, 요로기형이 유뇨라는 증상으로 나타나는 것이 아닌지를 소변검사나 요로조영 등의 검사를 통해서 확인하는 것입니다.

또 주간의 요실금이 동반되는 경우는 후부요도판막, 요관이소개구, 척수의 형성이상 등의 유무도 검사합니다.

● 치료

확실한 원인이 있는 경우는 원인 치료를 합니다. 원인불명의 증례에는 삼환계항울제, 항콜린제, 항이뇨호르몬 비분무제를 투여합니다.

F 방광류
cystocele

STEP
• 다산부에게 많다
• 확정진단에는 체인방광조영이 유용

약해진 질벽을 방광저부가 압박함으로써 방광의 일부가 질 내로 탈출하고, 또 질구에서 체외로 나타난 상태입니다. 골반저근군이 느슨해진 것이 원인입니다. 직장탈이나 자궁탈이 합병되는 경우가 많으며, 고령의 부인이나 다산부에 흔히 나타납니다.

● 증상

배뇨곤란이나 반대로 요실금을 주소로 비뇨기과를 찾는 것이 일반적이지만, 외음부종물을 주소로 산부인과를 찾기도 합니다.

● 검사

내진으로 질구에서 탈출하는 외음부종물을 확인하고(소변이 저류된 상태에서 복압을 가하면, 큰 종류가 탈출하는 수도 있습니다 : 그림15), IVU나 방광조영(체인방광조영)에서 방광의 하수를 확인하고 확정진단합니다(그림16).

그림15 **방광류의 질구부**

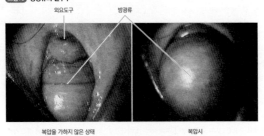

외요도구 　　　　　　방광류

복압을 가하지 않은 상태　　　　　　　　　복압시

그림16 **방광류의 IVU영상(좌)과 체인방광조영상(우)**

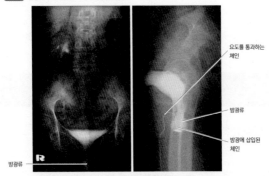

요도를 통과하는
체인

방광류

방광에 삽입된
체인

방광류

직립위에서는 방광저부가 현저히 하강하여, 질구에서 탈출할 것이 예상된다.

🔴 치료

후부요도와 경부요도를 올려주고, 질전벽을 성형(질전벽의 느슨해진 잉여부분을 절제하여 질전벽을 보강)합니다.

방광탈 bladder prolapse

방광의 일부가 탈출하는 것으로, 탈장과 위에 기술한 방광류로 분류됩니다. 방광탈장은 방광벽의 일부가 대퇴부(남자에게는 고샅부)로 탈출한 것입니다.

G 급성요폐(急性尿閉)
acute urinary retention

급성요폐(갑자기 생기는 요폐)를 주소로 응급실을 찾는 환자가 예상외로 많은 것이 현실이며, 압도적으로 남성에게 많이 나타납니다(전립선비대증을 가진 사람에게 높은 빈도로 나타난다). 또 전립선비대증으로 경요도적 전립선절제술(TUR-P)을 한 환자의 10% 가까이가 처음 내원하게 된 직접 동기가 급성요폐였다는 통계도 있습니다.

● 원인

전립선비대증 환자에게는 대부분이 대량으로 음주했을 때에 급성요폐를 일으킵니다. 이것은 전립선요도에 울혈·부종이 생기는 것과, 방광의 배뇨근 활동이 저하되기 때문입니다. 또 감기약을 복용했을 때에 나타나기도 합니다(항콜린제, 항히스타민제의 작용 때문). 그 밖에 당뇨병의 경과가 길어져 지각마비성 방광이 된 경우, 방광 이하의 결석이나 종양, 응혈덩어리 때문에 내요도구보다 원위부에 폐색이 생긴 경우에도 나타납니다. 요도손상일 때에도 일어날 수 있습니다.

● 증상·검사

대부분의 경우 치골상부의 통증, 심한 불안감, 식은땀을 호소합니다. 하복부에 방광이 종물로 촉지되고 초음파검사에서 방광 내에 정체된 다량의 소변이 확인됩니다.

● 처치·치료

신기능저하가 생기기 전에 소변을 배설하게 합니다. 요도 카테터에 의한 도뇨가 올바른 대처법이지만, 환자가 고령인 경우가 많으므로 요도의 협착이나 전립선암이 존재하여 카테터의 삽입이 어려운 경우도 있습니다. 그와 같은 경우는 방광루설치나 방광천자를 하게 됩니다.

급성요폐 시 수액 및 이뇨제 투여가 맞는가?

이것은 모두 틀립니다. 수액을 투여하면, 신기능이 정상이라면 소변량이 증가하여 방광에 과잉 부하가 됩니다. 이뇨제 투여도 마찬가지로, 방광에 과잉 부하가 가해지게 되므로 해서는 안됩니다. 방광이 파열되기도 합니다.

종양의 존재가 의심스러울 때는 우선 국소진단을 합니다. 그리고 종양의 존재가 확인되면 다음에 전이의 정도를 진단합니다. 실제 임상에서는 항상 이것을 염두에 두고, 어느 검사를 어느 단계에서 시행하는지를 검토해야 합니다.

A 신세포암
renal cell carcinoma

STEP
- 혈행성으로 폐, 골, 간에 전이
- 육안적 혈뇨, 측복부 종물, 측복부 통증이 3주징
- 발열이 유일한 자각증상인 경우도 있다

신세포암은 신실질 종양입니다. 원격전이는 혈행성으로 폐나 골, 간에 흔히 나타나는 외에, 신문부의 림프절에도 쉽게 전이되고 있습니다. 또 종종 신정맥 내에 종양색전을 일으킵니다.

역학
남 : 여 = 2~3 : 1로 남성에게 흔히 나타납니다. 또 50~60세에 호발합니다.

가족성인 것에 von Hippel-Lindau병(☞ p.79)이 있으며, 그 1/3 이상에서 신장암이 발생합니다. 또 만성신부전 환자의 장기간의 혈액투석요법에 기인하는 후천성 낭성 신질환(☞ p.236)이 생기면, 신세포암의 발생률도 높아집니다.

병리
종양세포는 근위요세관 상피세포와 유사하여, 피질근위요세관 상피세포 기원이라고 생각됩니다(선암). 종양은 육안적으로 누런색이며, 종양세포병소 외에, 출혈, 괴사, 낭종, 섬유화병소 등이 혼재되어 있습니다(☞ p.112. 황색육아종성 신우신염의 항).

신세포암은 TNM분류(표1)의 T3에 기재되어 있듯이, 정맥침습을 나타내는 경우가 적지 않습니다.

표1 신세포암의 TNM분류

T-원발종양		
TX	원발종양의 평가가 불가능	
T0	원발종양을 확인할 수 없다	
T1	최대 지름이 7cm 이하이며, 신장에 국한된 종양	
	T1a	최대 지름이 4cm 이하
	T1b	최대 지름이 4cm를 넘지만 7cm 이하
T2	최대 지름이 7cm를 넘고, 신장에 국한된 종양	
	T2a	최대 지름이 7cm를 넘지만 10cm 이하
	T2b	최대 지름이 10cm를 넘고, 신장에 국한된 종양
T3	주정맥 또는 신주위조직으로 침윤되지만, 같은 측 부신으로의 침윤이 없고 Gerota근막을 넘지 않은 종양	
	T3a	육안적으로 신정맥이나 그 주위정맥(벽에 근조직이 있다)으로 침윤하는 종양, 또는 신주위 및/또는 신동(신우 주위) 지방조직으로 침윤하지만, Gerota근막을 넘지 않은 종양
	T3b	육안적으로 횡격막하의 대정맥 내로 침윤하는 종양
	T3c	육안적으로 횡격막상의 대정맥 내로 침윤, 또는 대정맥벽으로 침윤하는 종양
T4	Gerota근막을 넘어서 침윤하는 종양(같은 측 부신으로의 연속적 침윤 포함)	
N-부위림프절		
NX	부위림프절 전이의 평가가 불가능	
N0	부위림프절 전이 없음	
N1	부위림프절 전이	
M-원격전이		
M0	원격전이 없음	
M1	원격전이 있음	

(UICC일본위원회편 : TNM악성종양의 분류, 제7판 일본어판. pp.240-241, 금원출판, 2010)

● 증상

신세포암은 무증상성 육안적 혈뇨(전 혈뇨), 측복부의 종물 촉지, 측복부 통증을 3주징으로 하는데, 초진 시에 이 증상들이 다 있는 경우는 10% 정도입니다.

간기능장애나 빈혈(반대로 다혈증이 나타나기도 한다) 외에, 고칼슘혈증을 일으키기도 합니다. 또 발열 (IL-6에 의한다)이 유일한 자각증상인 경우도 있습니다.

그 밖에 전이증상이 먼저 나타나는 경우도 있습니다. 예를 들면, 좌신암에서 좌신정맥에 종양혈전이 존재하는 경우는 좌교환정맥이 폐쇄되어 **좌정굴정맥류**가 생기거나, 하대정맥으로 종양혈전이 침윤된 경우는 **복벽 정맥의 노장**(결순환(collateral circulation)의 형성 때문이다)이 나타나기도 합니다.

단, 근년 들어 복부초음파검사나 CT에서 우연히 발견되는 무증상의 신장암이 압도적으로 증가하고 있습니다.

● 검사

진단은 IVU, 초음파검사, CT, MRI 등의 영상소견으로 합니다. 진단을 내릴 때에 신생검을 시행하고 싶지만, 종양파종이나 출혈의 위험이 있어서 대부분 시행하지 않습니다(엄밀히는 확정진단을 하기 위해서 초음파하에 침생검이 시행되기도 한다).

또 요세포검사에서는 음성인 경우가 많아서 유용하다고는 할 수 없습니다.

● 혈액·소변검사

혈액검사에서 특이소견을 얻지 못하고, 또 유용한 종양표지자도 발견되지 않습니다.

급성 반응성물질로서, 본래 염증의 존재로 상승하는 CRP, α2-글로불린, ESR 등이 신세포암의 병세와 함
께 상승합니다.

또 에리스로포에틴 분비항진에 의한 적혈구 증가증과 PTHrP(부갑상선호르몬관련단백) 상승에 의한 고칼슘
혈증을 확인하는 수가 있으므로 주의해야 합니다.

● 초음파검사(그림1)

컬러 도플러법과 파워 도플러법은 공간점유성 병변부의 혈류 상태를 아는 데에 매우 유용하며, 다방성 신
낭종과 다방성 낭성 신세포암과의 감별이나 종양의 국재부를 자세히 검사하는 데에도 도움이 됩니다.

[그림1] 신세포암의 초음파영상(그림2와 동일 증례)

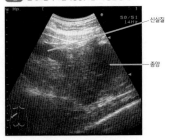

신실질

종양

● CT

MDCT (multidetector CT), CTA (CT angiography), CTU (CT urography) 등이 보급됨에 따라서, 신세
포암의 상세한 정보를 얻는 데에 가장 유용합니다.

부위림프절의 상태나 신정맥, 간장, 폐로의 전위 유무를 알 수 있으며, 신세포암의 staging도 가능합니다
(p.175 그림2). 또 종양의 지배혈관이나 신실질의 정상 영역과 그 동정맥계를 분석하고, 환측신장에 보존수
술이 가능한지에 관한 수술 시뮬레이션에도 이용할 수 있습니다.

그림2 신세포암의 단순CT(좌)와 조영CT(우)(그림1과 동일 증례)

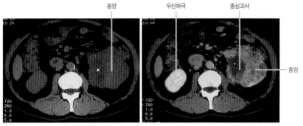

이 슬라이스레벨에서는 좌신하극에서 발생한 종양만 나타나 있다.

● MRI

예전에는 신장이나 부신은 MRI에서는 신수질과 같은 신호강도를 나타내기 때문에(그림3), 깨끗한 영상을 얻지 못했습니다. 그러나 MRI의 진보와 조영제의 이용으로, 현재는 강조되는 병변으로 확인이 가능합니다(그림4).

또 신세포암에서 진단에 매우 중요했던 혈관조영 대신에, 현재는 MRA (MR angiography : p.176 그림5)가 사용되고 있습니다.

그림3 우측 신세포암의 MRI의 T2강조 좌우세로영상

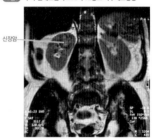

그림4 우측 신세포암의 조영MRI의 T1강조 좌우세로영상

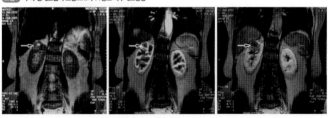

조영 전   조영 초기   조영 만기

우측 상극 부근에 발생한 신장암(화살표)에 신장부분절제술을 했다.

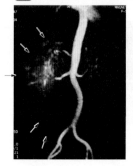

그림5 우측 신세포암의 MRA의 좌우세로영상

화살표로 둘러싸인 부위는 우측 신장에서 발생한 큰 신장암입니다.

● 신티그래피

종양은 ^{131}I에 의한 신티그래피에서는 cold area로 나타나고(그림6), ^{67}Ga 및 ^{99m}Tc에 의한 신티그래피에서는 hot area로 나타납니다.

● 혈관조영

간암과 유사하여 혈관이 풍부한 소견(hypervascular)으로, 선택적 신동맥조영에서는 저류(pooling), 부정(不整), 사행(蛇行)을 나타내는 종양혈관이 종종 확인됩니다(그림7). 에피네프린을 소량 추가하여 조영하는 pharmacoangiography 라는 방법을 이용하면, 정상혈관이 에피네프린의 작용으로 수축되는 데 반해서, 종양성혈관은 수축이 안 되며, 혈관이 부족한 소견(hypovascular)의 종양도 있습니다.

이 혈관조영은 종양색전술 embolization 로 치료에 이용되기도 합니다. 또 축소수술(신장부분절제술이나 종양적출에 머물고, 신장의 보존을 목적으로 한다) 시의 적출 범위 결정이나 출혈이 예상되는 큰 종양의 근치적 신장절제술의 수술 전 종양색전술로도 이용됩니다.

그림6 신장암의 ^{131}I 신티그램

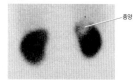

종양

그림7 신세포암의 혈관조영상(p.50 그림24를 다시 실음.)

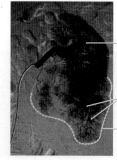

정상 신실질

종양에 영양을 공급하기 위해서 생긴 무수한 신생혈관

신장 밖에 발육한 종양

● 정맥성 요로조영(IVU)

신세포암에도 예전에는 IVU를 대표로 하는 배설성 요로조영이 흔히 이용되었습니다. 단, 이 검사는 소변의 배설로의 형태 변화를 보는 것이므로, 공간점유성병변이 존재하는 경우는 신장 윤곽의 변형이나 신우·신배가 압박을 받고 있는 상태를 알 수 있습니다. 또 신우 내부에 침윤을 수반하면 충만결손이라는 정보를 얻을 수도 있습니다. 그러나 신실질이나 요로조직 그 자체의 병변에 관해서는 추측하여 진단할 수밖에 없습니다. 따라서 위에 기술하였듯이 병변 그 자체를 파악할 수 있는 검사법이 발달한 현재는 IVU의 의의가 희박해지고 있습니다.

● 치료

신세포암이라고 진단을 내리면, 암의 전이(병기)에 관해서 치료 전 임상적 병기분류를 정확히 하는 것이 치료의 결정으로 연결됩니다.

신세포암은 방사선요법이 효과가 없는 데다, 항암제에 대한 감수성도 매우 낮아지고 있습니다. 또 각종 사이토카인요법이나 화학요법이 연구되고 있지만, 그 유효성이 확립되지 않아서 수술요법이 치료의 기본이 되고 있습니다.

STEP 신장적출을 하는 경우는 근치적 신장절제술을 한다

● 확실한 전이가 없는 경우(stage T1~T3)

수술에 의한 근치적 신장절제술을 합니다. 단, 신장은 혈류가 매우 많은 장기로, 수술 중 전이를 일으킬 위험이 있는 점, 종양이 매우 위험한 종양혈관에서 영양을 공급받고 있는 점에 주의하십시오.

근치적 신장절제술은 "신장뿐 아니라 지방피막, Gerota근막, 부신, 신경부(腎莖部)·복대동맥부·하대정맥 주위부의 림프절을 정리하여 적출하는" 수술식입니다(그림8). 본법에서는 수술조작에 의한 종양의 혈행성 전이와 출혈을 방지하고 수술조작을 쉽게 하기 위해서, 우선 신장에 도달하면 전이의 유무를 확인한 후에 신동맥을 결찰하고 이어서 신정맥을 결찰하는 등, 적출에 앞서 신경부를 처리합니다.

또 복강경 수술도 적극적으로 시행되고 있습니다.

그림8 신세포암의 적출표본(단면)

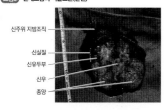

신주위 지방조직
신실질
신유두부
신우
종양

이 표본은 근치적 신장절제술로 적출한 것입니다.

● 종양지름이 작은 소신장암에서 단발인 경우

신기능을 보존할 목적으로 신장부분절제술이나 종양적출술의 적용도 있습니다. 특히 조기발견되는 증례가 증가하는 오늘날에는 부분절제나 종양적출하는 증례가 증가하고 있습니다.

● 전이가 있는 것(T4)

확립된 치료법이 없는 것이 현실입니다. 사이토카인요법으로 INF-α나 IL-2가 사용됩니다. 분자표적제제에 의한 치료에는 혈관신생저해제인 소라페닙(sorafenib), 수니티닙(sunitinib), 액시티닙(axitinib), mTOR* 저해제인 에베로리무스(everolimus), 템시롤리무스(temsirolimus)가 사용되고 있습니다.

> #### 신혈관근지방종 angiomyolipoma (AML)
>
> 혈관·평활근·지방조직을 포함한 양성 혼합종양(신과오종(renal hamartoma)의 하나)으로, 다른 질환 검사 중이나 복부종류나 갑작스런 통증발작(종양내출혈로 일어난다)에 대한 검사 시에 종종 발견됩니다. 결절성경화증에 합병되어, 양측성으로 다발하는 것도 있습니다. 전형례는 지방 특유의 에코휘도(고에코)를 나타냅니다(그림9). 지방성분이 적거나 종양이 작거나, 종양내출혈 등의 소견이 있다면 신세포암과 감별해야 하는데, 그때도 CT나 지방억제 서브트랙션 MRI로 감별할 수 있습니다.

그림9 신혈관근지방종의 초음파영상

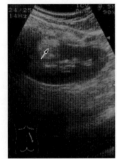

(↑)는 종양에 포함된 지방성분에 의한 고에코 영상입니다.

---

* mTOR

포유류 라파마이신 표적단백질(mammalian target of rapamycin)의 약어로, 라파마이신의 표적분자로 동정된 세린·트레오닌 키나제입니다. 세포의 분열이나 생존 등의 조절에서 중심역할을 합니다.

B | Wilms종양(Wilms' tumor)

nephroblastoma

> 후신아조직이 미분화된 채 잔존하다가 악성화되어 발생하는 종양입니다. WAGR증후군[*1]이나 Beck-with-Wiedemann증후군[*2] 등으로 유전자이상이 발견되어, 그 관련이 밝혀지고 있습니다.

● 역학

본 종양은 소아 고형 악성 복부종양 중에서 신경아종에 이어서 많이 나타나는 것으로, 호발연령은 1~5세입니다. 또 약 10%에서 합병기형(가장 많은 것은 중추신경계의 기형으로, 그 밖에도 선천성 홍채결손, 요도하열, 정류고환 등이 나타난다)이 확인됩니다. 드물게 성인에게 발생하며, 그 경우는 예후가 불량합니다.

● 병리

병리조직상은 미분화신아세포, 간질성분, 상피성성분의 3가지를 기본으로 하면서(조직학적으로는 혼합종양), 이것이 여러 가지 비율로 포함되어 종양을 구성하고 있습니다. 근육이나 골 등의 미분화조직을 포함하며, 폐, 간, 뇌에 혈행성 전이됩니다.

● 증상

복부종물로 발견되는 것이 대부분이며, 통증이나 혈뇨 등의 신세포암에서 볼 수 있는 3주징이 나타나는 경우는 드뭅니다.

● 검사

● 초음파검사

우선 처음에 해야 하는 검사입니다. 종물은 고에코를 나타내며, 내부에 출혈이나 괴사, 낭종을 수반하는 영상이 종종 확인됩니다.

● CT

저농도종물로 나타납니다(그림10).

그림10 좌측 Wilms종양의 CT

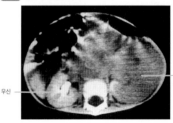

우신

좌신은
모두
종양화

[*1] WAGR증후군
11p13의 편측 결실에 의한 유전성질환으로, Wilms종양, 홍채결손증(aniridia), 비뇨생식기이상(genitourinary malformations), 정신지체(mental retardation)를 4징으로 합니다.

[*2] Beckwith-Wiedemann증후군
거설, 배꼽헤르니아, 거체를 3징으로 하는 유전성질환으로, 책임유전자는 11p15.5입니다. Wilms종양 또는 간아종 등의 악성종양이 비교적 높은 비율로 합병됩니다.

● MRI

T1강조영상에서는 저신호, T2강조영상에서는 고신호의 종물로 확인됩니다. 출혈이나 괴사를 수반하지만, 신호강도는 불균일합니다.

● 그 밖의 검사

KUB로 신장부의 종류와 신장 주변에서 석회화상을, IVU로 신우·신배의 압박·변형을 확인하지만, 이것은 보조적인 의미밖에 없습니다.

● 치료

조기발견, 조기수술이 원칙입니다. 미국의 NWTS (National Wilms Tumor Study Group : 윌름스종양 국내연구그룹)의 프로토콜에 따라서 시행되고 있습니다. 확실히 전이를 확인하지 못한 경우는 방사선조사나 항암제 투여(빈크리스틴(vincristine)이나 액티노마이신 D (actinomycin D)를 기본으로 하는 다제병용요법)(표2)를 보조요법으로 하면서 신장절제술을 합니다.

표2 **신세포암과 신아종(Wilms종양)의 비교**

	신세포암	Wilms종양
방사선요법	무효	유효
화학요법	무효	유효†

액티노마이신 D, 빈크리스틴 등

C 신우·요관종양
renal pelvic and ureteral tumor

STEP
• 90% 이상이 요로상피(이행상피) 유래
• 증상은 무증후성 혈뇨
• 검사는 요세포검사가 필수
• 치료는 신요관전절제술 및 방광부분절제술

신우~요관~방광~후부요도의 점막은 대부분 요로상피(이행상피)이므로, 신우·요관종양에서는 방광종양의 동시발생을 확인하는 경우가 있으며, 검사할 때에는 방광경에 의한 방광 내의 요로상피암의 유무도 확인해야 합니다.

● 역학·원인

발생빈도는 방광종양 : 신우·요관종양 = 약 7:1로 압도적으로 방광종양이 많아지고 있습니다.

신우·요관종양은 요로상피의 점막에 대한 각종 자극(화학발암물질, 염증, 바이러스감염 등)이 원인이 되어 발생합니다. 기본적으로 후에 기술하는 방광종양의 원인과 같습니다.

● 병리

● 병리조직

병리조직학적으로는 요로상피암(이행상피암)이 90% 이상을 차지하고, 유두상(☞ p.187)을 나타내는 경우가 많으며, 중년 이후의 남성에게 흔히 나타납니다. 나머지 약 10%는 편평상피암으로, 여성에게 흔히 나타납니다.

약 반수의 증례에서 동시에 여러 곳에 다발하고(다중심성), 그 이외의 증례에서도 경과하면서 신우·요관 외의 부위에 발생(이재발성)하므로, 치료 후의 경과관찰이 중요합니다. 때로 반대측 신우나 요관에 발생하기도 합니다.

방광의 근층과 비교하여 신우·요관의 근층이 매우 얇아서 종양이 쉽게 장막에 도달하며, 발견 시에는 이미 림프행성·혈행성으로 전이된 경우가 많아서 본증의 예후가 불량합니다.

림프행성 전이는 대동정맥 주위림프절이나 골반 내 림프절에 생기는 경우가 많고, 원격전이는 폐, 골, 간장에 나타납니다.

● TNM분류

TNM분류를 표3에 정리하였습니다.

표3 신우·요관종양의 TNM분류

T-원발종양		
TX	원발종양의 평가가 불가능	
T0	원발종양을 확인할 수 없다	
Ta	유두상 비침윤암	
Tis	상피내암	
T1	상피하결합조직에 침윤하는 종양	
T2	근층에 침윤하는 종양	
T3	신우	근층을 지나서 신우주위지방조직 또는 신실질에 침윤하는 종양
	요관	근층을 지나서 요관주위지방조직에 침윤하는 종양
T4	인접장기 또는 신장을 지나서 신주위지방조직에 침윤하는 종양	
N-부위림프절		
NX	부위림프절 전이의 평가가 불가능	
N0	부위림프절 전이가 없음	
N1	최대 지름이 2cm 이하인 1개의 림프절 전이	
N2	최대 지름이 2cm를 넘지만 5cm 이하인 1개의 림프절 전이, 또는 최대 지름이 5cm 이하인 다발성 림프절 전이	
N3	최대 지름이 5cm를 넘는 림프절 전이	
M-원격전이		
M0	원격전이 없음	
M1	원격전이 있음	

(UICC일본위원회역 : TNM악성종양의 분류, 제7판 일본어판, p.245, 금원출판, 2010)

● 증상·감별진단

무증상성 육안적 혈뇨가 대표적입니다. 때로 종양이나 응혈이 요관폐색을 일으키며, 그 경우는 측복부통이 있습니다. 이것도 산통이 되는 경우는 적고, 둔통을 호소하는 것이 일반적입니다.

감별질환은 혈뇨와 통증이 생기고, IVU에서 신우·요관에 변형이나 충만결손 등을 보이는 질환(신세포암, 신결석, 응혈덩어리, 신결핵)입니다.

🔴 검사

🔴 혈액·소변검사

심한 출혈이 있으면 빈혈을, 감염이 합병되어 있으면 그와 관련된 검사소견을 얻을 수 있지만, 혈액소견이나 총신기능검사소견에서는 이상이 확인되지 않는 것이 일반적입니다.

요세포검사에서는 양성률이 높아서, 본증에서는 필수 검사입니다. 이것은 방광종양의 경우와 같습니다(☞ p.187).

🔴 정맥성 요로조영(IVU), 역행성 신우조영(RP)

IVU에서는 신우 또는 요관의 충만결손(조영제 결손상)이 확인됩니다(그림11). 또 종양이 요관에 있으면 수신증을 나타내는 경우가 많습니다. IVU에서 요로가 확실히 보이지 않을 때에는 RGP를 하여, 신우·신배의 변형이나 요관의 충만결손을 검사합니다(그림12).

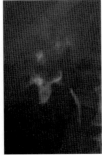

그림11 우측 신우종양의 IVU영상
(그림13과 동일 증례)

상신배~중신배~신우를 채우는 충만결손이 확인된다.

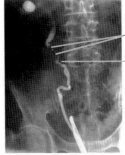

그림12 요관종양의 역행성 요로조영영상
(91-F-30)

충만결손

벽의 불규칙과 협착

충만결손부보다 상부의 요관이 다소 확장되어 있다.

🔴 CT

조영CT를 하면 정상 신실질은 강조(enhancement)되지만, 종양은 저흡수역으로 나타납니다(p.183 그림13). 신우종양에서는 병변부의 신우가 확장되어 있습니다. 또 요관종양과 감별이 필요한 것은 요관결석과 요관의 협착입니다.

그림13 우측 신우종양의 조영CT(그림11과 동일 증례)

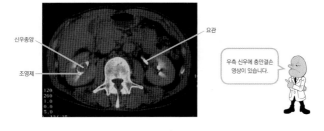

신우종양

조영제

요관

우측 신우에 충만결손 영상이 있습니다.

그 밖의 검사

MRI의 신우·요관종양에 대한 유용성이 신세포암의 영역에는 미치지 못하고 있습니다.

혈관조영은 침습도가 높은 반면에 얻을 수 있는 정보가 적어서 진단적 가치가 낮습니다.

신우로의 내시경검사(경요도적 신우요관경)는 침습성이 그 나름대로 있지만, 유두상을 나타내는 경우가 많은 본 종양에서는 방광종양과 마찬가지로 확정진단을 내리는 데는 가장 유용합니다.

치료

신뇨관전절제술

신우종양이든 요관종양이든, 신보존적 수술의 적응이 되지 않는 것에는 신뇨관전절제술(그림14) 및 요관구 주위의 방광벽과 벽내요관을 포함하는 방광부분절제술을 해야 합니다(그림15, p.184 그림16). 본법은 신실질에 종양이 없어도 함께 적출해 버린다는 점에 주의하십시오(신실질을 남기고 신우만 적출하는 것은 수기적으로 불가능).

전이가 있는 경우는 근치적인 목적으로 신뇨관전절제술을 하는 것이 효과가 없지만, 감염·통증·출혈의 정도에 따라서 대증적으로 신장절제술을 하는 경우가 있습니다.

그림14 신뇨관전절제술

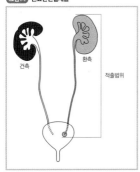

건측

환측

적출범위

그림15 신우요관종양의 적출표본(단면)

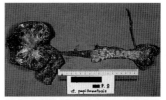

신우·신배 내에 다발하는 종양과 중부에서 하부요관 전체에 발생한 종양이 확인된다. 이와 같이 상부요로에 종양이 다발한 병태를 papillomatosis라고 한다.

그림16 요관종양의 적출표본(단면)

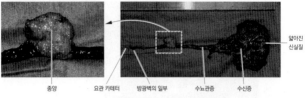

종양   요관 카테터   방광벽의 일부   수뇨관증   수신증   얇아진 신실질

골반강 내 요관에서 직경 2.5cm의 종양이 확인된다. 본 증례는 무기능신장이었다.

● 신장부분절제술, 요관부분절제술

위에서 기술하였듯이, 기본은 신뇨관전절제술 겸 방광부분절제술이 시행되지만, 단발이며 저이형도(low grade)로 표재성(low stage) 종양이나, 단신자(單腎者, 기능적 단신자 포함)의 종양, 양측성 종양 등에서는 신장부분절제술이나 요관부분절제술을 합니다. 특히 신장부분절제술은 한 개의 신배에 종양이 국한되어 있는 경우에, 요관부분절제술은 요관에 국한된 종양이 있을 때에 실시합니다. 단, 이것도 요관요관문합술이나 요관방광신문합술이 필요합니다.

● 방사선요법

신우·요관종양은 방사선감수성이 낮은 경우가 많으므로, 수술이 불가능한 진행암의 증례나 전이소에 대해서 고식적으로 시행되는 정도에 머뭅니다. 효과는 그다지 기대할 수 없습니다.

● 화학요법

방광이행상피암에 유효한 방법에 M-VAC요법*이 있습니다. 신우·요관종양도 같은 요로상피암이므로, 침윤암의 수술보조요법으로, 또 전이암의 치료요법으로 M-VAC요법을 사용합니다.

D 방광종양
bladder tumor

STEP
• 90% 이상이 요로상피(이행상피) 유래
• 다발성과 이소성 재발성이 특징

● 원인·역학

방광종양의 발생요인에는 방향족아민(염료나 산화제 등에 사용하는 나프틸아민(naphthylamine)이나 벤지딘(benzidine) 등), 사카린(인공감미료), 페나세틴(진통제), 시클로포스파미드(면역억제제), 흡연, 방광결석, 방광의 점막에 산란하는 비르하르츠 주혈흡충증 등 다양한 것이 있습니다.

---

* M-VAC療法
항암제인 메토트렉세이트(methotrexate), 빈블라스틴(vinblastine), 아드리아마이신(adriamycin), 시스플라틴(cisplatin)에 의한 다제병용요법입니다.

또 방광종양의 발생빈도는 남:여 = 3:1이며, 50세 이후에 흔히 나타납니다.

병리

병리조직

조직학적으로는 표4와 같이 분류됩니다. 단, 임상상 중요한 것은 다음에 열거한 4가지입니다.

- 일반적으로 요로상피암이라 불리는 것(이전에는 이행상피암이라고 했다)은 문자 그대로 요로상피(이행상피)계 종양의 하나입니다. 방광암의 90% 이상을 차지하고 있으며, 호발부위는 요관구 주위, 방광삼각부, 후벽입니다. 형태적으로 표재성, 유두상을 나타내는 것이 많아지고 있으며(비침윤성 유두상 요로상피종양), 그 형태 때문에 경요도적 방광종양절제술(TURBT)이 가능합니다(☞ p.283).

- 일반적으로 **상피내암***이라 불리는 것은 비침윤성 평탄상 요로상피종양으로 분류되는데, 악성도가 높으며, 그 특징이나 치료방법도 통상의 요로상피암과는 크게 다릅니다.

- 편평상피암은 비유두상이며, 침윤성으로 확대되는 경우가 많아지고 있습니다.

- 선암의 대표적인 것은 방광의 정부에 발생하는 요막관암(☞ p.191)입니다.

표4 방광종양의 조직 분류

a. 요로상피계 종양	2) 카르시노이드	10) 기타
1) 비침윤성 평탄상	3) 소세포암	i. 림프조혈기계 종양
요로상피종양†	4) 기타	1) 악성림프종
2) 비침윤성 유두상 요로상피종양	f. 미분화암	2) 형질세포종
3) 침윤성 요로상피암	g. 색소성종양	j. 그 밖의 종양
b. 편평상피계 종양	1) 모반	k. 전이성종양 및 타장기에서의 침윤종양
1) 편평상피유두종	2) 악성흑색종	l. 이상상피 내지 종양양 병변
2) 편평상피암	h. 간엽성종양	1) 요로상피 과형성
c. 선계종양	1) 평활근종	2) 편평상피화생
1) 선종	2) 혈관종	3) 장상피화생
2) 선암	3) 과립세포종	4) 증식성 방광염
d. 요막관과 관련된 종양	4) 신경섬유종	5) 섬유상피성 폴립
1) 요막관암	5) 횡문근육종	6) 신원성 선종(화생)
2) 기타	6) 평활근육종	7) 염증성 근섬유아세포종양
e. 신경내분비종양	7) 혈관종	8) 말라코플라키아
1) 방신경절종	8) 골육종	9) 자궁내막증
	9) 악성섬유성 조직구종	

† 상피내암은 여기에 포함된다.

(일본비뇨기과학회·일본병리학회·일본의학방사선학회편 : 비뇨기과·병리·방사선과 신우·요관·방광암취급규약. 제1판, pp.87~90. 금원출판, 2011에서 발췌. ⓒ일본비뇨기과학회)

TNM분류

TNM분류(p.186 표5) 및 방광종양의 벽내침윤도(p.187 그림17)를 나타냈습니다.

세포와 구조의 이형도에서 본 이형도분류(p.186 표6)는 치료법을 선택하는 데에 중요합니다. 이형도가 높을수록 악성이며 요세포검사의 양성률이 높아집니다.

---

* **상피내암** carcinoma in situ (CIS)
명칭은 "상피내"이지만, 방광의 상피내암에서 볼 수 있는 종양세포는 높은 이형도를 나타내며, 악성도가 높습니다. 상피내암은 비유두상, 편평형이며, 형태도 이행상피암과 다릅니다.

병기에 따라서 TNM분류(치료 전인 것 : 다음에 기술하는 검사로 판정)와 pTNM분류(수술 후 병리조 직학적 병기분류 : 병리조직으로 판정)를 사용합니다. Ta와 T1이 표재암이며, T2 이상이 침윤암입니다(☞ 치료의 항).

방광종양은 다발성 및 이소성 재발성의 경향을 확인합니다.

표5 방광암의 TNM분류

T-원발종양		
TX	원발종양의 평가가 불가능	
T0	원발종양을 확인할 수 없다	
Ta	유두상 비침윤암	
Tis	상피내암 : 이른바 "flat tumour"	
T1	상피하결합조직에 침윤하는 종양	
T2	근육에 침윤하는 종양	
	T2a	표재근층에 침윤하는 종양(내측 1/2)
	T2b	심근층에 침윤하는 종양(외측 1/2)
T3	방광주위 지방조직에 침윤하는 종양	
	T3a	현미경적
	T3b	육안적(방광 외의 종류)
T4	다음 어느 하나에 침윤하는 종양 : 전립선간질, 정낭, 자궁, 질, 골반벽, 복벽	
	T4a	전립선간질, 정낭, 또는 자궁 또는 질에 침윤하는 종양
	T4b	골반벽 또는 복벽에 침윤하는 종양
N-부위림프절		
NX	부위림프절 전이의 평가가 불가능	
N0	부위림프절 전이 없음	
N1	소골반 내의 1개의 림프절(하복, 폐쇄림프절, 외장골 및 전천골림프절)로의 전이	
N2	소골반 내의 다발성 림프절(하복, 폐쇄림프절, 외장골 및 전천골림프절) 전이	
N3	총장골림프절 전이	
M-원격전이		
M0	원격전이 없음	
M1	원격전이 있음	

(UICC일본위원회역 : TNM악성종양의 분류, 제7판 일본어판, pp247-248, 금원출판, 2010)

표6 이형도분류(grade)

grade 1	세포 및 구조 모두 이형도가 가볍다
grade 2	세포와 구조의 어느 하나에 중등도 이형 있음
grade 3	어느 하나의 이형도가 강한 것

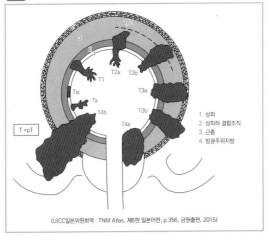

그림17 방광종양의 벽내침윤도

T2a T2b
T1
T3a
Tis
Ta
T4b T3b
T4a

T =pT

1. 상피
2. 상피하 결합조직
3. 근층
4. 방광주위지방

(UICC일본위원회역 : TNM Atlas, 제6판 일본어판, p.356, 금원출판, 2015)

① 요로상피암 urothelial carcinoma (이행상피암 transitional cell carcinoma : TCC)

- 무증상성 육안적 혈뇨를 확인한다
- 진단은 요세포검사→방광경과 생검→CT, MRI

● 증상

초발증상은 무증상성 육안적 혈뇨입니다. 갑자기 나타나지만, 자연히 지혈됩니다. 이후, 출혈과 지혈을 반복하면서 혈뇨가 심해져 갑니다.

그 밖에 배뇨장애(핏덩어리나 방광경부종양이 요도를 폐색하는 것에 기인하는 요폐)나 통증(방광염의 합병, 벽침윤에 의한다)을 확인합니다.

또 상피내암에서는 만성 전립선염이나 전립선비대증을 의심케 하는 빈뇨, 잔뇨감, 배뇨통, 요절박 등의 증상이 전면에 나타나기도 하므로, 감별을 요합니다.

● 검사

● 요세포검사

요로상피암에서는 상피를 형성하는 세포층이 8세포 이상으로 증가하면서 세포간격도 증가합니다. 이것은 암세포가 박리되기 쉽다는 점과 요세포검사가 진단에 매우 유용하다는 점을 나타냅니다.

이 요세포검사는 우선 박리세포를 Papanicolaou염색하고, 세포나 핵의 이상소견에서 세포의 악성도(5단계로 평가하며, Ⅰ, Ⅱ는 음성, Ⅲ은 의양성, Ⅳ, Ⅴ는 양성이라고 한다)를 판정합니다.

특히 상피내암은 방광경검사로 발견하기 어려우므로(점막의 발적, 벨벳상 변화 정도이며 융기성병변이 없다), 요세포검사가 유일하게 상피내암을 의심케 하는 소견인 경우도 있습니다. 단, 방광암 중에서는 요세포검사가 음성인 경우가 압도적으로 많으므로, 음성이라고 해서 방광암을 부정할 수는 없습니다.

● 방광경

요세포검사에서 (Ⅲ이나) Ⅳ, Ⅴ로 평가되었을 때는 방광경검사에서 직접 종양을 찾아야 합니다. 이것이 사실상의 확정진단입니다. 방광경검사에서 종양이 작고 유두상유경성인 경우는 근층침윤이 없는 표재성종양일 가능성이 높아집니다 (그림18). 참고로 종양세포가 근층에 침윤했는지의 여부는 예후를 아는 데에 중요합니다.

그림18 **방광암의 방광경소견**

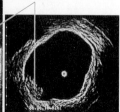

유두상종양

● 생검

방광경검사와 동시에 펀치 생검(punch biopsy)이나 경요도적 절제생검을 하여 종양의 조직형, 세포의 분화도, 침윤도를 검사합니다. 유두상을 나타내는 종양도 검사하지만, 특히 상피내암이나 침윤암이 의심스러운 경우는 내시경에서의 진단이 어려우므로, 발적을 확인하는 등 의심스러운 부위를 중심으로 여러 곳에서 검사합니다.

● 초음파검사, CT, MRI

침윤도를 판정하지 않으면 치료 방침을 결정할 수 없습니다. 즉 이 영상진단은 방광암을 진단한 후 종양의 침윤도를 검사하기 위해서 필요한 검사입니다.

많은 방광종양이 유두상의 증식을 나타내므로, 방광 내를 소변으로 가득차게 한 후 복부초음파검사를 하면 종양이 방광 내로 돌출하는 고에코로 보입니다(그림19 왼쪽). 단, 복부초음파검사에서는 근층으로의 침윤 유무를 판정하기가 어렵습니다. 하지만 경요도적 초음파단층법에서는 가능합니다(그림19 오른쪽).

CT(p.189 그림20)에서는 소속림프절에 종대가 확인되는지, MRI(p.189 그림21, 22)에서는 암이 방광벽외로 진전되어 있는지(병기진단에는 MRI가 유용)를 체크하는 데에 도움이 됩니다.

그림19 **표재성 방광암의 경복 초음파영상**(좌)**과 경요도 초음파영상**(우)

유두상종양

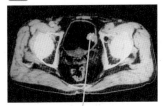

그림20 표재성 방광암 CT(올리브유 사용)

방광 좌벽에서 발생한 유두상종양
(근층침윤은 보이지 않는다)

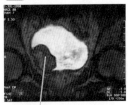

그림21 방광암 MRI의 T2강조축영상

방광 우벽의 경부 근처에서 발생한 광기성(廣基性)
비유두상종양(일부에서 근층침윤이 확인된다)

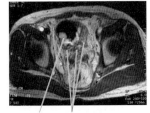

그림22 침윤성 방광암의 MRI의 T1강조축영상

방광종양   벽외침윤

다발하는 광기성(廣基性) 종양이 이미 방광장막을 찢고
방광벽외로 침윤하고 있다.

● 배설성 요로조영

종양으로 인한 결손과 불규칙한 방광벽이 보입니다(p.190 그림23, 24). 방광의 상태를 보는 것은 물론이지만, 오히려 신우 · 요관이라는 그 밖의 요로에서 종양성 변화가 보이는지를 체크하기 위해서 실시합니다. 다발경향이 있는 점을 잊어서는 안됩니다.

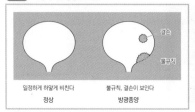

그림23 IVU상에 의한 방광의 모식도

일정하게 하얗게 비친다
정상

불규칙, 결손이 보인다
방광종양

결손

불규칙

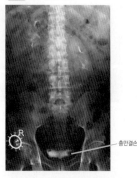

그림24 방광암의 IVU영상

충만결손

● 양수진 bimanual examination

천골경막외마취나 요부척수지주막하마취 후에, 쇄석위(砕石位)에서 오른손 둘째 손가락을 남성인 경우는 직장에, 여성인 경우는 질에 삽입하고, 왼손을 하복부에 대고 촉진하는 수기입니다(그림25). 영상진단법이 진보하여 진단적 의의가 희박하지만, 때로 유용한 정보를 얻기도 합니다.

● 그 밖의 검사

골반내동맥조영이 침윤도를 알기 위한 목적으로 시행되는 외에, 골신티그래피나 Ga신티그래피 등이 전이의 유무를 알기 위한 목적으로 시행됩니다.

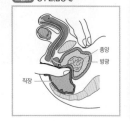

그림25 양수진(남성례)

종양
방광
직장

● 치료

STEP
• 표재암(T1 이하)은 경요도적 전기응고술이나 TURBT, BCG 방광 내 주입요법의 적용
• 침윤암(T2 이상)은 근치적 방광전절제술의 적용

방광암 치료에서는 이형도도 고려하지만, 기본적으로 표재암인지, 침윤암이나 원격전이 암인지에 따라서 완전히 달라집니다.

● 표재암에 대한 치료법(침윤이 점막하층까지인 것 : Ta와 T1)

방광암의 대부분은 표재성·유두상이므로, 침윤이 점막하층까지이면 경요도적 방광종양절제술(transurethral resection of the bladder tumor, TURBT)(☞ p.283)이 가능합니다.

같은 표재성이라도 상피내암인 경우는 이형도가 높아서, 악성도가 높은 부류에 속합니다. 경과도 비교적 장기간 상피내암에 머무는 것이 있는 한편, 급속히 점막고유층을 파괴하고 점막 아래로 침윤하여 조기에 전이를 일으키는 것도 있습니다. 이 양자는 감별이 어렵지만, 침윤의 가능성이 높다고 생각될 때에는 상피내암이라도 침윤암에 준하여 방광전절제술의 적응을 고려해야 합니다(TURBT의 적응은 없습니다).

또 TURBT만으로는 때로 재발하는 수가 있습니다. 따라서 후요법의 의미에서, 또는 잔존이 의심스러운 종양에 대한 직접효과의 목적으로 **방광 내 주입요법***이 시행됩니다.

● 침윤암에 대한 치료법(근층침윤 : T2 이상)

암이 근층으로 침윤하는 경우에는 **근치적 방광전절제술**이 적응이 됩니다. 본법은 남성이라면 정낭과 전립선을 포함하여 방광을 전절제하는 것으로, 요로전환술이나 요로재건술이 필요합니다. 이 경우, 방광전절제술에 앞서 골반내 림프절절제술을 합니다. 림프절절제는 예후를 예측하기 위한 병기결정을 할 수 있는 점과 (pTNM : 병리검사에서 전이가 적으면 생존율이 높고, 수술 후 화학요법의 유효도도 높다), 방광전절제술 시에 처리가 필요한 내장골동맥과 그 분지의 주행이 확실해지는 이점이 있습니다.

방사선요법은 근치적 방광전절제술의 보조로 수술 전 조사(총선량 40Gy 정도)하거나, 침윤암의 T2, T3에 대한 수술 후 조사로 시행됩니다. 방광암은 방사선에 비교적 감수성이 있고, 시스플라틴이 그 감수성을 증강시킨다는 보고가 있어서, 병용하기도 합니다. 단, 부작용으로 방광 그 자체에 대한 방사선장애 외에, 직장 등의 인접장기에 대한 장애도 있으며, 또 조사에 의해서 방광종양의 재발도 완전히 예방할 수 없어서 증례의 선택이 필요합니다.

방광암은 화학요법에 대한 감수성이 높은 종양이므로, 전이가 있는 것(T3 이상) 등 절제가 불가능한 진행암에서는 M-VAC요법(☞ p.184)이나 GC요법(항암제 젬시타빈gemcitabine과 시스플라틴 cisplatin의 병용요법)을 합니다. 본법의 부작용에는 백혈구감소, 혈소판감소, 점막장애 등이 있으며, 이 중 백혈구감소에는 과립구 콜로니자극인자(granulocyte colony stimulating factor, G-CSF)를 사용합니다.

화학요법은 근치적 방광전절제술 후에 추가로 실시하는 것(adjuvant chemotherpy)과, 수술의 근치성을 높일 목적으로 수술 전에 하는 방법(neoadjuvant chemotherapy), 2가지가 있습니다.

또 Seldinger법(☞ p.50)으로 카테터를 대퇴동맥에서 내장골동맥에 삽입하고, 시스플라틴이나 아드리아마이신 등을 주입하는 국소동맥내 주입요법도 사용합니다. 본법의 부작용으로 둔부~하지의 신경장애가 10% 정도 확인됩니다.

② 요막관암 urachal cancer

- 대부분이 선암이며, 혈뇨를 나타낸다
- MRI의 전후세로영상에서, 방광의 정부에서 배꼽으로 연속되는 종류가 확인된다

---

* **방광내 주입요법**
BCG주입이 가장 유효하여 널리 시행되고 있습니다. 그 밖에 마이토마이신, 아드리아마이신, 피라루비신 등의 항암제를 주입하기도 합니다. 부작용에는 빈뇨나 배뇨통 등의 방광자극증상이 있습니다. BCG는 무독화된 소형 결핵균을 사용하므로, 인플루엔자양 증상이 나타나는 외에, 면역기능이 저하된 환자는 신결핵, 육아종성 방광염에 걸리지 않도록 주의해야 합니다.

● 역학

요막관이 잔존(☞ p.100)하는 방광의 정부에 발생하는 것으로, 그 대부분이 선암(adenocarcinoma)입니다. 발생빈도는 방광암의 1% 이하로, 매우 드문 종양입니다. 이 요막관암은 남:여 = 2~3:1이며, 40~60대에 흔히 나타납니다.

● 증상·검사

방광증상에는 혈뇨가 가장 많으며, 방광자극증상이나 통증을 확인하기도 합니다. 방광외증상으로 하복부 종물이 나타나기도 합니다.

이것을 주소로 내원한 경우에 복부초음파검사를 하고, 방광의 정부에서 종양을 확인했을 때에 본증을 의심하며, 방광경검사를 시행합니다. 방광벽으로의 침윤도나 림프절 전이의 유무를 검사하기 위해서 조영CT나 MRI도 합니다. 전형례에서는 MRI의 전후세로영상에서 방광의 정부에서 배꼽으로 연속되는 종류가 확인됩니다.

그림26은 요막관암의 방광부 MRI입니다.

그림26 **요막관암의 방광부 MRI의 T2강조축영상(좌)과 전후세로영상(우)**

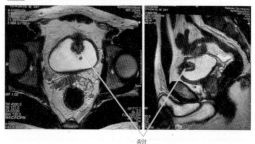

종양

본 증례는 34세 남성으로,
낭총절제술 및 방광부분절제술을
시행했습니다. 조직학적으로는
선암이었습니다.

● 치료

요막관암은 경요도적 방광종양절제술(TURBT)에 의한 치료로는 불충분하므로, 종양부의 **방광부분절제술**(☞ p.183)을 하고, 잔존하는 요막관도 확실히 절제하는 근치적수술이 필요합니다.

단, 초기에는 증상이 잘 나타나지 않으므로, 진료받고 진단을 내릴 때에는 이미 국소침윤이 확인되는 경우가 많으며, 5년 생존율은 약 20%로 예후가 불량합니다.

E 전립선비대증
benign prostatic hyperplasia(BPH)

STEP 주로 이행영역에 발생

전립선 전체의 선조직은 나이가 들면서 서서히 위축되지만, 이행영역은 이와 반대로 증식하여 30대 후반이 되면 작은 결절을 형성합니다. 이후, 연령에 따라서 이 결절이 증대되어 비대결절이 됩니다. 이 비대결절은 40대에는 약 20%로 보이지만, 70대 이상에서는 약 80%로 보입니다. 그리고 비대결절에 의해서 배뇨장애나 하부요로증상 등의 임상증상을 나타내는 것이 전립선비대증입니다(그림27). 주변 구역은 전립선비대의 진행에 따라서 이행구역의 압박을 받아서, 얇게 피막(외과적 피막이라고도 한다)처럼 변화합니다.

또 후에 기술하였듯이, 전립선에는 α1수용체가 분포되어 있습니다. 그리고 전립선비대증에서는 이 α1수용체가 증가하므로, 치료에는 α1차단제가 사용됩니다.

[그림27] 전립선비대증의 모식도(p.8 그림8과 대조할 것)

전부섬유근성간질
압박받는 요도
이행구역(주위선)은 증식되어 비대해진다
중심구역
사정관
주변구역(외선)은 압박을 받아서 위축된다
40세 이상에서는 거의 이렇게 되어 있다.

증상

STEP
• 자각증상은 야간빈뇨, 배뇨곤란, 잔뇨의 증가, 일류성 실금
• 진단은 IPSS에서 7점 이하가 경증, 8~19점이 중등증, 20~35점이 중증

요도외위선이 비대해져서, 요도가 압박을 받아 배뇨곤란이 됩니다. 이것이 폐색에서 유래하는 증상이며, 요주저(소변이 나오기까지 시간이 걸린다), 염연성 배뇨곤란(소변이 나오기 시작해서 끝나기까지 시간이 걸린다), 세뇨 등을 나타내며, 심해지면 요폐나 범람실금으로 나타납니다. 또 하나가 하부요로증상으로, 빈뇨, 야간뇨, 요절박(갑자기 생기는 억제할 수 없는 강한 요의), 절박요실금 등의 방광에 대한 자극증상입니다(p.194 표7).

주의를 요하는 것은 '직장검사나 초음파검사 등으로 알 수 있는 해부학적 전립선비대의 정도와 환자가 호소하는 배뇨장애의 정도가 상관이 없다'는 점입니다. 즉 현재는 '전립선의 크기가 반드시 배뇨장애의 중증도를 결정짓는 요인이 아니다'라는 것이 일반적입니다. 따라서 확실한 배뇨장애가 확인되는데, 전립선의 비대가

거의 확인되지 않는 증례인 경우는 요자제(urinary continence)를 유지하는 교감신경 α1수용체의 작용이 항진되어 있다고 생각할 수 있습니다.

나오기까지
시간이 걸린다

요선이 가늘다

잔뇨감이 있다

화장실 가는
횟수가 늘었다

야간에 몇 번씩
화장실에 간다

표7 **전립선비대증의 자각증상**

병기	자각증상
제1병기 (자극기)	비대결절이 방광경부, 요도를 자극하기 때문에 야간빈뇨나 배뇨 시 불쾌감이 출현. 배뇨곤란은 경도이며, 잔뇨 (−)
제2병기 (잔뇨발생기)	배뇨곤란이 심해진다. 요로감염증이 쉽게 일어나는 외에, 음주나 감기약 복용을 계기로 급성요폐를 일으키기도 한다
제3병기 (대상부전기, 만성요폐기)	잔뇨가 증가하고, 일류성 실금을 일으킨다(☞ 기아성 요실금의 항). 신기능저하가 나타난다

진단

국제전립선증상 점수(I-PSS)

전립선비대증을 의심하는 계기가 되는 환자의 호소는 위에서 기술한 폐색증상과 자극증상이지만, 이것은 환자의 주관에 크게 좌우되므로, 이것을 객관적으로 평가하는 것을 문진 단계에서 합니다. 구체적으로는 국제전립선증상 점수(p.195 표8 위)에 의한 문진표를 이용합니다.

국제전립선증상 점수는 환자 스스로 기입하여 자각적 중증도를 판정하는 것입니다. 또 QOL 점수(p.195 표8 아래)에서는 이 증상 때문에 어느 정도 불편한지를 판정합니다. 참고로 국제전립선증상 점수는 7점 이하를 경증, 8∼19점을 중등증, 20∼35점을 중증이라고 판정합니다.

병기진단

진단 후에는 치료 방침을 세우기 위해서 병기를 검사합니다. 이것은 방광·요도의 저장기능과 배뇨기능을 검토하여 판정합니다. 배뇨기능을 검사하는 데는 요류측정이나 잔뇨량측정(도뇨하지 않아도, 하복부초음파검사로 대략 잔뇨량을 알 수 있다) 등을 합니다.

30mL 이상의 잔뇨를 확인한 경우(요로감염증의 합병이나 신기능장애의 위험이 높다)에는 내복치료나 수술을 전제로 상세한 검사·치료를 하는 것이 일반적입니다. 따라서 보존적으로 경과관찰을 할 때에는 1회/2∼3개월의 빈도로 잔뇨량을 측정합니다.

또 저장기능을 검사하는 데는 요로동학검사인 **방광내압검사**(신경인성 방광의 유무) 등을 합니다. 그리고 **배설성 요로조영**으로 상부요로에 대한 영향(수신증, 수뇨관증의 유무)을 확인합니다.

표8 국제전립선증상 점수(I-PSS)와 QOL 점수

국제전립선증상 점수(I-PSS)

	전혀 없음	드물게 있다 (5번 중 1번)	가끔 있다 (5번 중 1~2번)	절반 정도 (5번 중 2~3번)	절반 이상 (5번 중 3~4번)	매번
1. 최근 1개월간, 배뇨 후에 소변이 아직 남아 있는 느낌이 들었습니까?	0	1	2	3	4	5
2. 최근 1개월간, 배뇨 후 2시간 이내에 다시 화장실에 간 적이 있었습니까?	0	1	2	3	4	5
3. 최근 1개월간, 배뇨 도중에 소변이 끊긴 적이 있었습니까?	0	1	2	3	4	5
4. 최근 1개월간, 배뇨를 참는 것이 힘든 적이 있었습니까?	0	1	2	3	4	5
5. 최근 1개월간, 소변의 세기가 약한 적이 있었습니까?	0	1	2	3	4	5
6. 최근 1개월간, 배뇨 개시 시에 배에 힘을 준 적이 있었습니까?	0	1	2	3	4	5
7. 최근 1개월간, 잠자리에 들고부터 아침에 일어날 때까지 보통 몇 번 배뇨하러 일어났습니까?	0회	1회	2회	3회	4회	5회 이상
	0	1	2	3	4	5

1에서 7의 점수 합계   점

QOL 점수

	매우 만족	만족	대체로 만족	만족·불만의 어느 쪽도 아니다	약간 불만	불만	매우 불만
현재 배뇨 상태가 앞으로 평생 계속된다면 어떻게 느끼겠습니까?	0	1	2	3	4	5	6

● 검사

STEP 직장손가락검사, 요류검사, 경직장 전립선초음파검사, 혈청PSA(암 제외 목적)

● 직장손가락검사

전립선비대증에서는 전립선이 종대되어 중심구가 소실되지만, 탄성이 있고 표면이 평활한 것에는 변화가 없습니다.

전립선 종대의 정도(크기)의 진단은 후에 기술하는 경직장 초음파검사(경복적 초음파에서도 대략적인 크기는 판정 가능)나 MRI(전립선암의 진단에도 유용)로 하는 경우가 증가하고 있습니다.

● 초음파검사

암과의 감별이나 치료법을 결정하는 데에 본 검사는 빠져서는 안 되는 검사입니다. 단층상의 비대칭화·변형의 정도, 피막의 에코의 왜곡 정도나 불연속상, 내부의 저에코 출현의 유무 등을 참고로 하여 감별합니다. 전형적인 전립선비대증에서는 좌우대칭적으로 이행구역이 증대되고, 그에 따라서 주변 구역이 압박을 받고 얇게됩니다.

경직장 초음파검사는 복부 초음파나 경요도 초음파와 비교하여 가장 그 진단능력이 뛰어납니다. 경직장 초음파에서는 전립선이 해부학적으로 종대되어 있는지의 여부뿐 아니라, 전립선 크기도 정확히 평가할 수 있습니다(그림28).

[그림28] 전립선비대증의 경직장 초음파영상

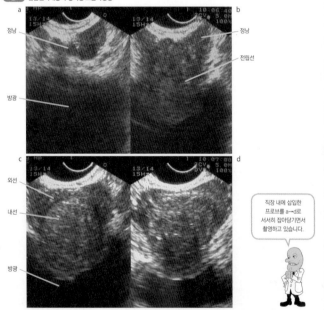

a
정낭
방광

b
정낭
전립선

c
외선
내선
방광

d

직장 내에 삽입한
프로브를 a→d로
서서히 잡아당기면서
촬영하고 있습니다.

● 전립선 특이항원 prostate specific antigen (PSA) 측정

전립선비대증에는 전립선암이 합병되어 있는 경우가 있으므로, PSA가 높은 수치를 나타내고 있는지의 여부를 반드시 확인해야 합니다(p.198 표9). 단, PSA는 매우 감도가 높으므로, PSA 측정을 위한 채혈은 직장검사 전에 해야 합니다.

🔴 요류검사

방광경부경화증*이나 신경인성 방광 등을 감별하는 데에 중요합니다.

요류검사(그림29)에서 평균요속(배뇨량/배뇨소요시간), 최대요속, 최대요속도달시간 등을 검사하여 배뇨장애의 정도를 수치화할 수 있습니다. 이 데이터는 보존적 치료를 했을 때의 효과판정에 유용하지만, 재현성이 부족하여, 반복해서 해야 합니다.

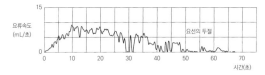

그림29 전립선비대증의 요류측정 결과(105-I-56)

요류속도
(mL/초)

요선의 두절

시간(초)

🔴 배설성 요로조영

배설성 요로조영은 전립선비대증에 의한 배뇨장애가 상부요로에 미치는 영향을 앎으로써, 수술 적응을 결정할 목적으로 시행됩니다. 배뇨장애가 심하게 장기간 지속되면 상부요로에 영향이 미칩니다. 처음에는 하부요관의 확장(그림30) 정도이지만, 서서히 수신증이나 수뇨관증이 나타나며 신기능장애를 초래합니다(그림31).

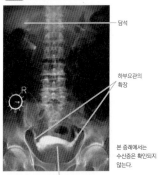

그림30 전립선비대증의 IVU영상

담석

하부요관의
확장

본 증례에서는
수신증은 확인되지
않습니다.

방광 내로 돌출된 전립선

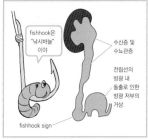

그림31 전립선비대증의 IVU상의 특징

fishhook은
"낚시바늘"
이야

수신증 및
수뇨관증

전립선의
방광 내
돌출로 인한
방광 저부의
거상

fishhook sign

---

* **방광경구축** bladder neck contructure
방광경부에 섬유성비후가 생기는 질환입니다. 주증상은 배뇨곤란, 요폐, 빈뇨이므로, 전립선비대증과 감별진단해야 하는데, 이것은 방광경검사로 가능합니다. 배뇨 시 방광조영을 하면, 배뇨 시에 방광경부가 열리지 않습니다.

● 감별진단

증상이 유사한 전립선암(표9), 방광경구축, 전립선결석, 급성 전립선염, 요도협착(☞ p.278)과 감별해야 합니다.

표9 전립선비대증과 전립선암의 감별

검사	전립선비대증	전립선암
직장 내 촉진	비대한 전립선경도는 균등하고 탄성경, 좌우대칭, 중앙구(中央溝)가 촉지되는 경우가 많다	암에 의한 경도가 증가한 부분이 결절모양으로 촉진된다. 암침윤이 증가하면, 판이나 돌처럼 단단해지며, 중앙구가 소실된다
요도조영	요도의 압박변형, 방광저의 거상	요도에 침윤이 미쳤을 때 요도의 톱니모양상, 충만결손
생검	선·섬유·근육의 3성분의 증식	암조직
전립선 특이항원(PSA) 전립선 산성 포스파타제, γ-세미노프로테인	정상, 단 약 5~10%는 경도 상승	진행에 따라서 상승
초음파진단법	전립선의 비대소견	암성결절이나 피막침윤
골X선상 및 골스캔	이상 없음	전이 있을 때 소견 있음

주1) 전립선암의 종양표지자로 오늘날은 전립선 특이항원(PSA) 이 가장 신뢰성이 높다. 전립선비대증이나 만성 전립선염으로 경도 이상수치를 나타내는 경우가 있지만, 정상수치이면 거의 전립선암을 부정할 수 있다. 전립선암은 혈액검사로 알 수 있는 유일한 암이다.
주2) 초기 전립선암으로 transition zone 발증인 것에서는 에코로는 감별할 수 없는 것이 있다. 암이 커지면 에코상에서 단열이나 변형, 좌우 비대칭의 소견 등이 나타난다.

● 치료

- 보존적 치료에는 항안드로겐제와 α_1수용체 차단제(항콜린제는 금기)
- 경요도적 전립선절제술이 표준적 수술

● 일반적 주의

환자에게 배뇨장애에 관한 자각증상이 있고, 그것을 뒷받침하는 객관적 소견이 확인될 때에 치료의 대상이 됩니다.

치료는 배뇨장애의 개선에 포인트가 있습니다. 일반적으로 다량의 음주나 자극성이 있는 식사는 삼가고, 배변을 조절합니다. 수분을 적정량 섭취하고, 배뇨를 참지 않도록 지도합니다.

● 보존적 주의(약물요법)

자각증상이 제1~2병기인 것이 적응이 됩니다. 치료제에는 호르몬제제(항안드로겐제나 5α 환원제·억제제)와 비호르몬제제(α_1수용체 차단제)를 사용합니다.

또 전립선비대증에서는 과활동방광(☞ p.161)이 생기는 수가 있습니다. 일반적으로, 과활동방광의 제1선택제로 사용하는 것은 항콜린제이지만, 전립선비대증에 기인하는 경우는 요폐를 유발할 가능성이 있으므로 금기가 되고 있습니다.

- 항안드로겐제 : 비대된 전립선조직에는 안드로겐 리셉터가 흔히 존재한다는 점에서 본 제를 사용합니다. 혈중 테스토스테론 저하작용과 안드로겐 분비억제작용에 의해서 전립선을 축소시킵니다. 증량하여 복

용하면, 전립선암에도 효과적입니다. 단, 전립선비대증의 상용량으로도 전립선암에 어중간하게 영향을 미치게(PSA수치가 저하. 전립선암의 치료는 되지 않는다) 됩니다. 따라서 처방할 때는 반드시 사전에 PSA수치를 측정하고, 전립선암을 부정할 수 있는 증례에만 한정해야 합니다. 부작용에 발기장애가 있습니다.

- 5α 환원제·억제제 : 테스토스테론의 활성화와 관련된 5α 환원제를 저해함으로써 비대해진 전립선을 축소시킵니다.

- α수용체 차단제 : 전립선비대증에는 기질적 폐색 외에 기능적 폐색(교감신경의 과긴장에 의한 요도내 압상승에 기인)도 크게 관여하고 있습니다. 요도나 전립선에는 교감신경 α₁수용체가 존재하고, 또 비대 전립선에서는 α₁수용체가 증가하고 있는 것을 알 수 있습니다. 그래서 α₁수용체 차단제가 사용됩니다. 호르몬제제와 비교하여 즉효성이 있는 점, 성기능저하가 일어나지 않는 점에서, 현재는 제1선택이 되고 있습니다. 단, 본래 고혈압환자에게 처방되는 강압제이므로, 부작용에 혈압강하(현기증, 일어섰을 때에 느끼는 현기증)에는 주의를 요합니다.

- 그 밖의 제제 : 비대전립선에 대한 울혈억제, 부종억제, 염증억제의 효과를 기대하며, 아미노산제제, 식물제제, 한방제도 사용합니다. 단, 확실한 기전은 알 수 없습니다.

🔵 수술요법

약물요법으로 효과를 얻지 못하는 제2병기나 제3병기 환자가 적응이 됩니다. 이것은 잔뇨가 많게 되면 방광에 육주 형성이나 불가역성 변화가 생기게 되는 것, 수신증에 이르면 요로감염을 쉽게 일으키게 되는 것 외에 신기능저하의 위험이 높아지기 때문입니다.

- open surgery(개복수술) : 비대해진 내선만 절제(피막하 전립선절제술)합니다. 거대선종의 경우나 큰 방광게실 또는 방광결석 등의 방광병변이 있는 증례처럼 내시경적 수술이 부적당하고 생각되는 증례에 적응이 됩니다. 접근방법에 따라서 치골상식 전립선절제술, 치골후식 전립선절제술, 회음식 전립선절제술의 3종류가 있지만(그림32), 이 개방수술들은 오늘날은 일반적이지 않습니다. 또 참고로 치골후식 전립선절제술에 의한 적출표본을 보여줍니다(그림33).

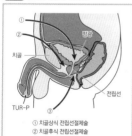

그림32 전립선비대증의 수술요법

① 치골상식 전립선절제술
② 치골후식 전립선절제술
③ 회음식 전립선절제술

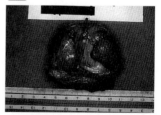

그림33 전립선비대증의 적출표본

치골후식 전립선절제술로 적출한 전립선(110g)

- 경요도적 전립선절제술 transurethral resection of the prostate : 반세기 전에 개발된 본 수술식은 그 후 기기의 개량으로 현재도 전립선비대증에 대한 수술치료의 gold standard입니다. 수술 중의 합병증에는 특히 TURP증후군이 중요합니다(상세한 내용은 ☞ p.283).
- 레이저조사술 : 홀뮴 레이저 전립선적출술(HoLEP)은 내시경하에서 Ho:YAG레이저[1]를 선종에 조사하여 절제하는 방법입니다. 경요도적 전립선레이저기화술(PVP)은 기화능력이 강한 KTP(인산티탄산칼륨의 결정), LBO(리튬·트리보레이트의 결정), Ho:YAG 등의 레이저로 선종을 기화시킵니다. 경요도적 침소작술(Transurethral needle ablation, TUNA)은 내시경하에서 전립선종 내에 침전극을 삽입하여 라디오파(radio波)를 조사하는 방법입니다. 모두 경요도적 전립선절제술에 비해 수술 중 출혈이 적고, 수술 시간이 짧으며, 수술 후의 요도협착·요실금 외에 역행성 사정이나 저나트륨혈증 등의 합병증의 발생률이 낮다는 이점이 있어서 널리 보급되고 있습니다.

F 전립선암
prostatic cancer

연령에 따라서 이환율이 급증하는 암으로, 일본에서도 최근 들어 현저히 증가하고 있습니다. 이것은 평균수명의 연장과 식생활의 구미화, PSA측정과 경직장초음파 가이드하의 생검의 진보로 조기암의 발견이 가능해졌기 때문입니다.

● 원인

STEP 안드로겐은 전립선암의 발생을 촉진시키고, 에스트로겐은 억제한다

전립선암과 관련된 것에, 제1번 염색체장완(1q24)에서 가족성 전립선 암유전자(Hereditary Prostate Cancer Gene 1, HPC1)가 발견되었습니다. 또 K-ras유전자, p53유전자, PTEN/MMAC1유전자, X염색체장완(Xq27-28)에 존재하는 유전자 등도 관련되어 있습니다. 또 제8번 염색체단완 결실의 빈도가 높은 것을 알 수 있습니다.

인종도 본증의 위험요인의 하나로, 일본인의 발생률에 비해 백인이 10배, 흑인이 20배 이상입니다.

또 환경인자도 위험요인이 되고 있어서, 일본인의 하와이 이민이 1세로부터 3세로 진행됨에 따라서 발생률이 상승하는 것을 알 수 있습니다. 이것은 전립선암의 발생을 촉진시키는 안드로겐[2]의 분비가 육식(지방섭

---

[1] Ho:YAG레이저
이트륨(yttrium), 알루미늄(aluminum), 가네트(garnet)의 결정을 이용하여 발생시킨 YAG 레이저의 이트륨의 일부를 홀뮴(holmium)으로 치환하여 발생시킨 것입니다.

[2] 안드로겐 androgen
남성호르몬이라고도 하며, 주로 고환에서 분비되는데, 일부는 난소나 부신피질에서도 분비됩니다. 남성화작용에 추가하여 단백합성작용을 합니다. 전립선암세포는 안드로겐의 자극으로 증식되는 성질이 있습니다.

취) 에 의해 증가하고, 콩, 녹차, 녹황색 채소의 섭취가 전립선암의 발생을 억제하는 에스트로겐*과 똑같은 작용을 하기 때문입니다.

● 병리

전립선암의 대부분은 본래의 전립선(주변구역=외선)에서 발생하지만, 이행구역(주위선)에서 발생하는 경우도 있습니다.

● 병리조직

침생검으로 병리조직을 검사합니다. 전립선암의 대부분은 선암이며, 그 외에는 극히 드뭅니다.

선암도 조직분화도에 따라서, 고분화형, 중분화형, 저분화형의 3단계로 분류됩니다. 양적으로 가장 우세한 것을 채택하여 판정합니다.

암세포의 선구조와 간질의 관계를 기조(基調)로 조직구조를 5가지 기본형으로 분류하고, 병리조직 중에 나타나는 주조직상을 1차 패턴, 다음으로 많은 조직상을 2차 패턴으로 9단계(2~10점)로 나누어 점수화한 것이 Gleason분류입니다. 이 분류에서는 점수가 높을수록 암의 진행이 빠르고 악성도가 높습니다(예 : Gleason score 4+3=7, 4+5=9, etc).

● 전립선암의 병기분류(표10, p.202 그림34)와 TNM분류(p.202 표11)

병기A는 TNM분류의 T1, 병기B는 T2, 병기C는 T3, 병기D는 T4에 해당합니다.

표10 전립선암의 병기분류(Jewett Staging System)

병기A		임상적으로 전립선암이라고 진단하지 않고, 양성 전립선수술에서 우연히 조직학적으로 진단한 전립선에 국한되는 암(incidental carcinoma : 우발암)
	A1	국한성 고분화형 선암
	A2	중, 또는 저분화형 선암, 또는 복수의 병소를 전립선 내에서 확인한다
병기B		전립선에 국한되는 선암
	B0	촉진에서는 만져지지 않고, PSA의 높은 수치로 정밀검사하여 조직학적으로 진단
	B1	편엽 내의 단발종양
	B2	편엽 전체 또는 양엽에 존재
병기C		전립선 주위에는 머물러 있지만, 전립선피막을 넘었거나, 정낭에 침윤하는 것
	C1	임상적으로 피막외침윤이 진단된 것
	C2	방광경부 또는 요관의 폐색을 일으킨 것
병기D		전이가 있는 것
	D0	임상적으로 전이가 확인되지 않지만, 혈청산성 포스파타제의 지속적 상승이 확인된다(전이의 존재가 매우 의심스럽다)
	D1	부위림프절 전이
	D2	부위림프절 이외의 림프절 전이, 골 그 밖의 장기로 전이
	D3	D2에 대한 적절한 내분비요법 후의 재발

---

* 에스트로겐 estrogen
난포호르몬 또는 여성호르몬이라고도 합니다. 하수체전엽에서 분비되는 성선자극호르몬의 자극으로 난포와 황체에서 분비되는 성스테로이드호르몬입니다. 이 에스트로겐은 남성호르몬의 분비를 억제하는 작용이 있어서 전립선암에도 억제적으로 작용합니다.

그림34 전립선암의 병기분류의 모식도

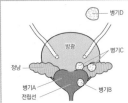

병기D

방광

병기C

정낭

병기A
전립선

병기B

병기A : 전립선비대증의 절제표본 중에서 우연히 발견된 것
(latent cancer)
병기B : 직장검사에서 stony hard(+), 피막에 미치지 않은
전립선 내의 암침윤
병기C : 암침윤이 정낭, 방광경부에 미쳐 있으며, 40~80%
에서 림프절 전이(+)
병기D : 전이(+)인 것

표11 전립선암의 TNM분류

T-원발종양		
TX	원발종양의 평가가 불가능	
T0	원발종양을 확인할 수 없다	
T1	촉지 불능, 또는 영상진단이 불가능한 임상적으로 분명하지 않은 종양	
	T1a	조직학적으로 절제조직의 5% 이하의 우발적으로 발견되는 종양
	T1b	조직학적으로 절제조직의 5%를 넘는 우발적으로 발견되는 종양
	T1c	전립선특이항원(PSA)의 상승 등으로 침생검에 의해 확인되는 종양
T2	전립선에 국한되는 종양†1	
	T2a	편측엽의 1/2 이내의 종양
	T2b	편측엽의 1/2를 지나서 확대되지만, 양측엽에는 미치지 않는다
	T2c	양측엽에 발생
T3	전립선피막을 지나서 침윤하는 종양†2	
	T3a	피막외로 침윤하는 종양(일측성, 또는 양측성), 현미경적인 방광경부로의 침윤을 포함한다.
	T3b	정낭에 침윤하는 종양
T4	정낭 이외의 인접조직(외조임근, 직장, 거근, 및/또는 골반벽)에 고정, 또는 침윤하는 종양	
N-부위림프절		
NX	부위림프절 전이의 평가가 불가능	
N0	부위림프절 전이가 없음	
N1	부위림프절 전이가 있음	
M-원격전이		
M0	원격전이가 없음	
M1	원격전이가 있음	
	M1a	소속림프절 이외의 림프절 전이
	M1b	골전이
	M1c	림프절, 골 이외의 전이

†1 침생검으로 편측엽, 또는 양측엽에서 발견되는데, 촉지 불능, 또 영상으로 진단할 수 없는 종양은 T1c으로 분류한다.
†2 전립선첨부, 또는 전립선피막 내의 침윤(단, 피막을 넘지 않는다)은 T3가 아니라, T2로 분류한다.

(UICC일본위원회 : TNM악성종양의 분류, 제7판 일본어판, pp.230-231, 금원출판, 2010)

💊 증상

초기에는 거의 증상이 없습니다. 이것은 주변구역(외선)에서 발생하는 경우가 많기 때문입니다. 암의 증식에 따라서 요도를 압박폐색하게 되면, 전립선비대증과 유사한 증상을 나타냅니다. 실제로 많은 증례가 전립선비대증을 합병하고 있습니다. 또 골전이에 의한 통증도 나타납니다.

자각증상으로 진료받고, 본증이라고 진단받는 증례의 약 80%는 이미 국소침윤(그림35) 또는 원격전이례, 즉 병기C 또는 D입니다.

그림35 호소환자의 전립선암의 침윤도

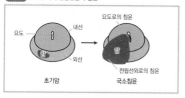

💊 진단

전립선비대증을 의심케 하는 배뇨장애나 방광자극증상이 나타나거나, 혈뇨나 골전이증상이 확인되어 비뇨기과(골의 통증이 주소라면 정형외과인 경우도 있다)를 수진하여 진단하는 패턴과, 무자각 중에 검진으로 본증이 의심스러워서 정밀검사 후 조기에 발견하는 패턴으로 크게 나눌 수 있습니다.

💊 검사

 진단은 직장손가락검사, PSA, TRUS, MRI로 한다
단, 확정진단은 전립선생검으로 한다

검진에서는 직장손가락검사나 종양표지자측정이 시행되는 외에 일보 전진하여 경직장 초음파검사나 MRI에서 전립선의 상태를 나타내고, 범위를 좁혀서 생검하여 확정진단에 이릅니다.

💊 직장손가락검사

직장에 인접해 있는 주변구역이 호발부위이므로, 암이 전립선에 국한되어 있는 단계에서는 전립선 내에 돌같이 단단한(stony hard) 상태로 촉지할 수 있습니다. **전립선피막외에 침윤하면**, 전립선은 울퉁불퉁하고 변연이 불규칙한 상태(마치 별사탕을 만지는 느낌)를 나타냅니다. 또 주변 조직까지 침윤하면 측구(側溝)가 불분명해지고 널빤지처럼 단단해집니다. 또한 전립선으로서의 가동성도 보이지 않게 됩니다.

💊 전립선 특이항원 prostate specific antigen (PSA)

PSA는 전립선의 선상피세포에서 분비되는 단백질이지만, 전립선암세포도 PSA를 분비하므로, 전립선암에서는 높은 수치를 나타냅니다. 따라서 전립선암의 종양표지자로 매우 유용합니다.

💊 경직장 초음파검사 transrectal ultrasonography (TRUS)

전립선은 본래 작은 장기이며, 원칙적으로 병변부가 저에코를 나타내므로, 비교적 쉽게 변화가 소견이 되어 나타납니다(그림36). 그러나 실제로는 높은 에코 또는 같은 에코인 경우도 있으며, 조기 병변에서는 나타나지 않는 경우도 있습니다.

그림36 전립선암의 경직장초음파영상

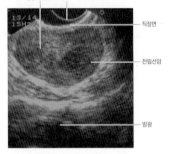

정상 전립선　프로브

직장면

전립선암

방광

● MRI

T2강조영상에서는 정상인 이행 구역과 중심 구역은 저신호, 또 정상인 주변 구역은 고신호를 나타냅니다. 이 때문에, 주변 구역에 존재하는 **전립선암**은 고신호영역 내의 저신호상으로 나타납니다(그림37 왼쪽).

근년 들어 확산강조영상이 진단이 유용하다는 보고도 흔히 볼 수 있습니다(그림37 오른쪽).

그림37 전립선암의 MRI축영상의 T2강조영상(좌)**과 확산강조영상**(우)

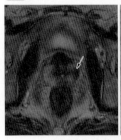 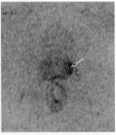

본 증례는 62세 남성입니다.
PSA 4.25ng/mL이었는데, MRI T2강조영상과 확산강
조영상에서 좌측외선에 이상(화살표)을 확인하고, 경회음
적 침생검을 시행한 결과, 같은 부위에서 Gleason 4+3,
중분화형 선암이 발견되었습니다.

● 전립선 침생검

경직장적(때로 회음식)으로 바늘을 삽입하는 생검으로, 이것이 확정진단이 됩니다. 전립선암이 확인된 경우는 CT로 병기진단을, 골 신티그래피에서는 원격전이의 유무를 검사합니다.

● CT

골반 내 림프절로의 전이 유무(전립선의 부위림프절은 총장골동맥 분기부 이하의 폐쇄림프절)와 보존적 치료 후의 효과를 판정할 목적으로 시행됩니다. 단, 전립선암이 전립선 내에 국한되어 있는 초기병변에서는 내부구조의 판별력이 높지 않아서 그다지 유용하지 않습니다.

● 신티그래피

99mTc-MDP나 HMDP에 의한 신티그래피에서 골전이부위에 집적이 보입니다(그림38). 전립선암은 골형성성 병변을 종종 만듭니다.

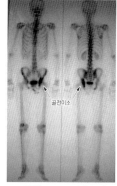

그림38 전립선암의 골 신티그램

골전이소

정면상　　　배면상(背面像)

● 치료

전립선전절제술, 내분비요법, 방사선조사가 유효
단, 내분비요법에서는 호르몬불응성이 되어 재발하는 수가 있다

● 병기별 치료

전립선암도 병기마다 치료법이 다릅니다. 따라서 병기에 맞추어 외과적 요법, 내분비요법, 방사선요법을 합니다. 교과서적으로 정리하면, 표12와 같습니다.

표12 전립선암의 병기별 치료법

병기IA	A1(우발암†)	무처치로 경과관찰
	A2	전립선전절제술
병기IB	전립선전절제술(+방사선요법+내분비요법)	
병기IC	(전립선전절제술+) 방사선요법+내분비요법	
병기ID	내분비요법(+화학요법)	

† 전립선비대증이라고 진단하고 외과적 치료를 했을 때에, 조직학적 검색에서 우연히 발견된 암

● 전립선전절제술 total prostatectomy

방광경부~정낭~전립선(외과적 피막 포함)을 치골후식으로 절제하고(p.206 그림39), 방광요도문합을 하는 수술식입니다. 교과서적으로는 병소가 전립선 내에 국한되어 있는 T1~T2, 또는 A2~B2까지 대상 증례로 하는데, 최근 들어 C까지 적응이 확대되었습니다.

수술 중 합병증에는 전립선의 배측(背側)에 있는 심음경배정맥에서의 출혈과 직장의 손상이 있습니다.

수술 후 합병증에는, 수술 시에 막양부 요도를 박리할 때, 그 외측에 있는 외요도괄약근이 손상되어 생기는 요실금이 있습니다. 또 문합부에서의 소변 누출을 예방하기 위해서 너무 꼼꼼히 봉합하면 요도협착이 생길 수도 있습니다. 발기신경은 전립선과 접하여 주행하고 있어서, 술자에게는 신경혈관다발로 인식됩니다. 따라서 신경을 보존하려는 경우에는 수술 중의 조작을 신중히 하지 않으면 **발기부전**을 초래하게 됩니다.

회음식은 수술 침습이 작지만, 림프절절제가 어려워집니다. 최근 들어 침습이 적고 수술 후 통증이 경감되는 복강경하 전립선전절제술, 로봇지원 전립선전절제술도 흔히 이용되고 있습니다.

전립선전절제술 후 10년 이상의 경과관찰에서 약 1/4에서 재발이 확인되었습니다. 그러나 전립선암은 증식속도가 매우 느리고, 또 설사 재발해도 후에 기술하는 내분비요법이라는 유효한 치료법이 있어서, 상기의 병기에서는 암으로 사망하는 일 없이 남은 수명을 온전히 지낼 수 있는 증례도 흔히 볼 수 있습니다.

그림39 전립선전절제술

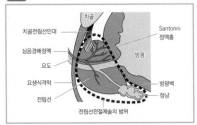

● 내분비요법

전립선암의 발육이 안드로겐으로 촉진되고 에스트로겐으로 억제되는 특징을 이용한 요법입니다. 이 내분비요법은 매우 뛰어난 치료법이지만, 치료 중에 암이 호르몬불응성이 되어 재발하는 증례를 흔히 볼 수 있습니다.

- ● 거세술 : 테스토스테론을 분비하는 고환을 제거하는 견해에 근거하여 양측 고환절제술을 하는 것입니다. 최근 들어 고환절제술을 한 것과 완전히 똑같은 효과를 얻을 수 있는 다음에 기술하는 약물적 거세도 시행되고 있습니다.
- ● LH-RH요법 : 고농도의 LH-RH(LH-RH 작용제)를 지속적으로 투여하면, 투여 직후에 일과성 테스토스테론 수치의 상승이 확인된 후(이것을 flare up이라고 한다), LH의 분비가 현저히 감소되고, 테스토스테론 수치가 거세레벨까지 저하됩니다. 이것을 약물적 거세라고 합니다. 에스트로겐제에서 나타나는 심혈관계 합병증도 없습니다.
- ● 항안드로겐요법 : 스테로이드성 항안드로겐제나 비스테로이드성 항안드로겐제를 투여하고, 전립선암세포 내의 안드로겐 리셉터를 저해하여 항암작용을 발휘하는 치료법입니다.

●에스트로겐요법 : 에스트로겐은 간뇌·하수체계를 억제하고 FSH와 LH분비를 저해하며, 그 결과 고환의 테스토스테론 합성효소를 저해함으로써 항종양 효과를 발휘하는 작용과 전립선에 직접 작용하여 항종양 효과를 발휘하는 작용의 2가지가 있습니다.

임상상은 합성에스트로겐제인 **인산디에틸스틸베스트롤**이나 에스트로겐과 항암제의 합제인 **인산에스트라무스틴나트륨**을 사용합니다. 그러나 혈전성 정맥염이나 폐색전증이라는 혈관병변이나 심전도이상 등의 치명적인 부작용이 나타나므로, 이 치료법은 주의 깊게 해야 합니다.

● 방사선요법

외조사요법과 소선원(小線源)요법이 있습니다.

전립선암의 **방사선감수성이 비교적 낮으므로**, 외조사에서는 총선량으로 70Gy의 조사가 필요합니다. 병기B 및 C가 그 대상이 되며, 전립선전절제술과 거의 동등한 치료효과를 거두게 됩니다. 골전이로 생기는 통증에는 이 방사선요법이 효과적입니다. 부작용으로 직장장애가 있지만, 수술요법에 비해 치료 후의 QOL이 높다는 이점이 있습니다. 또 현재는 외조사에 의한 방광이나 직장의 장애를 저감되어, 리니악을 사용한 강도변조 방사선치료나 3차원원체조사가 시행되고 있습니다.

조직내조사를 목적으로 하는 소선원(小線源)요법은 전립선 내에 ^{125}I 의 선원을 영구자입하는 방법입니다. 적응은 종양이 작고, 전립선 내부에 국한되어 있는 증례뿐입니다. 구체적으로는 T2a이하, Gleason score에서 6이하, PSA 10ng/mL 미만인 경우뿐입니다. 또 T2b~T2c 또는 Gleason 8~10 또는 PSA>20ng/mL인 경우에는 외조사와 병용하기도 합니다.

● 화학요법

전립선암에는 화학요법의 단독치료는 유효하지 않지만, 최근 들어 내분비요법 재발암에 알카로이드계 항암제인 **도세탁셀**(docetaxel) (탁소텔®)이 사용되고 있습니다.

G 고환종양
testicular tumor

 고환종양이 다른 악성종양과 가장 다른 점은 "본 종양이 의심스러운 경우는 생검을 하지 않고(생검은 금기), 고위 고환절제(적출)술을 하고 나서 확정진단을 한다"는 것입니다. 또 이미 전이가 확실한 증례라도 반드시 고위 고환절제술(high orchiectomy)을 합니다.

STEP
• 호발 연령은 3봉성이며, 호발하는 조직형이 각각 다르다
• 반수 가까이가 정상피종 seminoma

● 역학

발생빈도는 요로성기 악성종양의 3%로, 비교적 드문 종양입니다. 호발 연령에는 0~4세, 20~40세, 50~60세의 3개의 피크가 있는데, 이 중 20~40세가 가장 큰 피크입니다.

● 원인

종래부터 정류고환, 고환염, 외상, 에스트로겐 등이 원인으로 지적되었지만, 아직까지 인과관계는 밝혀지지 않았습니다. 정류고환에서는 정상 고환에 비해 약 10배의 빈도로 고환종양이 발생하며, 앞에서 기술한 고환고정술(☞ p.107)을 해도 그 빈도는 변함이 없습니다.

● 병리

● 병리조직

정확한 분류로, '비뇨기과 · 병리 고환종양 취급규약'에 의한 것이 있지만, 여기에서는 그중의 기본적인 것에 관하여 표13에 정리하였습니다. 의학생에게 중요한 것은 I의 생식세포종양, 그중에서도 단일형입니다. 이 단일형은 치료 방침에 따라서 **정상피종**과 그 이외, 즉 **비정상피종**으로 나누어 생각합니다. 정상피종은 조정세포형성의 요소가 분화하여 종양화한 것이며, 비정상피종은 태아형성이나 태반형성의 요소가 분화하여 종양화한 것입니다.

또 침윤의 패턴은 조직형에 따라서 다릅니다. 정상피종에서는 우선 림프행성으로 신경부림프절로 전이되고, 융모막암종에서는 혈행성으로 폐 등에 전이됩니다.

표13 고환종양의 병리조직학적 분류

I 생식세포종양	II 비생식세포종양, 성삭/성선간질종양
A. 정세관내 악성생식세포	A. 단일형
B. 단일형	1) Leydig세포종
1) 정상피종 　　　　　┐	2) Sertoli세포종
2) 정모세포성 정상피종 ┘ 정상피종	3) 과립막세포종
3) 배아암종 　　　　　┐	4) 맥막세포종/섬유종군종양
4) 난황낭종양 　　　　│	B. 불완전분화형 성삭/성선간질종양
5) 다배아종 　　　　　├ 비정상피종	C. 혼합형
6) 융모막종 　　　　　│	D. 분류불능형
7) 기형종 　　　　　　┘	
C. 혼합형	

(일본비뇨기과학회 · 일본병리학회편 : 비뇨기과 · 병리 고환종양취급규약, 제3판, p.40, 금원출판, 2005에서 발췌.
ⓒ 일본비뇨기과학회)

● **정상피종 seminoma** : 전 고환종양의 약 40%를 차지하며, 발증 연령의 피크는 20~50대입니다(10세 이하는 드물다). 약 60%가 단일형 종양, 나머지 40%가 혼합형으로 다른 성분도 가졌습니다. 종종 림프행성 전이를 나타내지만, 예후가 양호하여 5년 생존율이 90% 이상에 이릅니다(p.209 그림40).

그림40 정상피종의 병리조직 H-E염색표본(99-Ⅰ-29)

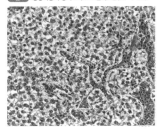

밝은 포체를 가진 종양세포가 다수 확인됩니다. 또 간질에는 림프구침윤(테두리)도 확인됩니다.

- ●정모세포성 정상피종 spermatocytic seminoma : 40세 이후에 피크가 보이고, 대부분은 단일형을 나타냅니다. 전이가 드물고, 예후도 양호합니다.
- ●배아암종 embryonal carcinoma : 태생의 극히 초기 단계에 해당하는 종양성 변화를 나타내는 생식세포종으로, 정상피종에 이어서 많이 나타납니다. 분화 능력이 있어서, 기형종, 난황낭종양, 섬모암을 수반하는 경우가 있습니다. 청장년기에 발병의 피크가 보이며, 림프행성 전이가 많고, 예후가 불량합니다.
- ●난황낭종양 yolk sac tumor : 쥐의 난황낭과 유사한 조직상 때문에 이 명칭이 붙었습니다. 단일형이 많아지고 있습니다. α-FP(☞ p.212)가 높은 수치를 나타내는 경우가 많아서 진단에 유용하며, 치료효과에 따라서 저하됩니다. 발병의 피크는 유아기입니다.
- ●융모막암종 chorionic tumor : 단일형을 나타내는 경우는 드뭅니다. 융모성선자극호르몬(☞ p.212)이 높은 수치를 나타내고, 역시 치료효과에 따라서 저하됩니다. 혈행전이가 쉽고, 예후가 매우 불량합니다.
- ●기형종 teratoma : 내, 중, 외배엽 중 적어도 2가지 요소를 가진 종양이며, 배아암종보다 분화가 진행되어 있지만 그 정도가 각각 다르며, 성숙기형종, 미숙기형종, 악성부분을 수반하는 기형종의 3가지 아형으로 나누어집니다.
- ●다배아종 polyembryoma : 매우 드물고, 대부분은 배아암종이나 기형종에 합병됩니다.

🍠 병리조직형과 호발 연령

고환종양은 피크 연령마다 조직형이 다른 점도 특징입니다(표14).

또 고환종양에서 차지하는 악성림프종의 빈도는 약 5% 정도이지만, 고령자에게 흔히 나타납니다. 이 악성림프종은 고환 원발인 것과 전신성 악성림프종이 고환에 전이된 경우가 있는데, 후자가 많으며 예후도 매우 불량합니다.

표14 호발연령별 고환종양조직형

피크연령	조직형
영유아기(0~4세)	난황낭종양, 기형종이 많다
청장년기(20~40세)	정상피종, 태생기암이 많다
노인기(50~60세)	악성림프종, 정모세포성 정상피종이 많다

🔵 고환종양의 분류

일본비뇨기과학회 병기분류와 TNM분류를 표15 및 표16에 정리하였습니다.

표15 고환종양의 일본비뇨기과학회 병기분류(2005년)

Ⅰ기 : 전이를 확인할 수 없다		
Ⅱ기 : 횡격막 이하의 림프절에서만 전이를 확인한다		
ⅡA	후복막전이소가 최대 지름 5cm 미만인 것	
ⅡB	후복막전이소가 최대 지름 5cm 이상인 것	
Ⅲ기 : 원격전이		
Ⅲ0	종양표지자가 양성이지만, 전이부위를 확인할 수 없다	
ⅢA	종격 또는 쇄골상림프절(횡격막 이상)에서 전이를 확인하지만, 그 밖의 원격전이를 확인할 수 없다	
ⅢB	폐에 원격전이를 확인한다	
	B1	하나의 폐야에서 전이소가 4개 이하이고 최대 지름이 2cm 미만인 것
	B2	하나의 폐야에서 전이소가 5개 이상, 또는 최대 지름이 2cm 이상인 것
ⅢC	폐 이외의 장기에서도 원격전이를 확인한다	

(일본비뇨기과학회·일본병리학회편 : 비뇨기과·병리 고환종양취급규약, 제3판, p.40, 금원출판, 2005에서 발췌, ⓒ 일본비뇨기과학회)

표16 고환종양의 pTNM분류와 TNM분류

pT-원발종양	
pTX	원발종양의 평가가 불가능(근치적 고환절제술이 시행되지 않은 경우에는 TX의 기호를 사용한다)
pT0	원발종양을 확인할 수 없다(예를 들면, 고환에서의 조직학적 반흔)
pTis	정세관 내 생식세포종양(상피내암)
pT1	혈관/림프관 침습을 수반하지 않는 고환 및 부고환에 국한되는 종양. 침윤은 백막까지로, 초막에는 침윤되지 않은 종양
pT2	혈관/림프관 침습을 수반하는 고환 및 부고환에 국한되는 종양. 또는 백막을 지나서, 초막으로 침윤하는 종양
pT3	혈관/림프관 침습에는 관계없이, 정삭에 침윤하는 종양
pT4	혈관/림프관 침습에는 관계없이, 음낭에 침윤하는 종양
N-부위림프절	
NX	부위림프절 전이의 평가가 불가능
N0	부위림프절 전이 없음
N1	최대 지름이 2cm 이하의 단발성 또는 다발성 림프절 전이
N2	최대 지름이 2cm를 넘고, 5cm 이하의 단발성 또는 다발성 림프절 전이
N3	최대 지름이 5cm를 넘는 림프절 전이
M-원격전이	
M0	원격전이 없음
M1	원격전이 있음
	M1a	부위림프절 이외의 림프절 전이, 또는 폐전이
	M1b	부위림프절 이외의 림프절 전이와 폐전이를 제외한 원격전이

(UICC암위원회역 : TNM악성종양의 분류, 제7판 일본어판, pp.236-237, 금원출판, 2010)

🔵 증상

음낭내용의 종대(p.211 그림41)가 초발증상입니다. 이 종대는 무통성이므로, 상당히 종대된 후에 비뇨기과를 찾는 경우가 종종 있습니다. 음낭내 종류의 감별진단(p.17 표3)을 참조하십시오.

배아암종이나 융모막암종은 조기부터 혈행성으로 전이되기 쉬우므로, 복부종물이나 복통 등의 전이증상이 초발증상이 되거나, 건강진단에서 흉부의 이상음영(폐전이)으로 진료받는 경우도 있습니다. 또 융모막암종에서는 hCG분비로 유방의 통증을 나타내는 증례도 있습니다.

본 증례에서는 크게 발육된 종양에 의해 음경이 매몰되어 있습니다.

검사

STEP 대표적 종양표지자는 난황낭종양의 AFP와 융모성종양의 β-hCG

초음파검사

우선 초음파검사를 하여 음낭수종(☞ p.271)과 감별합니다. 이어서 음낭내 종류가 고환 그 자체인지 고환 외부의 것인지, 촉진으로 만져지는 부위 이외에도 종물이 있는지, 언뜻 보기에 정상으로 보이는 반대 측에 이상은 없는지 등을 검사합니다(p.17 표3).

고환종양의 초음파소견(그림42)은 종양의 조직형으로 존재합니다. 예를 들면, 정상피종에서는 저에코로 균일하여, 주위와 확실히 구별할 수 있는 경우가 종종 있습니다. 음낭 내에서 실질성종양을 나타내는 저에코상이나 불규칙한 에코상을 확인하면 고환종양이 매우 의심스럽습니다.

그림42 고환종양의 초음파영상

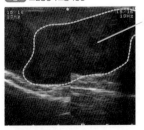

고환종양

그 밖의 영상검사

전이의 유무는 CT로 검색합니다. 예전에는 림프관조영을 했지만, 침습성이 커서 이제는 거의 시행되지 않습니다.

● 종양표지자

α-페토프로테인[*1]과 융모성선자극호르몬[*2]이 대표적입니다. 통상은 1세가 지나면 AFP가 음성이 되는데, 난황낭종양, 배아암종, 기형암(배아암종과 기형종의 복합조직형)에서는 대부분 높은 수치를 나타냅니다. 한편, 정상피종의 단일형이나 융모막종에서는 확인되지 않습니다. β-hCG는 융모막암성분이 포함되는 고환종양에서 종종 높은 수치를 나타냅니다.

유산탈수소효소[*3]는 특이성이 낮지만, 높은 수치를 나타내는 경우는 비정상피종의 예후불량을 시사하는 지표가 됩니다.

종양표지자는 병기의 결정 및 조직진단 외에, 치료효과나 재발의 판정에도 유용합니다.

● 진단

- 고환종양도 생검은 절대 금기
- 확정진단은 고위 고환절제술(high orchiectomy)로 한다

본 항의 처음에도 기재했듯이, 고환종양의 확정진단에는 생검이 금기이며, 고위 고환절제술[*4](그림43)을 하여 진단을 내립니다.

[그림43] 고환종양의 적출표본(단면)

이 표본은 정상피종, 배아암종, 기형암의 혼합종양증례입니다. 고환이 모두 종양화되어, 정상 고환은 보이지 않습니다.

[*1] α-페토프로테인 α-fetoprotein (AFP)
태아에서 특유의 단백입니다. 태생기 초기에는 난황낭이고, 이후에는 내배엽, 간에서 생산되며, 태아 혈청 속으로 방출됩니다. 생후 머지않아 생산이 정지되고, 알부민이 이것을 대신합니다. AFP는 성인에게는 종양표지자로 이용됩니다.

[*2] 융모성선자극호르몬 β-human chorionic gonadotropin (β-hCG)
임신 중에 태반에서 생산되는 당단백호르몬으로, 임신 초기에 월경황체를 임신황체로 변화시켜서 임신을 유지하고, 태아의 고환에 작용하는 남성기의 분화를 돕습니다. AFP와 마찬가지로, 성인에게는 종양표지자로 이용됩니다.

[*3] 유산탈수소효소 lactate dehydrogenase (LDH)
해당계의 최종 단계에서 유산으로 수소를 빼앗아 피루빈산으로 만드는 효소로, 5종류의 아이소자임이 있으며, 심근, 적혈구, 간장, 근골격 등에 널리 분포되어 있습니다. 이 LDH는 간염, 심근경색, 용혈성빈혈, 백혈병, 악성종양 등에서 증가합니다.

[*4] 고위 고환절제술 high orchiectomy
단순히 고환을 절제하는 것이 아닙니다. 본법은 고샅부에 피부 절개를 하여 고샅인대를 따라서 고샅관을 열고, 내고샅륜의 높이에서 정삭을 결찰·절단한 후에, 음낭내용(고환, 부고환)을 한 덩어리로 적출하는 방법입니다. 이와 같이 환부로의 접근도 수술 내용도 단순한 고환절제술과는 다릅니다.

🔵 치료

확정진단을 위한 고위 고환절제술(high orchiectomy)은 치료도 겸하고 있습니다. 이와 같이 본증의 치료는 고위 고환절제술을 하고 조직학적 진단을 내리는 데서 시작합니다. 그리고 CT 등을 추가하여 TNM분류가 이루어집니다.

실제 치료는 정상피종과 비정상피종으로 분류됩니다(그림44). 이것은 정상피종은 방사선감수성이 높고 비정상피종은 낮기 때문입니다.

또 고환종양은 방광암과 더불어 화학요법에 대한 감수성이 높아서, 병기 II 이상에서는 고위 고환절제술 후에 화학요법을 시작합니다.

화학요법은 BEP(블레오마이신(bleomycin), 에토포시드(etoposide), 시스플라틴(cisplatin)의 3제 병용) 요법이 표준입니다. 난치례에는 초대량 화학요법이 시도되고 있습니다. 이 경우, 골수억제에는 자가말초혈줄기세포이식의 병용으로 대응합니다. 고환종양은 호발 연령이 비교적 젊어서, 장기도 건강하고, 화학요법 감수성이 높은 점에서 이와 같은 치료가 가능합니다.

그림44 고환종양의 치료계획

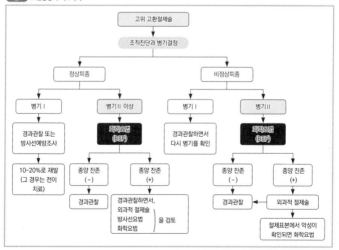

H 요도종양
urethral tumor

① 악성종양 malignant tumor

● 역학

요도악성종양은 매우 드문 질환입니다. 발생 빈도는 남 : 여=1 : 3~4로, 요로상피악성양종중에는 드물게 여성이 높은 종양입니다.

● 여성
- 요도암 : 외요도부나 음부요도부에 편평상피암이 발생하는 경우가 많으며(그림45), 예후가 불량합니다.
- 요도육종 : 대부분이 흑색육종으로, 고령자에게 많고, 예후가 매우 불량합니다.

● 남성
- 요도암 : 구부를 포함한 후부요도에 편평상피암이 흔히 나타나며, 예후가 불량합니다.
- 요도육종 : 드물지만, 소아에게는 포도상육종이라는 형태로 확인되는 경우도 있습니다.

[그림45] 요도종양(여성)

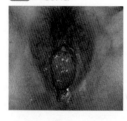

본 증례는
외요도구 부근에서
발생한 종양입니다.

● 증상·치료

주요 증상은 출혈(하의에 피가 묻는 등), 육안적 혈뇨, 배뇨곤란, 배뇨통 등입니다.

치료는 비침윤성인 경우는 경요도적 절제 등에 의한 종양절제를 합니다. 침윤을 확인하는 경우는 여성에게는 요도전절제를, 남성에게는 음경전절제를 합니다.

화학요법은, 편평상피암에는 블레오마이신(blemycin)을 사용합니다.

② 양성종양 benign tumor

요도카룬클(urethral caruncle), 요도폴립, 요도유두종 등이 있습니다. 발생 빈도는 악성종양과 마찬가지로, 남<여입니다. 여성의 경우는 요도카룬클이 가장 많습니다.

■ 요도카룬클 urethral caruncle

중년 이후의 여성에게 비교적 흔히 나타나는 것으로, 대부분은 요도출혈(하의에 피가 묻는다)을 주소로 내원합니다.

외요도구 근처의 요도후벽(6시방향)에 발생하는 경우가 많고, 평면 평활, 적흑색을 나타내며, 쌀알~콩 크기의 혈관이 풍부한 부드러운 종류(그림46)로 다발하여 나타나며, 이 경우는 시진으로 진단할 수 있습니다.

치료는 전기응고나 외과적 절제를 합니다.

그림46 **요도카룬클(여성)**

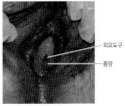

외요도구
종양

Ⅰ 음경암
penile cancer

STEP
- 원인은 포경과 HPV이며, 대부분 편평상피암
- 림프행성으로 고살림프절에 전이되기도 한다
- 뾰족콘딜로마와의 감별이 포인트
- 종양표지자의 SCC가 높은 수치를 나타낸다

● 역학·원인

남성요로성기 악성종양의 수%로 비교적 드문 질환입니다. 호발 연령은 50~60대로, 포경에 흔히 나타납니다(음경암의 포경합병률은 70% 이상이라는 보고도 있다). 또 사람유두종바이러스(HPV)도 원인의 하나입니다. 조직학적으로는 90% 이상이 편평상피암입니다.

포경에서는 귀두지가 쌓이기 쉬우며 이의 만성적 자극이 발암에 작용합니다. 따라서 어른이 된 후에 포경수술을 하면 예방효과가 없는 것 같습니다.

포경에 생긴 백판증[*1], Queyrat 홍색 형성증[*2], 유방외Paget병[*3]은 음경암의 전암상태이므로, 취급에 주의해야 합니다.

● 증상

호발 부위는 귀두 및 관상구입니다. 홍반이나 소구진에서 시작되어, 발육됨에 따라 유두상증식형 또는 궤양침윤형(안쪽으로 침윤하는 경향이 강하다)을 나타냅니다(p.216 그림47).

자각증상으로 통증, 배뇨통, 가려움증, 세뇨 등이 나타납니다.

[*1] 백판증 leukoplakia
　음부, 구강, 구순의 점막에 생긴, 경계가 명료한 백색의 각화성 병변으로, 암의 전구병변입니다.

[*2] Queyrat 홍색 형성증 erythroplasia of Queyrat
　상피내암인 Bowen병이 귀두에 생긴 것으로, 홍색 벨벳상 병변을 나타냅니다.

[*3] 유방외 Paget병
　아포크린 땀샘의 표피내암으로, 외음부, 항문, 액와에 호발합니다.

음경은 백막이나 Buck근막으로 덮여 있어서, 종양이 해면체에 침윤하는 경우가 비교적 적으며, 오히려 근막이 얇은 귀두부에서 침윤하여, 음경근부로 쉽게 진행됩니다.

혈행성 전이되는 경우는 드물고, 주로 림프행성으로 고샅림프절로 전이됩니다.

그림47 음경암

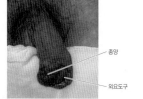

본 증례는 포피내판에서 발생하여, 바깥쪽으로의 발육과 동시에 귀두에도 침윤되어 있습니다.
치료는 음경부분절제술이 시행되었습니다.

- 종양
- 외요도구

● 분류

TNM분류(표17)와 Jackson분류(p.217 표18)를 이용하는 것이 일반적입니다.

표17 음경암의 TNM분류

T–원발종양	
TX	원발종양의 평가가 불가능
T0	원발종양을 확인할 수 없음
Tis	상피내암
Ta	사마귀모양 비침윤암[†]
T1	상피하결합조직에 침윤하는 종양
	T1a	상피하결합조직에 침윤하지만, 림프관 침습이 없고, 분화도가 낮지 않거나 미분화가 아닌 종양
	T1b	상피하결합조직에 침윤하고, 림프관 침습을 수반하거나 분화도가 낮거나 미분화된 종양
T2	요도해면체 또는 음경해면체에 침윤하는 종양
T3	요도에 침윤하는 종양
T4	다른 인접 조직에 침윤하는 종양
N–부위림프절	
NX	부위림프절 전이의 평가가 불가능
N0	촉지 또는 육안으로 확인할 수 있는 고샅림프절 비대 없음
N1	촉지 가능한 일측성의 가동성 고샅림프절이 1개
N2	촉지 가능한 일측성의 다발성 또는 양측성의 가동성 고샅림프절
N3	일측성 또는 양측성의 고정된 고샅림프절종물 또는 골반림프절종창
M–원격전이	
M0	원격전이가 없음
M1	원격전이가 있음

† 파괴적인 침윤을 수반하지 않는 사마귀성 종양.

(UICC일본위원회역 : TNM악성종양의 분류, 제7판 일본어판, pp.226–227, 금원출판, 2010)

표18 음경암의 Jackson분류	
stage I	암이 귀두 또는 포피에 국한되어 있다
stage II	암이 음경체부(해면체)에 침윤되어 있지만 전이가 없는 것
stage III	고샅림프절로의 전이가 있지만 원격전이는 없고, 근치수술이 가능하다고 판단되는 것
stage IV	암이 음경체부에서 더욱 심부로 침윤되거나 림프절 전이뿐 아니라 원격전이가 증명되고, 근치수술 불능으로 판단되는 것

🔵 감별

감별진단으로 중요한 것에 뾰족콘딜로마(☞ p.126)가 있지만, 육안소견, 표면의 성상, 경도 등에서 감별할 수 있습니다. 또 궤양이 되는 경우는 없습니다. 참고로 뾰족콘딜로마의 발생 원인은 인간유두종바이러스감염증입니다.

🔵 검사

생검에서 조직소견과 악성도를 결정하고, CT, MRI, 흉부 단순X선에서 병기를 진단합니다. 편평상피암의 경우는 종양표지자로 SCC*가 높은 수치를 나타냅니다. 또 고칼슘혈증을 나타내기도 합니다.

🔵 치료

확실한 Tis나 Ta이면, 국소적인 피부 절제나 레이저 조사, 방사선 조사, 항암제 연고에 의한 치료로 대응이 가능합니다.

T1이상에서는 음경부분절제, 음경전절제술(그림48) 등이 시행됩니다. 화학요법은 블레오마이신을 중심으로 시행됩니다.

그림48 음경전절제술을 한 음경암

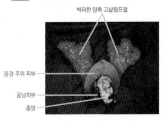

박리한 양측 고샅림프절

음경 주위 피부

음낭피부

종양

종양은 음경 배면의 전체에 퍼져 있습니다.

---

* SCC
편평상피암 관련항원 squamous cell carcinoma-related antigen의 약어입니다. 편평상피암이 생산하는 단백질입니다.

A 신혈관성 고혈압
renovascular hypertension

병태생리

신동맥의 주간 또는 주요 분지에 협착성병변이 생기면, 그보다 원위부의 신혈류량이 감소하고, 그 결과 레닌분비자극이 항진합니다. 그러면, 레닌·안지오텐신·알도스테론계(RAAS)가 항진하여 속발성 알도스테론증*을 일으킵니다. 그 결과 생긴 병태가 신혈관성 고혈압증(2차성 고혈압증)입니다(그림1).

그림1 신혈관성 고혈압증의 기본적 병태

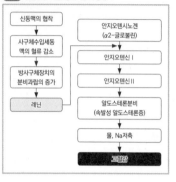

병리학적 원인

협착성병변의 원인에는 섬유근성 이형성, 죽상동맥경화, 대동맥염증후군의 3질환이 중요합니다. 또 신동맥류, 혈전, 색전, 동정맥류, 종양 등도 협착성병변을 일으키는 수가 있습니다.

섬유근성 이형성 fibromuscular dysplasia

원인은 불분명하지만, 동맥벽의 교원섬유나 평활근세포가 증식하여 내강을 협착하는 병태입니다. 신동맥의 원위부 말초 측에 호발하고(p219 그림2), 20대 여성에게 흔히 나타납니다.

죽상동맥경화 arteriosclerosis

동맥경화증의 부분증상의 하나로, 혈관벽이 죽종상으로 부풀어 올라 혈관내강이 협착되는 것입니다. 신동맥의 기시부(근위 1/3이내)에 호발합니다(p212 그림2). 고령 남성에게 흔히 나타납니다.

대동맥염증후군 aortitis syndrome

대동맥 및 그 기간분지동맥에 비특이적 염증이 생기고, 그 결과 일어난 혈관내강의 협착을 근거로 하는 일련의 증상을 총칭하는 것입니다. 신동맥의 경우는 근위부에 호발하고(p219 그림2), 20대 여성에게 흔히 나타납니다. 다카야수병(Takayasu's disease) 또는 무맥병(無脈病)이라고도 합니다.

---

* **속발성 알도스테론증** secondary aldosteronism
신혈류량 저하(신동맥협착 등), 순환혈액량저하(심부전, 간경변, 신증후군), 교감신경자극(갈색세포종, 갑상선기능항진증 등) 등에 기인하여, 레닌·안지오텐신·알도스테론계가 항진하여 생긴 병태로, 고Na혈증에 의한 고혈압을 일으킵니다.

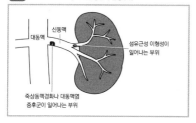

그림2 신혈관성 고혈증의 원인병변의 발생부위

대동맥

신동맥

섬유근성 이형성이
일어나는 부위

죽상동맥경화나 대동맥염
증후군이 일어나는 부위

● 증상

● 자각증상

본태성 고혈압과 마찬가지로, 초기에 후두부통을 호소하거나, 현기증, 시력장애, 피로, 순환기증상(동계나 호흡곤란 등), 소화기증상을 초래합니다. 고혈압의 가족력이 없는데 돌연 고혈압이 출현한 경우나, 20대 여성에게 고혈압이 생긴 경우, 또는 일반적인 본태성 고혈압이 생기는 연령보다 고령자(50세 이상 등)에게 생긴 경우는 본증을 의심합니다. 참고로 본태성 고혈압인 경우는 가족력이 있는 것이 일반적입니다.

● 타각증상

고혈압은 확장기혈압이 130mmHg 이상 등 지속적으로 높은 수치를 나타내는 것이 일반적입니다. 또 수축기혈압도 높아서 200mmHg 이상인 경우도 있습니다. 본증에서는 일반적으로 강압제에 저항성을 나타내지만, ACE저해제(안지오텐신환효소저해제)에 흔히 반응하는 경우는 본증의 의심이 농후해집니다.

동맥협착에 의한 혈관잡음(bruit)으로, 복부에서 수축기잡음을 청취합니다.

그 밖에 속발성 알도스테론증 때문에 저칼륨혈증이 흔히 나타나는 경우나 경도의 알칼리증, 현미경적 혈뇨, 단백뇨를 수반하기도 합니다.

● 진단의 진행법

· 복부청진으로 혈관잡음을 확인한다
· CT 혈관조영술이나 신동맥조영술과 좌우신동맥 레닌활성으로 진단 확정

병력의 청취 외에 위에서 기술한 자각증상과 객관적 소견, 그리고 안정 시 말초혈 레닌활성의 상승(좌우신정맥 레닌활성 측정과는 달리, 운동이나 체위 등의 다른 요인에 의해서 변동하므로, 진단 확정에는 사용하지 않는다), ACE저해제인 캅토프릴(captopril)을 사용하는 부하시험(혈압의 저하, 본래 높은 수치를 나타내는 레닌활성이 한층 더 상승하면 양성) 등을 스크리닝으로 실시합니다.

이 검사에 의해서 본증이 의심스러운 경우는 침습성이 낮은 검사를 순서대로 합니다. 예를 들면, MDCT (multidetcetor CT)나 CTA (CT angiography)로 신동맥의 상태를 검사합니다. 본증일 가능성이 한층 높아지면, 더욱 고정밀도의 영상을 얻을 수 있는 신동맥조영으로 진행합니다. 신동맥의 협착이 증명되면, 좌우신정맥혈 레닌활성을 측정합니다.

검사

MDCT, CTA

비침습적으로 혈관병변을 볼 수 있습니다(그림3). 중추부의 굵은 혈관의 해상도는 양호하지만, 말초의 분지혈관에서는 해상도가 저하되는 것이 결점입니다.

그림3 **신혈관성 고혈압증의 복부 CTA** (104-A-24)

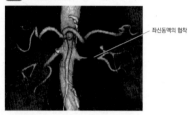

좌신동맥의 협착

신동맥조영

침습성이 높아서 입원하여 실시하는 검사이지만, 정밀도가 가장 높습니다. 본 검사에 이르기까지 협착부위가 상당히 좁아져 있어서 신동맥조영으로 협착부위를 정확히 확인하고(그림4), 계속해서 PTA(☞ p.221)로 치료합니다.

그림4 **신혈관성 고혈압증의 신동맥 조영 영상**

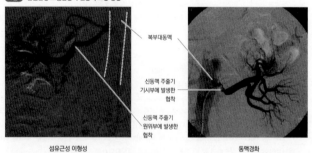

복부대동맥

신동맥 주줄기
기시부에 발생한
협착

신동맥 주줄기
원위부에 발생한
협착

섬유근성 이형성   동맥경화

좌우신정맥 레닌활성

조혈신의 레닌활성은 건측에 비해 1.5배 이상 상승해 있습니다. 또 레닌활성의 혈액 샘플링은 최소 4군데 (좌우 신정맥과 하대정맥의 신정맥 분지부의 상하)는 해야 합니다. 단, 본 검사는 침습성이 높아서, 스크리닝으로는 시행할 수 없습니다.

위에 기술한 영상검사로 병변부를 확인하면서, 본 검사로 진단을 확정합니다. 또 본 검사는 후에 기술하는 경피경관혈관성형술의 효과 판정에 사용되기도 합니다.

치료

외과적으로 협착부위의 확장과 혈관의 재건을 합니다.

또 혈압의 컨트롤 자체는 ACE저해제나 안지오텐신 수용체 길항제로 가능합니다. 단, 이 방법으로는 환측 신기능이 저하될 가능성이 있으므로, 외과적 치료를 시행할 수 없는 경우에 한합니다.

STEP 치료는 PTA와, PTA 실패증례에 대한 신혈행재건술

● 경피경관혈관성형술 percutaneous transluminal angioplasty (PTA)

대퇴동맥에서 협착부까지 카테터를 삽입하고, 풍선을 부풀려서 확장하는 것입니다(그림5). 침습이 적고, 반복해 시.시행할 수 있는 점이 장점입니다. 동시에 스텐트를 유치하기도 합니다.

성공률은 섬유근성 이형성에서는 높지만, 죽상동맥경화나 대동맥염증후군에서는 낮으며, 수술 후의 재발률도 높아집니다. 이 재협착은 balloon에 의한 확장이라는 외적자극에 대한 혈관벽의 수복 과정에서 내막에 과형성이 생겨서 일어나는 것입니다.

그림5 경피경관혈관성형술

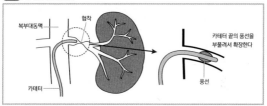

● 신혈행재건술 renal revascularization

PTA실패증례에 시행합니다. 비후된 내막을 절제하는 방법이나 인공혈관에 의한 바이패스성형술 등이 있습니다.

● 신장절제술 nephrectomy

협착이 단측성이며, 환신의 기능저하가 심해 거의 소실되어 있는 경우는 강압효과를 기대하며 신장절제술을 합니다.

B 신동정맥루
renal arteriovenous fistula

● 원인

신실질 내에서 동·정맥 사이에 단락이 생긴 상태입니다.

동정맥기형 등에서 기인하는 선천성인 것과, 외상이나 신생검·천자에 의한 의원성 그리고 신실질종양에 의한 후천성인 것이 있습니다.

● 증상

갑자기 누(瘻)가 파열되어 육안적 **혈뇨**를 일으킵니다. 대량으로 출혈하여 출혈성 쇼크에 빠지는 경우도 적지 않습니다. 션트 양이 많아지면, 심부전으로도 진행됩니다.

신부의 **떨림***이나 신부 청진에서 수축기잡음을 확인할 수 있습니다.

● 검사

통상의 초음파검사에서는 소견을 얻지 못하는 경우가 많은데, 컬러 도플러법에서는 혈류가 빠르고 혼란스러운 상태를 알 수 있습니다.

확정진단은 선택적 신동맥조영으로 이루어집니다. 이때는 **동맥영상에서도 신정맥으로의 조영제 유입**이 확인됩니다(그림6).

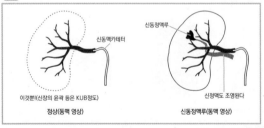

그림6 신동맥조영

신동맥카테터

이것뿐(신장의 윤곽 등은 KUB정도)

정상(동맥 영상)

신동정맥루

신정맥도 조영된다

신동정맥루(동맥 영상)

● 치료

심한 증상이 있는 경우는 선택적 신동맥조영을 실시하고, 에탄올이나 금속 코일을 사용한 선택적 신동맥색전술을 시행합니다.

신생검에 합병된 것은 자연치유례도 있으므로, 경과관찰합니다.

---

* **떨림 thrill**
규칙적이고 리드미컬(율동적)한 진동을 말하며, 주동근과 길항근이 교대로 운동하는 특징이 있습니다.

C 신동맥류
aneurysm of the renal artery

● 증상

신동맥류에는 선천성인 것과 후천성(외상, 매독, 결절성 다발동맥염, 동맥경화증 등에 의한 것)인 것이 있습니다.

무증상으로 경과 중에 다른 질환에 대한 CT, MRI, 혈관조영 등의 검사로 우연히 발견되는 것 외에, 복부 청진에서 수축기잡음을 확인하거나, 복부의 박동성 종물 촉지나 고혈압을 계기로 발견되는 경우가 많아지고 있습니다.

파열되면 극심한 측복부통이 나타나고, 출혈성 쇼크가 되기도 합니다.

● 검사

신결석, 신낭종, 신장암, 신석회화증, 신결해, 신동정맥루 등과 마찬가지로, KUB로 신부나 신문부에서 석회화상을 확인하는 경우에 의심스럽습니다.

확정진단은 초음파검사나 IVP 등으로 타 질환을 배제한 후, CT나 MDCT로 가능합니다.

● 치료

고혈압을 확인하고, 특히 혈압 컨트롤이 불량한 증례나 직경 2.5cm 이상의 크기인 것, 경과관찰 중에 크기가 증가하는 것 등과 같이, 파열 가능성이 있는 증례가 치료 대상이 됩니다. 그리고 그 정도에 따라서 동맥류 절제, 신장부분절제, 신장절제술이 적용됩니다.

D 신경색
renal infarction

● 원인

신동맥은 종말동맥이므로, 폐와 마찬가지로 경색을 일으키는 수가 있습니다. 원인은 심방세동 등의 심질환, 동맥경화, 외상, 수술, 혈관조영검사로 생기는 혈전이나 색전입니다.

● 증상

경색의 발증 시에 급격히 신부통증(요통, 측복부통인 경우도 있다), 혈뇨, 발열, 구역질, 구토 등의 증상이 나타납니다.

● 검사·감별

혈액, 생화학검사에서 백혈구가 증가하고, AST, ALT, LDH가 상승합니다.

또 신경색은 요로결석과의 감별이 포인트입니다. 그래서 초음파검사를 하면, 결석증으로 합병되는 경우가 많은 수신증이 본증에서는 확인되지 않습니다. 발병 직후는 경색부에 특별한 소견이 없지만, 24시간 이상 경과하면 저에코를 나타냅니다.

IVU에서 환측 신장의 배설 지연이 확인됩니다. 세부까지 소견을 판독할 수 있는 경우는 경색부가 신실질 영상에서 나타나지 않는 것을 알 수 있습니다(p.224 그림7).

CT에서는 경색부와 일치하여 저흡수역이 확인됩니다(p.224 그림8).

마지막으로, 신동맥조영으로 진단을 확정합니다. 경색부보다 말초의 혈관은 나타나지 않습니다. 상황에 따라서 조영검사 후, 동시에 혈전용해제에 의한 치료를 시행하기도 합니다.

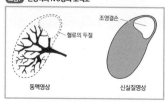

그림7 신경색의 IVU상의 모식도

조영결손
혈류의 두절

동맥영상　　　　신실질영상

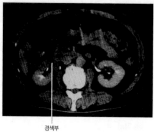

그림8 신경색의 복부조영CT

경색부

● 치료

발병 5일 이내에 혈전용해제인 우로키나제(urokinase)나 항응고제인 헤파린(heparin)을 투여한 경우는 신기능 보존이 가능하다는 보고도 있으므로, 조기 발견, 조기 치료가 중요합니다. 당연히 원인질환도 치료해야 합니다. 광범위한 경색이 일어나면 후일 고혈압이 나타날 가능성이 높아집니다.

혈전용해제나 항응고제가 효과가 없는 경우와 경색이 큰 경우는 신장부분절제나 신장절제술이 필요합니다.

E 특발성 신출혈
essential renal bleeding

임상적으로 혈뇨를 확인하는 이외에는 병적 소견이 보이지 않는 것으로, "원인불명의 신출혈"과 같은 말입니다. 실제로 혈뇨를 확인하고 여러 가지 검사를 시행해도 원인을 특정할 수 없는 경우가 있습니다. 이것을 정리하여 특발성 신출혈이라고 합니다. 질환명이라기보다 오히려 증후군이라고 생각하십시오.

본증에서 좌신출혈인 경우, 정밀검사를 하면 원인으로 넛크래커현상(nutcracker phenomenon) (p.225 그림9)이 발견되는 수가 있습니다. 이것은 좌신정맥이 복부대동맥과 상장관동맥 사이에서 마치 넛크래커(호두까는 도구)에 눌려 호두처럼 압박을 받아서, 좌신정맥내압이 상승하여 신출혈을 일으키는 현상입니다.

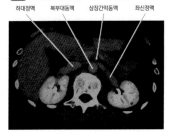

그림9 특발성 신출혈의 복부CT(넛크래커현상)

하대정맥　복부대동맥　상장간막동맥　좌신정맥

복부대동맥

좌신정맥

상장간막동맥

증상·감별

증상은 무증상성 현미경적 혈뇨 또는 육안적 혈뇨이며, 이 증상들은 지속적이거나 간헐적입니다. 일반적으로 신기능장애는 없습니다.

사구체병변을 배제하는 것도 포함하여, 신장에서의 원인불명의 출혈임을 밝히기 위해서 여러 가지 검사가 필요합니다.

치료

현미경적 혈뇨뿐인 경우는 경과관찰합니다.

방광경검사에서 육안적 혈뇨가 확인된 요관에는 카테터를 삽입하여 초산은용액(1% AgNO$_3$용액)을 신우내에 주입합니다. 이것으로 신우점막을 일시적으로 변성시킵니다.

전신적으로는 지혈제, 항플라스민제, 항알레르기제 등을 투여합니다. 신장절제술은 출혈이 너무 심하여 부득이한 경우 이외에는 하지 않습니다.

F 그 밖의 신혈관성 질환

1 신장유두괴사 renal papillary necrosis

원인

당뇨병을 기초로 신장유두부에 혈행장애가 생기고, 그곳에 세균감염이 일어나서 유두 끝이 괴사·탈락하여, 소변으로 배출되는 것입니다.

당뇨병 환자 외에, 페나세틴(phenacetin)*이나 아스피린(aspirin) 등의 진통제상용자나 겸상적혈구증환자 등에게 나타나는데, 비교적 드문 질환입니다. 페나세틴에 의한 신장유두괴사에는 신우종양이 발생한 경우가 있습니다.

---

* **페나세틴** phenacetin
주로 진통 목적으로 사용되던 해열진통제로, 장기·대량 복용으로 인한 중도의 신장장애나 신우·방광종양 등이 나타나서, 10여 년 전부터 공급이 정지되었습니다.

● 증상

중증감염증이므로, 오한전율로 시작되는 고열, 농뇨, 혈뇨, 괴사조직의 배설이 나타납니다.

● 검사·치료

배설성 요로조영을 하면, 신배원배부에서 유두의 탈락부위가 벌레 먹은 모양으로 보입니다.

치료는 항균제에 의한 화학요법을 합니다.

② 신피질괴사 renal cortical necrosis

● 원인

신피질에 관류하고 있는 세동맥 장애에 기인하는 질환입니다. 소아에게는 감염증, 쇼크나 탈수증, 용혈성 요독증증후군에 속발하여 나타납니다. 성인에게는 패혈증에 속발하는 경우가 있습니다. 또 여성에게는 임신 후기 태반조기박리일 때 대출혈의 합병증으로 생깁니다.

● 증상·치료

기초질환의 증상 외에, 혈뇨와 급성 신부전과 유사한 증상이 확인됩니다.

치료는 기초질환에 대해서 합니다. 신부전에 빠진 경우는 투석요법의 적용입니다.

③ 신정맥혈전증 renal vein thrombosis

● 원인

신정맥이 혈전으로 폐색되어, 신장에서 혈류가 나올 수 없게 되는 것입니다. 소아는 설사나 구토 등의 급격한 탈수가 원인이며, 성인은 막성신증이나 신증후군 등의 응고기능이 항진되는 병태에 기인하는 경우가 많아지고 있습니다.

● 증상

폐색이 갑자기 생기면 측복부통 외에 신장 주위의 염증으로 인한 발열이나 혈뇨가 확인됩니다.

본증은 완만하게 발병·진행되기도 하고(진행된 신장암이 신정맥에 침윤하여 종양색전을 일으키는 수가 있다), 그 경우는 무증상으로 경과하며, 때로 폐색전증으로 발병하기도 합니다. 이와 같이 완만하게 진행되는 것에서는 신장이 위축되어 기능도 저하됩니다.

● 검사·치료

초음파검사에서 신장의 종대를 확인할 수 있습니다. 정맥성 요로조영(IVU)에서는 환측신장은 조영되지 않습니다.

치료는 혈전용해제나 항응고제를 투여합니다.

신부전은 신장 기능이 현저히 저하된 상태입니다. 예전에는 몇 시간부터 며칠 단위로 신부전에 빠진 급성 신부전과 월 또는 연 단위로 경과하는 만성 신부전으로 분류되었습니다. 그러나 최근 들어 이 개념에도 변화가 생겨서, '급성 신부전은 급성 신장애의 병태의 일부', '만성 신부전은 만성 신장병의 병태의 일부'라는 새로운 개념으로 받아들이게 되었습니다.

A 급성 신장애와 만성 신장병

① 급성 신장애 acute renal injury (AKI)

'48시간 이내에 혈청 크레아티닌 수치(sCr)가 0.3mg/dL 이상 증가 또는 기준치의 1.5배 이상으로 상승하거나, 소변량 0.5mL/kg/hour 이하가 6시간 이상 지속되는 병태'라고 정의되어 있습니다.

급성 신부전에 관해서는 신기능의 레벨이 정해져 있지 않았습니다. 그러나 명확한 수치를 제시한 AKI 개념의 도입으로, 집중치료실에서의 조기 진단과 조기 치료가 가능해졌습니다.

이 AKI 개념의 도입으로, sCr과 소변량이라는 간편한 파라미터를 이용한 신장애의 정도가 분류(RIFLE분류 : 표1)되었습니다.

표1 RIFLE분류

	GFR에 의한 진단	소변량에 의한 진단	
위험(R)	sCr수치×1.5 〈 (기준치의 1.5배) or GFR 저하 〉25%	소변량 〈 0.5mg/kg/hour×6시간	중증도분류
장애(I)	sCr수치×2 〈 or GFR 저하 〉50%	소변량 〈 0.5mg/kg/hour×12시간	
기능부전(F)	sCr수치×3 〈 or GFR 저하 〉75% or sCr수치 〉 4mg/dL이며 0.5mg/dL의 급성 상승을 수반함	소변량(0.3mg/kg/hour×24시간 무뇨×12시간	
신기능상실(L)	4주 이상 지속되는 급성 신부전		전귀(轉歸)
말기신부전(E)	3개월 이상 회복되지 않는 신부전		

※GFR에 의한 분류 기준과 소변량에 의한 분류 기준에서 중증도가 다른 경우는 보다 중증인 랭크를 채용한다.

② 만성 신장병 chronic kidney disease (CKD)

'① 신장애를 시사하는 소견(소변이상 〈단백뇨 등〉, 영상진단·혈액검사·병리소견 등)의 존재, ② 사구체여과량(GFR)이 60mL/min/1.73㎡ 미만, 둘 중 어느 한쪽 또는 양쪽이 3개월 이상 지속되는 것으로 진단한다'고 정의되어 있습니다.

CKD의 중증도는 원인(원질환), 신기능(GFR), 단백뇨(알부민뇨)로 평가합니다. 그리고 GFR과 ACR(요알부민/크레아티닌비)로 분류됩니다. CKD의 G1, G2에서는 자각증상이 부족하고, G4이상이 되면 만성 신부전 증상이 확실해집니다.

표2 만성 신장병의 중증도분류(2012)

원질환		단백뇨 구분		A1	A2	A3
당뇨병		요알부민 정량 (mg/day)		정상	미량 알부민뇨	현성 알부민뇨
		요알부민/Cr비 (mg/dCr)		30 미만	30~299	300 이상
고혈압 신장염 다발성 낭종신 이식신장 불명 기타		요단백 정량(g/일)		정상	경도 단백뇨	고도 단백뇨
		요단백/Cr비(g/dCr)		0.15 미만	0.15~0.49	0.50 이상
GFR구분 (mL/min/ 1.73m²)	G1	정상 또는 높은 수치	≥90	녹색	황색	오렌지색
	G2	정상 또는 경도 저하	60~89	녹색	황색	오렌지색
	G3a	경도~중등도 저하	45~59	황색	오렌지색	적색
	G3b	중등도~고도 저하	30~44	오렌지색	적색	적색
	G4	고도 저하	15~29	적색	적색	적색
	G5	말기신부전(ESKD)	<15	적색	적색	적색

※중증도는 원질환·GFR구분·단백뇨 구분을 맞춘 stage에 따라서 평가한다. CKD의 중증도는 사망, 말기신부전, 심혈관 사망 발증의 위험을 녹색 stage를 기준으로, 황색, 오렌지색, 적색 순으로 stage가 상승할수록 위험이 상승한다.

(일본신장학회편 : Evidence에 근거하는 CKD진료가이드라인 2013에서)

B 급성 신부전
acute renal failure (ARF)

✎ 사구체 여과량이 가역적으로 감소하는 상태에서 신기능장애가 급속히 진행(몇 시간부터 며칠의 경과로)되어 신부전상태에 빠진 것입니다.

● **분류**

STEP 신성 급성 신부전의 대부분은 급성 요세관괴사에 기인한다

● **신전성 급성 신부전** prerenal failure ARF

신장으로 유입되는 혈액이 감소하여, 사구체내압을 유지하지 못하고 생긴 급성 신부전입니다(p.229 그림 1). 순환혈장량의 감소(설사나 구토, 열상이나 외상)나 심박출량의 감소(심원성 쇼크, 울혈성 심부전)로 생깁니다.

● **신성 급성 신부전** renal failure ARF

신장 자체가 장애를 받아서 일어나는 급성 신부전입니다. 사구체질환(급속진행성 사구체신염이나 용혈성 요독증후군)이나 신장 내의 혈관폐색(혈관염, 콜레스테롤색전증), 급성 간질성 신염, 급성 요세관괴사(급성 신부전의 약 90%를 차지하고 있다)에 의해서 생깁니다. 이 급성 요세관괴사의 원인에는 신허혈(탈수, 출혈, 이뇨제 과잉 등)과 신독성(항균제, 항암제, 조영제 등)이 있습니다(그림2).

● **신후성 급성 신부전** postrenal failure ARF

요관, 방광, 요도 등에서 소변을 배설하는 경로가 폐색되어 요세관압이 상승하고, 사구체내압과의 차가 감소됨에 따라서 GFR도 감소되어 급성 신부전이 된 것입니다. 골반 내 장기나 후복막의 종양, 요관결석, 전립선비대증, 요도협착 등으로 생깁니다(그림3).

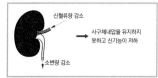

그림1 **신전성 급성 신부전**

신혈류량 감소

사구체내압을 유지하지 못하고 신기능이 저하

소변량 감소

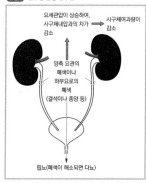

그림3 **신후성 급성 신부전**

요세관압이 상승하여, 사구체내압과의 차가 감소 ➡ 사구체여과량이 감소

양측 요관의 폐색이나 하부요로의 폐색 (결석이나 종양 등)

핍뇨(폐색이 해소되면 다뇨)

그림2 **신성 급성 신부전**

원인
• 사구체질환
• 간질성 신염
• 요세관괴사 (신허혈, 신독성)

소변량 감소

● **증상·검사**

STEP

급성 신부전(핍뇨기)의 전해질이상은

$Na^+ \downarrow, K^+ \uparrow, P \uparrow, Ca^{2+} \downarrow$, 산증

대표적인 증상은 **핍뇨**와 요독증 증상입니다.

급성 신부전이 의심스러운 경우에는 우선 초음파검사로 요로의 폐색 유무를 검사합니다. 방광에 대량의 소변이 저류되거나, 수신증이나 수뇨관증이 보이면, 신후성이라고 판단합니다.

신후성이 배제되면 이뇨제 투여나 칼륨을 함유하지 않은 생리식염수 등으로 수액부하를 합니다. 300mL/hour 이상의 **소변량 증가**를 확인한 경우는 신전성, 확인되지 않는 경우는 신성으로 예상합니다.

● 핍뇨기

핍뇨(1일 400mL 이하) 결과, 혈청크레아티닌(sCr), 요소질소(BUN)의 상승과 더불어 고혈압, 부종, 폐수종, 울혈성 심부전, 고질소혈증, 전해질이상(저나트륨혈증, 고칼륨혈증, 대사성 산증, 고인산혈증, 고칼슘혈증), 빈혈 등이 출현합니다.

● 이뇨기

발병에서 1~6개월 경과하면, 요세관상피세포가 재생하여 소변량이 증가하고 때로 다뇨를 나타냅니다. 나트륨과 칼륨이 소변으로 유출되기 쉬워서, 저나트륨혈증이나 저칼륨혈증을 일으킵니다.

● 치료

신전성에서는 수액이나 수혈로 순환혈장량을 개선함과 동시에 강심제를 투여합니다.

신성에서는 혈액투석으로 전신상태를 개선한 후, 원인질환을 치료합니다(상세한 내용은 ☞다음 항).

신후성 원인으로 하부요로의 폐색이 존재하는 경우는 요도카테터 삽입이나 방광천자를 합니다. 또 요관보다 위인 상부요로폐색이 있는 경우는 내시경하에서 요관스텐트의 삽입이나 경피적 신루설치술(☞ p.290)을 합니다.

● 급성 요세관괴사로 인한 신성 신부전 치료

● 핍뇨기

치료로 긴급성을 요하는 경우는 심부전의 원인이 되는 고칼륨혈증이나 일수(溢水, 체내에 수분과 염분이 쌓여 있는 상태)입니다.

따라서 이뇨제에 반응하지 않고 급성 신부전이라고 진단을 내리면, 치료는 투석요법의 대표적인 혈액정화법(주로 혈액투석)을 하는 것이 일반적입니다.

고칼륨혈증은 투석을 하면 개선되지만, 칼슘정주, 양이온교환수지(케이키살레이트®), 인슐린＋포도당을 투여하는 경우도 있습니다.

● 이뇨기

이뇨로 인한 탈수와 전해질이상에 주의하고, 이 증상들이 나타날 때는 적절한 보액량을 보충합니다.

● 수술 후 합병증

수술 후에 생기는 급성 신부전은 다장기부전인 경우가 많으며, 여기에는 세망내피계 탐식기능저하를 비롯한 자가면역기능의 저하나 옵소닌(opsonin) 활성저하, 간장의 혈류량저하로 인한 감염이 관여하고 있습니다. 그래서 다장기부전인 상태에는 혈액 속의 엔도톡신과 증가하고 있는 사이토카인을 제거할 목적으로 지속적 혈액여과투석*을 합니다.

---

* **지속적 혈액여과투석** continuous hemodiafiltration (CHD)

문자 그대로, 지속적(24시간 이상)으로 혈액여과투석을 하는 것입니다. 실제로는 더블 루멘 카테터(double lumen catheter)를 대퇴정맥 또는 내경정맥에 삽입하고, 여기에서 꺼낸 혈액을 체외의 여과기로 한외여과(ultrafiltration) 합니다.

C 만성 신부전
chronic renal failure (CRF)

- 등장뇨이며 다뇨경향
- GFR은 감소하지만 혈청나트륨 수치는 거의 정상

앞에서 기술한 만성 신장병의 CKD 중증도 분류의 grade5에 해당하는 것으로, 월 또는 연 단위로 경과하는 신부전입니다. 급성 신부전은 돌연 핍뇨가 되므로 발병 시기를 잘 알 수 있지만, 만성 신부전인 경우는 서서히 신기능이 저하되어 갑니다. 대부분의 경우, 불가역성 경과를 밟습니다.

일본에서는 대부분 당뇨병성 신증과 사구체신염 등의 신실질질환에서 기인하는 것입니다.

● 병태생리

● 고질소혈증 azotemia

GFR이 저하되어, 질소, 크레아티닌, 요산(단백질의 대사산물인 비단백질질소)의 배설이 장애를 받아서 고질소혈증이 됩니다.

● 물대사이상

침투압활성물질의 증가, Henle고리의 대향류 교환계 기능의 저하 때문에 다량의 등장뇨를 배설(다뇨경향)하게 됩니다.

● 전해질대사이상

총수분량과 총나트륨량이 증가합니다. GFR은 감소하지만, 재흡수가 저하되므로 혈청나트륨 수치는 거의 정상입니다. 혈청칼륨 수치, 마그네슘 수치도 정상 범위 내이지만, 이 기전은 불분명합니다. 또 칼륨 수치, 마그네슘 수치는 신부전 말기가 되면 상승합니다.

● 대사성 산증 metabolic acidosis

유산(H_2SO_4)이나 인산(H_3PO_4) 등의 처리능력 저하, 신요세관에서의 HCO_3^- 재흡수장애, 근위요세관 상피세포에서의 NH_4^+ 생산장애 때문에 대사성 산증이 됩니다. 음이온이 증가하여 음이온 갭(anion gap)이 상승하는 정Cl성 산증입니다. 산증은 골에서의 칼슘용출을 촉진시키고, 신성 골이영양증(☞ p.235)의 원인도 됩니다.

● 칼슘대사이상

PTH분비항진으로 골에서 칼슘흡수가 일어나지만, 신장에서의 비타민D 활성화능력이 떨어지고, 장관에서의 칼슘 흡수도 저하되어 저칼슘혈증이 됩니다.

● 고인산혈증 hyperphosphatemia

GFR의 저하로, 인이 체내에 축적되어 고인산혈증이 됩니다. 이 때문에 PTH(부갑상선호르몬) 분비가 항진되어 속발성 부갑상선기능항진증 * 이 됩니다.

---

* 속발성 부갑상선기능항진증 secondary hyperparathyroidism
고인산혈증과 저칼슘혈증이 속발했을 때, 이것을 타개하기 위해서 부갑상선이 과형성을 초래하여, PTH를 과잉분비하게 된 질환이며, 임상상 가장 흔히 나타나는 것이 만성 신부전에 수반되는 경우입니다.

● 빈혈 anemia

신기능이 저하되므로 엘리스로포에틴 생산이 저하되고, 또 요독증성 독소(uremic toxin)에 의한 용혈·골수억제 등이 추가되어 빈혈을 일으킵니다.

● 고혈압 hypertension

레닌·안지오텐신계 항진과 GFR의 저하로, 세포외액이 과잉이 되어 고혈압이 됩니다.

● 증상

위에 기술하였듯이, 고혈압, 빈혈, 신성 골이영양증 등 여러 가지 증상이 출현합니다. 또 만성 신부전의 말기에서는 요독증의 여러 증상이 나타납니다.

● 진단

병력, 임상증상, BUN 및 크레아티닌의 상승, GFR의 저하 등에서, 비교적 쉽게 진단을 내립니다. 또 초음파검사나 CT 등으로, 잔존신실질의 추정이나 원인질환의 진단 등이 가능합니다(그림4).

그림4 수신증에 의한 만성 신부전의 복부 단순CT(98-H-45)

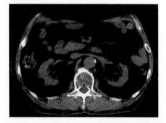

> 본 증례는 50세 남성으로,
> 수신증으로 양 신실질이 위축되어
> 있습니다. 따라서 풍선카테터의
> 유치 등으로 이 수신증이 해결되어도,
> 신기능의 회복은 기대할 수 없습니다.

D 투석
dialysis

혈액정화법은 체액의 시정과 혈액 속의 노폐물 제거를 목적으로 하는 치료법으로, 혈액투석이 가장 대표적입니다.
투석은 주로 만성 신부전과 일부 급성 신부전(급성 약물중독일 때 등)에 시행되고 있습니다.

① 혈액투석 hemodialysis (HD)

● 원리

투석기(dialyzer) 내부에 있는 투석막을 사용하여 혈액을 정화하는 것입니다(p.233 그림5).

체외순환 시에 혈액이 응고되지 않도록 헤파린 처리하고, 투석기 속에서 투석액과 역방향으로 관류시킵니다. 그러면 혈액 속의 용질은 농도균배에 의해서 혈액에서 투석액으로 확산되고, 또 가해지는 압력의 차(정수압 등)에 의해서 한외여과됩니다. 이와 같이 혈액투석은 확산과 여과의 원리를 응용하고 있습니다.

투석 시간은 급성 신부전에서 3시간/일씩 매일, 만성 신부전에서는 6~8시간/일로 주 3회 정도를 기준으로 시행됩니다.

그림5 혈액투석

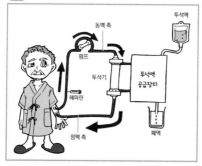

혈액투석용 션트

그림5와 같이 혈액이 동맥→체외의 투석회로→정맥으로 흐르게 하기 위해서 션트를 만듭니다(vascular access). 이 션트에는 외션트와 내션트의 2가지가 있습니다(p.234 그림6). 단, 외션트에는 폐색 및 감염을 쉽게 일으키는 성질이 있어서, 현재 사용되고 있는 것은 대부분이 내션트입니다.

내션트는 사용하지 않는 손의 전완에서 요골동맥과 요측피정맥에 측측, 단측, 단단문합술을 이용하여, 인공적으로 피하에 동정맥루를 만듭니다. 내션트의 결점은 요골 · 척골동맥 등을 흘러 온 혈액이 수장동맥궁(手掌動脈弓)을 통해서 저항이 적은 션트 측으로 도망가버린 결과, 손의 말초로의 유량이 감소하여 손의 탈력감을 호소하는 것입니다. 이것을 steal 증후군이라고 합니다.

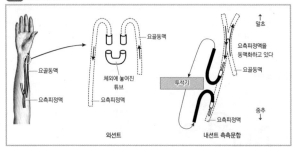

그림6 내션트와 외션트

외션트 | 내션트 측측문합

● 혈액투석의 시작

● 급성 신부전

가역적 병변인 급성 신부전에서는 핍뇨기를 극복하는 것이 투석요법의 목적이므로, 필요성이 확인된 경우는 긴급히 투석을 시작하는 것이 기본입니다. 급성 신부전에 대한 투석 도입의 기준이 확립되어 있지 않지만, 표3의 기준을 목표로 실시하고 있습니다.

표3 급성 신부전 투석도입 기준

- 요독증 증상의 출현
- 핍뇨에 의한 컨트롤이 어려운 일수(溢水), 심부전, 폐수종
- 급속한 고K혈증(>6.0mEq/L)
- 증증 대사성 산증(HCO_3^- < 15mEq/L)
- 고질소혈증(BUN > 50mg/dL 또는 10mg/dL/일 이상의 상승)
- 신기능장애(sCr > 4mg/dL 또는 1mg/dL/일 이상의 상승)

● 만성 신부전

앞에서 기술하였듯이 만성 신부전은 불가역적 병변이며, 한번 투석을 개시하면 평생 계속한다고 생각해야 합니다. 그래서 후생성(현 후생노동성)이 투석 도입의 기준(p.235 표4)을 제시하였습니다.

보존적 요법으로는 개선되지 않는 만성 신기능장애, 임상증상, 일상생활기능의 장애를 나타내고, 원칙적으로 다음의 Ⅰ~Ⅲ항목의 합계가 60점 이상이면 투석 도입으로 한다. 단, 연소자(10세 미만), 고령자(65세 이상), 전신성 혈관장애가 합병된 경우, 전신상태가 현저히 장애를 받는 경우에는 각각 10점을 가산한다.

Ⅰ. 임상증상
1. 체액저류(전신성부종, 고도의 저단백혈증, 폐수종) 2. 체액이상(관리불능한 전해질·산염기평형이상) 3. 소화기증상(오심·구토, 식욕부진, 설사 등) 4. 순환기증상(중증 고혈압, 심부전, 심막염) 5. 신경증상(중추·말초신경장애, 정신장애) 6. 혈액이상(고도의 빈혈증상, 출혈경향) 7. 시력장애(요독증성 망막증, 당뇨병성 망막증) 이 1~7의 소항목 중 3개 이상인 것을 고도(30점), 2개를 중등도(20점), 1개를 경도(10점)라고 한다.

Ⅱ. 신기능
혈청 크레아티닌 [크레아티닌·클리어런스] 8mg/dL 이상 [10mL/min 미만](30점) 5~8mg/dL 미만 [10~20mL/min 미만](20점) 3~5mg/dL 미만 [20~30mL/min 미만](10점)

Ⅲ. 일상생활 장애도
요독증상 때문에 기상하지 못하는 것을 고도(30점) 일상생활이 현저히 제한받는 것을 중등도(20점) 통근, 통학 또는 가정 내 노동이 어려워진 경우를 경도(10점)

● 합병증

✎ 투석 중에 생기는 것과 장기 투석에 합병되는 것으로 크게 나누어집니다. 전자의 대표는 불균형증후군과 저혈압이며, 후자의 대표는 신성 골이영양증이나 투석 아밀로이도시스 및 후천성 낭성 신질환입니다.

● 불균형증후군 disequilibrium syndrome

단시간에 한꺼번에 투석을 하면 생깁니다. 본 증후군은 혈액과 뇌 사이의 침투압이나 pH에 차이가 생겨서 일어나는 뇌부종이 원인이며, 두통, 오심·구토, 경련으로 나타납니다. 특히 투석 시작 전반이나 종료 직후에 나타납니다.

● 저혈압 hypotension

급속한 여과로 인한 과도한 제수(除水)로 순환혈장량이 저하되면, 저혈압이나 기립성 저혈압을 초래합니다.

● 신성 빈혈 renal anemia

장기 투석 환자에게는 신장의 내분비기능저하로 인한 에리스로포에틴 저하를 원인으로 반드시 발생합니다. 단, 에리스로포에틴제제(recombinant human EPO, rHuEPO)의 투여로 예방할 수 있습니다.

● 신성 골이영양증 renal osteodystrophy (ROD)

혈액투석에서 신부전에 수반되는 비타민D 활성화를 대체할 수 없어서 생기는 골장애로, 장기 투석 환자에게 가장 흔히 나타나는 합병증입니다. PTH분비항진에 의한 **섬유성 골염** *¹과, 활성형 비타민D 부족에 의한 **골연화증** *² 등이 혼재합니다. 그 결과, 섬유조직의 증가와 골량의 감소, 유골의 증가 등이 서로 얽힌 소견을 나타냅니다. 이와 같은 병리소견 때문에 신성 골이영양증이라고 합니다. 그러나 이 병리소견은 미네랄대사이상에서 기인한다는 점에서, 최근 들어 골·미네랄대사이상이라고 불리는 경우가 많아지고 있습니다. 본증의 조절은 칼슘 제제나 활성형 비타민D의 투여로 하는데, 칼슘을 함유하지 않은 인흡착제(세벨라머 염산염이나 탄산란탄)도 이용하게 되었습니다.

● **투석 아밀로이도시스** dialysis amyloidosis

체내에 축적된 저분자량 단백질의 β2-미크로글로불린이 대사되어 아밀로이드(amyloid)가 되고, 관절부 연골·골막, 수근관, 피부, 점막 등에 침착된 것으로, 중증례에서는 소화관이나 심혈관계 등에도 침착됩니다. 수근관증후군 *³(그림7)은 본증의 증상으로는 최다 빈도이며, 그 밖에도 거설, 심부전, 감각운동장애, 자율신경장애 등의 여러 가지 증상이 나타납니다. 단, 현재는 저분자량 단백제거기능이 높은 투석막이 사용되고 있는 점, β2-미크로글로불린 흡착요법이 시행되고 있는 점에서, 금후에는 매우 감소되리라 기대됩니다.

그림7 투석 아밀로이도시스에 의한 수근관증후군
(87-C-9-11)

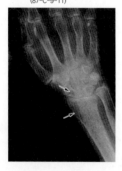

본 증례는 46세 여성으로, 수근골과 요골에서 아밀로이드침착에 의한 골파괴와 골낭종의 형성(←)이 확인됩니다.

● **후천성 낭성 신질환** acquired cystic disease of kidney (ACDK)

혈액투석이나 복막관류가 장기간 미치는 것, 또는 신부전 말기 환자에서는 신장이 위축되면 동시에 다수의 낭종이 발생합니다. 이것이 후천성 낭성 신질환이며, 신세포암의 합병, 낭종내 출혈, 요로감염, 결석증의 발생

---

*¹ **섬유성 골염** osteitis fibrosa
부갑상선에서의 PTH분비가 항진하면(속발성 부갑상선기능항진증), 골흡수가 항진하여 Ca²⁺가 혈중으로 유도됩니다. 그러면 Ca²⁺를 빼앗긴 골은 섬유조직만 눈에 띄게 됩니다. 이것이 섬유성 골염입니다.

*² **골연화증** osteomalacia
골이나 연골의 석회화장애 때문에 유골이 증가한 상태입니다.

*³ **수근관증후군** carpal tunnel syndrome
수근관 내에서의 정중신경의 장애로, 투석 아밀로이도시스 외에, 수관절의 혹사나 Colles 골절에 의한 변형 치유 등을 원인으로 생깁니다. 증상은 야간에 증대되는 통증과 정중신경의 저위마비입니다.

이 높은 비율로 확인됩니다.

투석에 의한 개선의 상태

전해질이상, 고질소혈증, 대사성 산증 등은 신속히 개선됩니다. 또 폐수종을 포함하는 부종, 세포외액 과잉에 수반하는 고혈압, 요독증 독소에 의한 정신신경증상, 출혈 경향, 오심·구토도 점차 소실됩니다.

이에 반해서, EPO 생산이나 비타민D 활성화 등의 내분비기능은 개선되지 않습니다. 따라서 신성빈혈이나 골·미네랄대사이상증 등은 개선되지 않습니다. 또 요독증의 말초신경장애도 거의 개선되지 않습니다.

② 복막투석 peritoneal dialysis

지속적 복막투석은
- 중고분자량물질의 제거에는 뛰어나지만, 제수효율은 떨어진다
- 복막염에 요주의

원리

복강 내에 투석액을 주입하고, 복막을 반투막으로 이용하여 혈액에서의 확산 효과를 기대하며 투석하는 방법입니다. 간헐적 복막투석(IPD)과 지속적 복막투석(연속 휴행식 복막투석〈CAPD〉)의 2종류가 있습니다.

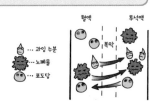

… 과잉 누분

… 노폐물

… 포도당

혈액   투석액

복막

분류

간헐적 복막투석

intermittent peritoneal dialysis (IPD)

복막에 캐뉼라(cannula)를 삽입하는 본래의 방법으로, 입원하여 실시합니다. 가장 보급되어 있는 것은 자동복막투석(automated PD, APD)입니다. 이 APD는 세트된 스케줄에 따라서 자동으로 투석액의 주입과 배액을 할 수 있습니다.

지속적 복막투석 continuous ambulatory
peritoneal dialysis (CAPD)

연속 휴행식 복막투석이라고도 합니다. 복막카테터를 통해서 비닐백에 넣은 2L의 투석액을 주입(백을 복막카테터의 유치장소보다 높은 위치에 둔다)하고(그림8), 그 다음은 카테터를 복대 등에 보관하고 통상적인 생활을 합니다. 6~8시간 경과하면, 빈 백에 카테터를 연결하여 투석액을 회수합니다(백은 카테터의 유치장소보다 낮은 위치에 둔다). 이 CAPD에서는 복강과 외부가 통하고 있어서 복막염을 일으키기 쉬우므로, 주의해야 합니다.

그림8 **지속적 복막투석**(106-D-2)

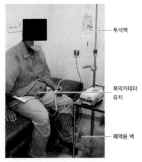

투석액

복막카테터
유치

폐액용 백

● 혈액투석과의 비교

● CAPD의 장점

- 혈관 액세스(vascular access)가 필요 없고, 혈액의 헤파린화도 필요 없습니다. 또 특별한 기구나 기술을 필요로 하지 않으며(간단하다), 사회생활을 하기에 편리합니다.
- 전해질의 조절이 용이하고, 중고분자물질의 제거에 뛰어납니다.
- 심·순환계에 대한 부담이 적고, 불균형증후군의 출현 빈도도 낮아지고 있습니다. 소아나 고령자에게도 쉽게 실시할 수 있으며, 일반적으로 금기가 적고, 부작용도 거의 없습니다.

● CAPD의 단점

- 제수효율이 떨어집니다. 투석효율도 낮고, 투석에 시간이 걸립니다(단, 이것은 지속적으로 완만하게 투석이 시행되어, 불균형증후군이나 저혈압의 발생이 적다는 이점도 있습니다).
- 단백의 상실이 불가피합니다(바꿔 말하면, 본법은 중분자물질의 제거에 적합합니다).
- 고도의 요독증에는 적용되지 않습니다.
- 무균적 조작에 주의하지 않으면, 세균성 복막염이나 복강내 유착을 야기합니다(혈액투석에서는 투석액이 이론상 무균일 필요는 없습니다).

● CAPD의 합병증

● 복막염

복강이 카테터를 통해서 외부와 연결되어 있어서 일으키기 쉽습니다. 세균성 복막염 외에, 장폐색의 원인이 되는 경화성 복막염(무균성)도 일으키는 수가 있습니다.

처치로는 투석액의 교환, 항균제의 투여, 카테터의 발거 등을 실시합니다.

● 단백 상실

처치에는 1.2~1.5g/kg/day로 단백을 섭취하게 합니다.

● 고혈당

복막투석액에는 체내에서 수분을 제거하기 위해서 침투압물질로 포도당이 혼합되어 있습니다. 이것이 혈액 속으로 이행하므로, 혈당치의 관리가 중요합니다. 만성 신부전환자의 대부분이 당뇨병성 신성(투석도입에서는 최다 원인질환)이라는 점을 잊지 마십시오.

E 신장이식
renal transplantation

신장이식은 만성 신부전환자에 대한 근치적 치료법으로, QOL면에서도 투석요법보다 뛰어납니다. 또 신장이식 후의 거절반응이 최대 문제점이지만, 시클로스포린 등 면역억제제가 큰 효과를 거두고 있습니다.

공여자(donor, 신장제공자)의 종류에 따라서 생체신장이식과 사체신장이식으로 분류됩니다. 단, 일본에서는 압도적으로 생체신장이식이 많아지고 있습니다.

① 신장이식의 적응

> • 수용자(recipient)의 risk factor는 악성종양과 활동성 감염증
> • ABO형 부적합은 문제 없다

수용자(recipient)는 모든 말기 신부전환자가 적응 대상입니다. 신장이식의 절대적 금기는 없지만, 신체 상태가 전신마취로 수술을 견딜 수 있어야 합니다.

수용자의 risk factor에는 악성종양이나 활동성 감염증이 있습니다. 이것은 수술 후에 면역억제제를 사용하기 때문입니다. 생체신장이식에서는 미리 혈장교환에 의한 항혈액항체제거를 하기 때문에, ABO형 혈액형부적합이 존재해도 그다지 문제가 없습니다(사체신장이식은 ABO형 적합에 한정되어 있습니다). 단, 수용자 혈청 중에 공여자림프구에 대한 항체가 존재하는 경우에는 적응 외입니다.

그 밖에 다음과 같은 경우에는 충분한 주의하에서 신장이식을 해야 합니다.

● 방광의 배뇨기능장애가 있는 경우 : 모처럼 이식해도 수신증 때문에 감염을 일으켜서는 의미가 없습니다.
● 60세 이상 및 5세 이하 : 고령자는 수술 중·수술 후 합병증의 발생이 많고, 소아는 기술적인 어려움이 따릅니다.
● 당뇨병 : 말초혈관장애가 존재하므로, 수술 후 신장의 생착률이 불량합니다.
● 고요산혈증이나 원발성 수산뇨증 등에 의한 신부전 : 이식 그 자체가 성공해도 재발하는 수가 있습니다.

② 수술 전 검사

수용자에 대한 검사로 조직적합검사가 있습니다. 이것은 거절반응을 방지하는 데에 중요하며, HLA적합(-A, -B, -DR), mixed lymphocyte culture (MLC), 림프구교차시험(direct cross match)이 있습니다. 특히 림프구교차시험이 중요하며, 본 검사 양성례는 기존항체 양성이라고 판단되며, 그 신장의 이식은 금기가 됩니다.

또 공여자에 관해서도 이식에 적합한 신장인지의 여부를 충분히 체크합니다.

③ 신장이식의 수기

수기상의 쉬움 때문에 적출 측과 반대 측에 이식하는 것이 일반적입니다. 따라서 이식하기 위해서 적출한 신장(좌신이 일반적)을 우측 장골와에 놓습니다.

신동맥은 내장골동맥과 단단문합하고, 신정맥은 외장골정맥과 단측문합합니다. 새로 요관구를 만들기 때문에 요로는 요관을 약 2cm 방광점막 아래를 지나게 한 후 요관과 방광을 문합합니다(p.240 그림9).

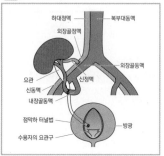

그림9 신장이식의 수기

하대정맥
외장골정맥
복부대동맥
외장골동맥
요관
신정맥
신동맥
내장골동맥
점막하 터널법
방광
수용자의 요관구

④ 면역억제요법 immunosuppressive therapy

다제면역억제요법이 시행됩니다.

시클로스포린(ciclosporin)은 면역억제요법의 중심으로, Th세포(helper T세포)인 IL-2(인터류킨2)를 억제하고, 급성 거절반응의 억제에 효과가 있습니다. 골수억제가 적고 면역억제력이 높은 반면, 신독성이 있는 것이 난점입니다.

타크롤리무스 수화물(tacrolimus hydrate)에는 시클로스포린 이상의 IL-2억제작용이 있으며, 또 부작용도 비교적 적다는 점에서 널리 사용되고 있습니다. 그 밖에 미코페놀산모페틸(MMF), 아자티오프린, 미조리빈(mizoribine), 부신피질스테로이드 등이 사용됩니다.

⑤ 거부반응 rejection

> **STEP** 초급성 거절반응은 이식 후 24시간 이내, 급성 거절반응은 이식 후 수개월 이내,
> 만성 거절반응은 이식 후 수개월 이상 경과한 후 생긴다

● 진단

증상이나 검사소견에서 진단합니다. 실제 거절반응 증상은 소변량 감소, 이식신장종대, 발열, 부종, 고혈압 등입니다.

거절반응이 의심스러운 검사소견에는 다음과 같은 것을 들 수 있습니다.

- 혈액 : 백혈구 증가, 혈소판 증가
- 소변 : 단백 증가, 림프구의 출현
- 혈액생화학 : BUN↑, 크레아티닌↑, LDH↑, ALP↑
- 요생화학 : Na/K↓, LDH↑, ALP↑

- RI 안지오그래피 : 신혈류량 저하(초음파도플러에 의한 혈류량검사도 실시한다)
- 신장 신티그래피 : RI섭취율 저하

● 분류

다음과 같이 3타입이 있지만, 초급성과 만성 거절반응이 특히 예후가 불량합니다.

● 초급성 거절반응

이식 후 24시간 이내에 핍뇨, 무뇨, 발열, 이식 부위의 통증 등으로 발증합니다. 환자가 공여자의 림프구에 대해서 기존 항체가 있을 때에 나타납니다. 실제로는 사전처치 없이 실시한 ABO형 부적합이식이나 림프구 교차적합시험 양성례 등에서 일어납니다. 따라서, 이러한 경우는 본래 이식을 하였던 증례가 아니므로, 요즘에는 거의 보이지 않습니다.

● 급성 거절반응

이식 후 수개월 이내(대부분 1개월 이내)에, 이식신장의 신장기능저하(소변량감소, 혈청크레아티닌 수치 0.3mg/dL/day 이상 등)와 그에 수반하는 고혈압, 체중 증가, 발열 등으로 발병합니다. 이식신장에 대한 T림프구의 1차성 세포성 면역반응으로, 가장 흔히 나타나는 거절반응입니다. 부신피질스테로이드제, 항림프구글로불린, 모노클로널 항체의 투여가 유효합니다.

● 만성 거절반응

이식 후 수개월 이상(대부분은 6개월 이상) 경과하고 나서 서서히 출현하는 진행성 신기능저하(무증후성 단백뇨, 고혈압 등)입니다. 상세한 내용은 불분명하지만, 액성면역의 관여가 고려됩니다. 유감스럽게도 현재는 이 만성 거절반응에 대한 확립된 치료법이 없으며, 신기능이 서서히 악화되어 재투석이 필요합니다.

● 합병증

사인으로는 감염이 가장 많습니다. 이것은 거절반응을 방지하기 위해서 면역억제제를 사용하는 것과 관련되어 있습니다. 그 때문에 면역억제제의 사용량이 많은 이식수술 후 3~4개월 이내의 발생률이 높으며, 그 중에서도 카리니 폐렴이나 사이토메갈로바이러스 감염에 의한 간질성 폐렴이 치명적입니다. 또 악성종양이 합병되기도 합니다.

요로계의 합병증에는 수술 시의 봉합부전에서 일어나는 소변의 누출, 이식 후 요관의 혈행장애, 이식요관협착, VUR, 요로결석증 등이 있지만, 모두 그 빈도가 상당히 낮습니다.

혈관계의 합병증에는 문합한 혈관의 협착, 동정맥루, 이식신장 주위의 출혈 · 혈종 등이 있습니다.

⑥ 수술 후 생착률

조직적합성 검사에서 적합할수록 양호한 경향이 있으며, 생착률이 양호한 순서는 제공자가 형제-자매, 친자, 사체신장 순입니다. 그러나 현재는 생체신장이식의 5년 생착률이 95% 이상인 데 대해서, 사체신장이식에서도 그에 못지않은 생착률을 얻을 수 있게 되었습니다.

제9장
내분비질환
endocrine disease

A 부신질환
adrenal gland disease

① Cushing증후군

STEP
- 코르티졸 과잉이 원인이다
- 주증상은 중심성비만, 보름달 같은 안모, 피부선조, 버팔로 혹(buffalo hump), 좌 창, 골다공증, 돌발성 당뇨병, 이감염성, 고혈압, 남성화 등으로 다양하다

원인·역학

만성 당질 코르티코이드(코르티졸 cortisol)의 생산과잉으로, 여러 가지 증상이 나타나는 증후군입니다.

코르티졸은 ACTH(부신피질자극호르몬)에 의해서 조절되고 있습니다(그림1). 따라서 Cushing증후군은 ACTH의 과잉분비 결과, 고코르티졸혈증을 나타내는 ACTH분비항진형과 부신피질이 자율적으로 코르티졸을 분비한 결과, 고코르티졸혈증을 나타내는 ACTH분비억제형의 2가지가 있습니다.

본 증후군의 원인인 하수체선종과 이소성 ACTH증후군*은 ACTH분비항진형이며, 부신종양은 ACTH분비억제형입니다. 참고로 하수체선종에 의해서 Cushing증후군을 일으킨 경우에 한해서, Cushing병이라고 합니다.

본 증후군은 40대에 흔히 나타나며, 남녀비는 1 : 3으로 여성에게 많습니다.

그림1 코르티졸분비의 조정

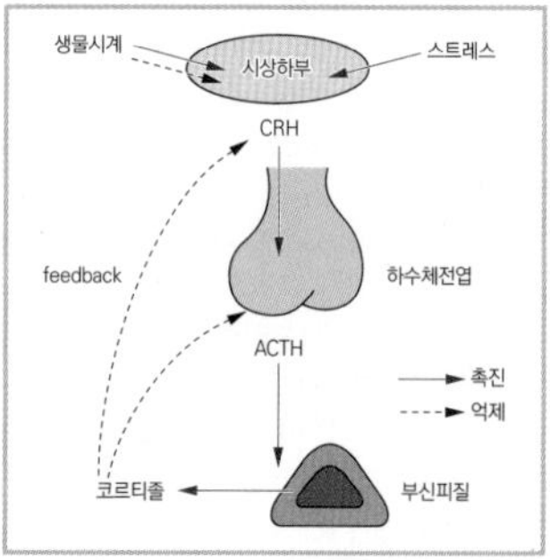
생물시계
시상하부
스트레스
CRH
feedback
하수체전엽
ACTH
촉진
억제
코르티졸
부신피질

증상

본증에서는 체지방분포에 이상이 생겨서, 안면, 복벽, 상배부 등의 체간에 지방이 모이는 반면, 사지는 가늘어져서, 중심성 비만이라고 합니다. 또 안면이 둥글게 되어 보름달 같은 안모, 등은 들소처럼 되어 버팔로 혹(buffalo hump)이라고 합니다. 체간에 모인 지방은 피부를 확장시키기 때문에 피부에 균열이 생겨서 피하의 혈관이 비쳐서 보이게 됩니다. 이것을 신전성 피부선조(p.243 그림2)라고 합니다. 안면에는 좌창(이른바 여드름)이 다발합니다.

또 본증에서는 단백질이 이화되어 있어서 근력이 저하되고, 코르티졸의 과잉에 의해서 저회전형 골다공증을 일으키는 외에, 원위요세관의 Na^{+}의 재흡수항진에 의해서 부종도 일으킵니다. 그 밖에 속발성 당뇨병, 이감염성, 고혈압, 남성화징후도 확인됩니다.

* **이소성 ACTH 증후군** ectopic ACTH syndrome
하수체 이외에서 ACTH가 과잉 분비되는 질환입니다. 대부분이 악성종양이며, 폐암(특히 소세포암), 췌장암, 흉선종, 카르시노이드 등이 그 대표입니다.

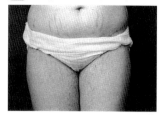

그림2 Cushing증후군의 피부 사진(97-D-51)

본 증례는 10세 소아로, 신전성 피부선조가 확인됩니다.

검사

- 혈중 코르티졸 일내변동 소실
- 덱사메타존 8mg/day 투여로 혈중 코르티졸이 억제된다
- CRH 부하시험에서 정상 또는 과잉반응

호르몬검사

혈중 코프티졸·요중 17-OHCS 높은 수치, 혈중 코르티졸의 일내변동 소실이 나타납니다. 부신안드로겐이 높은 수치를 나타내는 경우는 부신암을 염두에 두어야 합니다.

부하시험

- 덱사메타존 억제시험 : 덱사메타존(dexamethasone)은 합성스테로이드이며, 이것을 투여하면 강력한 당질 코르티코이드활성에 의해서 하수체에서의 ACTH 분비가 억제됩니다. 정상이라면 덱사메타존 2mg/day 투여로 혈중 코르티졸 수치가 억제됩니다. 억제되지 않는 경우에는 덱사메타존 8mg/day을 투여합니다. 이것으로 혈중 코르티졸이 억제되면 Cushing병입니다. 부신종양과 이소성 ACTH증후군에서는 억제되지 않습니다.
- CRH 부하시험 : CRH(부신피질자극호르몬 방출호르몬)를 정주하고 혈중 ACTH 수치와 코르티졸 수치를 측정하는 검사입니다. Cushing병에서는 정상 또는 과잉반응을 나타내지만, 부신종양과 이소성 ACTH증후군에서는 무반응입니다.

영상진단

- MRI와 CT : 하수체선종이 의심스러운 경우는 MRI를 합니다. ACTH 분비억제형의 대부분은 부신의 선종입니다. 이 경우, 종류는 2cm 이상인 경우가 많으며, CT에서는 변연이 일정하고 내부가 균일한 지방 성분에 의한 비교적 low density의 종물로 조영됩니다(p.244 그림3). 통상 반대측은 억제되어 위축되어 있습니다.

그림3 Cushing증후군의 복부 단순CT(89-E-44)

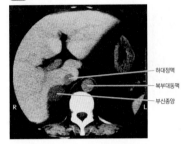

— 하대정맥
— 복부대동맥
— 부신종양

R

본 증례는 고혈압과 무월경을 주소로 내원한 46세 여성으로, 보름달 모양의 안모, 중심성 비만, 다모(多毛)도 확인되었습니다.

● 신티그래피 : ACTH 분비억제형 부신종양에서는 반대 측이 억제되어 있어서, [131]I-아도스테롤에 의한 부신 신티그래피에서는 환측으로의 집적이 확실히 확인됩니다(☞ p.57).

● 치료

● 하수체종양

경접형동 하수체선종적출술(Hardy법)에 의한 하수체종양적출을 합니다. 수술이 어려운 경우나 재발례에는 약물요법이나 감마나이프 등에 의한 정위방사선조사가 시행됩니다.

● 부신종양

환측 부신적출을 합니다. 반대측은 위축되어 있어서 부신급성발증을 일으킬 위험성이 있습니다. 따라서 부신피질호르몬 보충요법을 합니다.

● 이소성 ACTH증후군

기초질환에 대한 치료를 하고 고ACTH혈증의 개선을 도모합니다. 대증요법으로 부신피질호르몬합성저해제를 사용하기도 합니다.

② 원발성 알도스테론증 primary aldosteronism

S.T.E.P
• 고혈압, 저칼륨혈증, 대사성 알칼리증을 일으킨다
• 혈중 알도스테론은 높은 수치를, 혈장 레닌활성은 낮은 수치를 나타낸다

● 원인·역학

부신피질 구상층에 생긴 종양성 병변 때문에 알도스테론*이 과잉 분비되어 생기는 질환입니다. 본증의 약 70%는 편측 부신선종이지만, 약 20%는 양측 부신과형성을 나타내는 타입(특발성 알도스테론증)입니다. 또 적지만 당질 코르티코이드 반응성 알도스테론증 등도 있습니다.

---

* **알도스테론** aldosterone
부신피질호르몬의 하나로, 코르티코스테론에서 18히드록시코르티코스테론을 거쳐서 합성됩니다. 알도스테론은 원위요세관에서 Na^+의 재흡수를 촉진시키는 작용이 있습니다. 또 K^+의 배출을 촉진시킵니다.

본증의 남녀비는 1 : 2로 여성에게 흔히 나타나며, 30~50세에 호발합니다.

● 증상

● 고혈압

알도스테론은 집합관에서 Na^+를 재흡수하지만, 동시에 물도 흡수하므로, 순환혈액량이 증가하여 고혈압을 일으킵니다. 단, 부종은 수반하지 않습니다. 이것은 알도스테론분비가 아무리 항진해도, 심방성 이뇨펩티드가 Na^+의 요중배설을 촉진시키므로, Na^+재흡수가 일정 레벨 이상으로는 상승하지 않기(escape 현상) 때문입니다.

● 저칼륨혈증

알도스테론은 집합관에서 Na^+를 재흡수하지만, 이것과 교환하여 K^+를 분비하므로, 저칼륨혈증을 일으킵니다. 또 저칼륨혈증 시에는 다음 · 다뇨(농축력 장애), 피로감, 근력저하, 사지마비 등을 나타냅니다.

● 대사성 알칼로시스

집합관 개재세포에서 H^+분비가 항진하므로 대사성 알칼리증을 초래하고, 테타니*(tetany)를 일으키기도 합니다.

● 검사

● 혈중 알도스테론

혈중 알도스테론은 높은 수치를, 그리고 동시에 feedback에 의한 혈장 레닌활성이 낮은 수치를 나타냅니다. 혈중 알도스테론 수치를 혈장 레닌활성으로 나눈 수치(알도스테론 · 레닌비)도 상승합니다.

● 신티그래피(^{131}I−아도스테롤)

본증의 의심이 농후해지면, 양측 부신이 종대되어 있는 과형성인지, 편측에 발증한 선종인지, 또는 이소성인지를 감별해야 합니다. 이 국소진단에는 부신 신티그래피를 합니다. 본법에서는 선종이 양성을 나타내지만(☞ p.57), 미리 덱사메타존 1~2mg를 3일간 투여하고 구상층 이외의 부신피질기능을 억제해 두면 보다 깨끗한 집적을 얻을 수 있습니다.

● CT와 MRI

CT에서는 부신피질선종이 지방이 풍부한 점에서, 내부가 균일하고 변연이 명료한 비교적 low density area로 조영됩니다(p.246 그림4).

또 MRI도 1cm 이상의 선종에서는 CT와 동등하게 조영됩니다.

---

* **테타니** tetany
저칼슘혈증일 때, 신경의 흥분이 강해져서 손가락이 경직되고, 마침내 전신의 근육이 수축 경련을 일으킵니다. 이것을 테타니라고 합니다. 중증이 되면 후두근이나 호흡근까지 수축되어 질식하거나, 간질 같은 의식상실발작으로 진행되기도 합니다.

그림4 원발성 알도스테론증의 복부 조영CT(90-E-44)

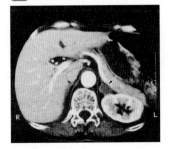

본 증례는 46세 여성으로, 화살표 부분에서 내부가 균일하고 low density의 종양이 확인되었습니다.

● 부신정맥혈검사

부신정맥혈을 채취하여, 알도스테론 수치를 측정하는 방법입니다. 좌우 차가 있으면 편측성, 좌우 차가 없으면 양측성의 의심이 농후해집니다.

● 치료

편측성(대부분이 선종)에는 환측 부신절제술이 시행됩니다. 양측성(대부분이 과형성)에는 선택적 알도스테론 길항제인 에플레레논(eplerenone)이나 칼슘유지성 이뇨제인 스피로노락톤(spironolactone)을 사용합니다.

③ 갈색세포종 pheochromocytoma

> **STEP**
> • 크롬친화세포에서 발생하는 종양
> • 90%는 부신수질에서 원발
> • 요중 메타네프린(metanephrine)이나 요중 노르메타네프린(normetanephrine)이 상승

● 원인·역학

부신수질이나 방신경절 등의 크롬친화세포에서 발생하는 종양으로, 카테콜아민*을 생산·분비합니다. 90%는 부신수질에서 원발하고, 나머지 10%는 부신외에서 발생합니다. 본증의 90%는 양성종양, 10%는 악성종양, 10%는 양측 발생, 10%에서 가족성 발생이 확인되는 특징이 있습니다.

카테콜아민 과잉증(교감신경자극증상)을 나타내는데, 종양이 간헐적으로 분비하는 발작형과 계속 분비하는 지속형 2가지가 있습니다.

---

* **카테콜아민 catecholamine (CA)**
카테콜핵(벤젠고리에 수산기가 2개 결합한 물질)에 아미노기를 가진 측사슬이 결합한 물질입니다. 생체 내에 존재하는 카테콜아민에는 도파민, 노르아드레날린, 아드레날린이 있습니다. 이것들은 신경전달물질로 작용합니다.

증상

카테콜아민 과잉증에서는 고혈압, 고혈당, 두통, 빈맥, 창백, 발한과다, 수지진전, 현기증, 구갈, 배뇨장애 등의 증상이 나타납니다. 지속형은 항상 고혈압이지만, 발작형은 체위 변환이나 복부 촉진 등의 특정한 유인에 의해서 고혈압이 유발됩니다.

검사

혈액검사, 소변검사

혈중 아드레날린 수치나 혈중 노르아드레날린 수치가 상승합니다. 단, 한 번의 채혈로 얻은 측정치는 신뢰성이 떨어집니다. 그래서 24시간 축뇨를 검체로 하여, 아드레날린의 대사산물인 **메타네프린(metanephrine)**이나 노르아드레날린의 대사산물인 **노르메타네프린(normetanephrine)**을 측정합니다. 본증에서는 이들의 수치가 상승합니다.

초음파검사

종양의 국소진단을 위해서 시행합니다. 일반적으로 본 종양은 크고(다른 부신종양과 비교해도 크다), 초음파에서는 변연이 비교적 명료하고, 내부에코가 신실질보다 다소 높은 혼합성 영상이 확인됩니다.

CT와 MRI

종양이 피포화되어 있어서 CT를 하면 변연이 일정하고 경계가 명료한 원형~타원형이며, 내부는 불균일하게 조영되는 경우가 종종 있습니다(그림5). 이것은 내부에는 출혈, 석회화, 괴사를 수반하는 경우가 많고, 다방성의 낭포양으로 되어 있기 때문입니다.

MRI에서는 T1강조영상에서는 간보다 저신호에서 피막이 있고 내부가 불균일한 종물로, T2강조영상에서는 고신호에서 T1과 마찬가지로 주위와 경계가 명료하고 내부가 불균일한 종물로 조영됩니다.

신티그래피

^{131}I-MIBG에 의한 부신수질 신티그래피(☞ p.57)에서 hot spot이 있으면 갈색세포종이 틀림없습니다(그림6).

그림5 갈색세포종의 복부 단순CT(93-F-47)

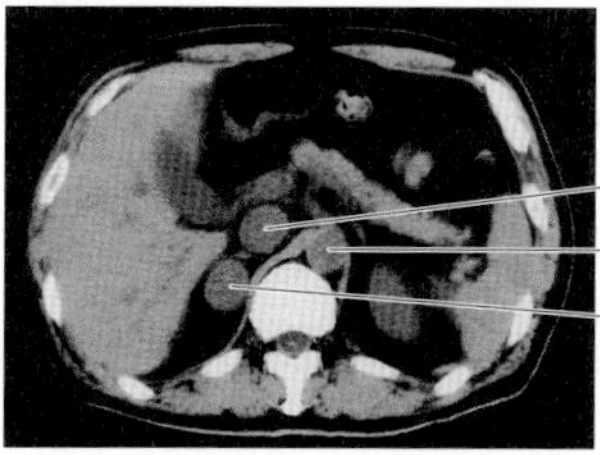

- 하대정맥
- 복부대동맥
- 부신종양

증례는 45세 남성.

그림6 갈색세포종의 신티그램(93-F-47)

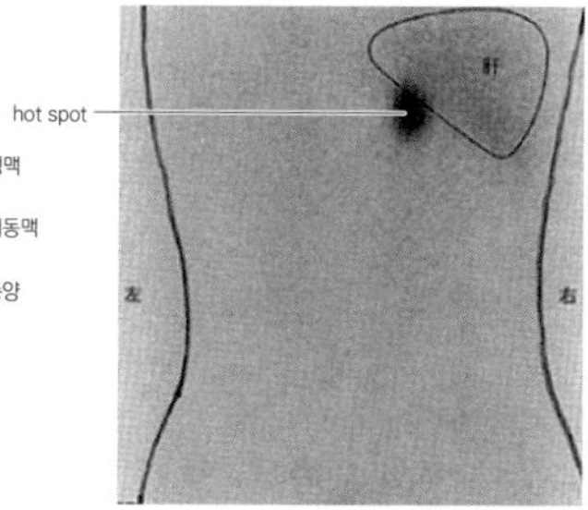

hot spot
肝
左 右

A

부신질환

치료

내과적 치료

혈압을 안정시키기 위해서 α수용체 차단제(미니프레스®)를 투여합니다. 부정맥, 빈맥이 발생하는 경우는 β수용체 차단제(인데랄®)를 사용하는데, 이 약들은 수술 전에 혈압을 컨트롤하기 위한 것이며, 근치적 치료는 될 수 없습니다. 단, 이미 여러 장기에 전이가 보이거나, 전신상태가 나빠서 수술이 불가능한 증례에는 대증적으로 사용합니다.

수술요법

내과적 치료 후 종양을 적출하는데, 수술 전에 순환혈액량을 보충하는 것이 중요합니다. 또 수술 중 고혈압이나 부정맥의 조절 외에 수술 후의 저혈압에도 주의해야 합니다.

④ 후복막섬유증 retroperitoneal fibrosis

원인

후복막강의 지방섬유조직이 경화되는 비특이적 염증성 질환으로, 이 후복막강을 통과하는 요관이 압박을 받으면 수신증이나 수뇨관증이 합병됩니다. 요관과 총장골동맥이 교차하는 주변의 정중부에 초발하고, 종종 양측성으로 확대됩니다.

대부분은 원인불명이지만, 악성종양(특히 스킬스 위암)이나 Weber-Christian병* 또는 혈관염 등에 속발하기도 합니다.

증상

초기에는 무증상인 경우가 종종 있습니다. 증상을 확인하는 경우는 전신권태감, 미열, 오심, 식욕부진, 체중감소가 대표적입니다. 진행되어 요관이 폐색되고, 요로폐색(본증은 관외성 요로폐색)이 일어나면, 수신증·수뇨관증이나 그와 관련된 증상, 요배부통, 복통을 자각하게 됩니다. 양측 요관 주위로 진행되면 핍뇨나 무뇨를 확인하게 됩니다.

검사

혈액검사에서는 ESR항진이 확인되는 정도입니다. 신기능장애가 진행되면 그것을 시사하는 BUN이나 크레아티닌의 높은 수치를 확인하게 됩니다.

초음파검사에서는 섬유성 성질이 강한 타입은 소견이 부족하지만, 종물성 타입에서는 변연 명료, 표면 불규칙, 좌우대칭성 저에코영역으로 확인됩니다. CT 및 MRI도 매우 유용하지만, 최종 진단에는 CT 가이드하 또는 개복에 의한 생검을 시행합니다.

치료

내과적 치료

염증성 세포침윤의 단계에서는 부신피질스테로이드제가 유효합니다. 단, 반흔·경화에 이른 경우에는 혈행이 불량하므로, 거의 효과를 기대할 수 없습니다.

외과적 치료

경화된 지방섬유조직을 모두 제거하기가 어려우므로, 신기능을 보존할 목적으로 요관압박을 완화하는

---

* **Weber-Christian병**
원인불명의 지방용해와 그에 속발하는 육아종성 변화를 일으키는 피하지방조직염입니다. 전신증상(두통, 발열, 권태감, 관절통 등)에서 시작되어, 유통성 결절을 초래하고, 때로 피부 표면에 궤양을 형성합니다. 치료는 부신피질스테로이드제의 전신투여입니다.

요관박리술 등을 합니다. 요관카테터를 유치하거나 경피적 신루설치를 하기도 합니다.

B 성분화이상(성분화질환)
disorder of sex development (DSD)

의학적으로는 성선, 내성기, 외성기의 순으로 발생·분화·발육이 진행되며, 정상인 경우는 이들의 성이 일치합니다. 남녀의 성은 표1의 4항목으로 판단하는데, 이 4가지가 서로 혼합된 상태가 성분화이상입니다. 또 태생기에서의 시상하부~뇌하수체계 호르몬분비이상과 출생 후에 받는 양육 및 교육의 내용(여성인데 남성의 교육·환경을 받게 된 경우 등)도 성의 결정에 영향을 미칩니다.

표1 성의 구별

		남	여
염색체 구성에 의한 성		46, XY	46, XX
성선의 종류에 의한 성		정소(고환)	난소
성기의 형태에 의한 신체의 성	내성기	부고환·정관·정낭	난관, 자궁, 질
	외성기	음경·전부요도·음낭	음핵, 소·대음순
		※외성기에서 판단하는 성은 성의 "표현형"이라고도 한다.	
2차성징에 의한 성		남성호르몬에 의한 수염, 체모, 뼈·근육의 발달	여성호르몬에 의한 유방 발달, 피하지방 발달

❶ 성분화의 과정

■ 염색체

수정란은 감수분열한 정자와 난자의 접합으로 형성됩니다. 이때 난자는 22+X라는 염색체만을 가지고 있지만, 정자는 22+Y 또는 22+X의 2종류가 존재합니다. 전자가 수정하면 44+XY, 즉 남성, 후자가 수정하면 44+XX, 즉 여성이 되도록 염색체적으로 결정됩니다(p.250 그림7).

■ 성분화의 과정

수정 직후의 태아는 아직 성적으로 미분화이며, 성선·성기는 남녀 모두로 분화할 수 있는 양 성능을 가지고 있습니다. Y염색체가 존재함으로써, 태생 7주경에 고환결정유전자(sex determining region of Y chromosome, SRY)가 작용하여 미분화성선원기가 고환으로 분화하고, 성선레벨에서도 남성으로 결정됩니다(제1차 성 결정). SRY가 없으면, 성선원기는 자동적으로 난소로 분화되기 시작합니다.

계속해서 분화된 고환의 Leydig세포에서 테스토스테론(testosterone)이 형성·분비되어, Sertoli세포에서 Müller관 퇴축물질이 작용하여 내성기, 외성기가 남성형으로 형성됩니다(제2차 성 결정). 이때 호르몬이 표적으로 올바르게 작용해야 합니다.

이상의 과정을 거친 후, 본인도 사회도 그 사람을 남성으로 인지하면서, 2차성징을 맞이하고, 그것이 완료됨으로써 성분화가 완료됩니다(그림8).

그림7 성분화와 염색체

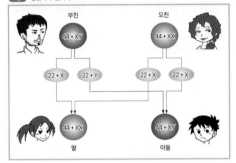

부친 / 모친

44 + XY / 44 + XX

22 + X / 22 + Y / 22 + X / 22 + X

44 + XX / 44 + XY

딸 / 아들

그림8 성결정과 성분화의 과정

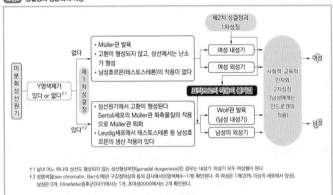

제2차 성결정과 1차성징

미분화성선원기

Y염색체가 있다 or 없다[†1]

제1차성결정

없다
- Müller관 발육
- 고환이 형성되지 않고, 성선에서는 난소가 형성
- 남성호르몬(테스토스테론)의 작용이 없다

여성 내성기
여성 외성기

있다[†2]
- 성선원기에서 고환이 형성된다
- Sertoli세포의 Müller관 퇴축물질의 작용으로 Müller관 퇴화
- Leydig세포에서 테스토스테론 등 남성호르몬의 생산 작용이 있다

표적으로의 작용이 불가결

Wolf관 발육 (남성 내성기)
남성의 외성기

사회적·교육적 인자와 2차성징 (남성에게는 안드로겐의 작용)

여성
남성

†1 남녀 어느 하나의 성선도 형성되지 않는 성선형성부전(gonadal dysgenesis)인 경우는 내성기·외성기 모두 여성형이 된다.
†2 성염색질(sex chromatin, Barr소체)은 구강점막상피 등의 검사에서(X염색체수−1개) 확인된다. 즉 여성은 1개(20% 이상의 세포에서 양성), 남성은 0개, Klinefelter증후군(XXY)에서는 1개, 초여성(XXXX)에서는 2개 확인된다.

② 성분화이상의 종류

■ 성염색체이상

정자나 난자의 감수분열과정에서, 성염색체의 불분리 등에 의해서 성염색체 수에 이상이 생긴 것, 또는 성염색체와 성선이 일치하지 않는 것을 성염색체이상이라고 합니다. 여성은 2줄의 X염색체전완을 갖추지 않으면 난소가 발달하지 않아서, 2차성징이 누락됩니다.

난소고환성 DSD, 46, XY DSD, 46, XX DSD, Turner증후군, Klinefelter증후군 등이 있습니다. 상세한 내용은 후에 기술하겠습니다.

■ 남성호르몬(테스토스테론) 작용과 관련된 이상

부신피질스테로이드 생합성에서의 효소계 장애이며, 테스토스테론의 형성부전으로 남성화가 잘 되지 않는 것입니다. 여기에는 3β OH-디히드로게나제결손, 17α-히드록실라아제결손이 있습니다.

또 하나, 테스토스테론은 형성되어 있는데, 표적 기관의 감수성장애 때문에 남성화가 잘 되지 않는 것이 있습니다. 그 대표가 고환성 여성화증후군(☞ p.254)입니다.

■ 선천성 효소결손

p.253의 표2를 참고하십시오.

■ 임신 중에 모체가 받은(약물 등에 의한) 이상

임신 3개월 정도까지 모친이 테스토스테론이나 합성 프로게스테론을 복용하면, 46, XX DSD(☞ p.254)의 원인이 됩니다.

③ 성분화이상의 진단

성분화의 이상은 대부분의 경우 "출생 직후나 유아기에 외성기의 이상으로 발견"되거나 "사춘기 이후에 성선 기능의 이상으로 발견"됩니다. 후자에 관해서는 p.256의 'C 성성숙이상과 남성불임증'의 항에서 상세히 다루었습니다.

- 난소고환성 DSD는 1개의 개체에서 난소와 고환을 확인한다
- 46, XY DSD는 유전적인 성은 남성이지만, 외성기는 여성형
- 46, XX DSD는 유전적인 성은 여성이지만, 외성기는 남성형

■ 출생 직후부터 유아기까지 외성기에 나타나는 이상

외음부가 양성형을 나타내는 경우는 부신성기증후군을 배제하기 위해서 혈액 속의 안드로겐, 부신계 호르몬, 24시간뇨의 17-KS, OHCS를 측정한다

통상, 남성형인지 여성형인지 판단이 혼란스러운 이른바 양성형입니다. 색소 침착이나 음낭 주름 등의 외생식기의 성 성숙 상태, 고환이나 질의 유무를 확인합니다.

우선 한 가지 기준은 외성기의 다갈색 색소침착이며. 이것이 나타나는 것은 안드로겐 작용이 존재하기 때문입니다. 그리고 안드로겐을 확인하기 위해서, 또 부신성기증후군을 배제하기 위해서, 혈액 속의 안드로겐, 부신계 호르몬, 24시간뇨의 17-KS[*1]와 17-OHCS[*2]를 측정합니다. 부신성기증후군이 배제되고, 안드로겐이 존재하는 경우는 그것이 태아의 성선에서 유래하는 것인지, 아니면 모체를 포함하여 태아의 밖에서 유래하는 것인지 검사합니다.

다음에, 음낭에 고환이 존재하지 않는 경우는 CT나 MRI 등으로 검색합니다. 또 고환이 존재하는 경우는 고나도트로핀 자극 시험을 하면 혈중 테스토스테론 수치가 증가합니다.

유소기에 고환이 존재하지 않고, 또 부신성기증후군을 부정한 경우, 환아의 성의 결정은 유전성과 일치하는 성을 선택합니다.

④ 난소고환성 DSD ovotesticular DSD

1개의 개체에서 난소와 고환을 확인하는 것입니다. 난소와 고환은 반대 측이나 같은 측에 있으며, 때로는 융합하여 하나의 기관이 됩니다. 외성기는 남녀 중간형이지만, 출생 시에는 음핵의 비대로 인해서 남자로 호적 등록이 되는 경우가 많습니다. 염색체는 XX 핵형이 60%를 차지하지만, XY나 XX/XY의 모자이크도 있습니다.

● 원인

원인은 여러 가지가 있지만, XX 핵형의 일부에서 SRY유전자(성결정유전자)가 발견되었으며, 돌연변이로 유전적인 여성에게 SRY유전자가 출현했기 때문인 것 같습니다. 또 XX/XY의 모자이크 일부에서는 남녀 2개의 개체가 되어야 할 수정란의 융합 등이 상정되어 있습니다. 단, 대부분은 원인 불명입니다.

[*1] 17-KS 17-ketosteroid
C-19스테로이드 중에서 C-17번에 케토기가 있는 것입니다. 남성호르몬 작용을 하므로 부신안드로겐이라고도 합니다.

[*2] 17-OHCS 17-hydroxycorticosteroid
코르티졸과 코르티존에서 유래하는 것으로, C-17번에 히드록시기가 붙은 부신피질호르몬입니다.

⑤ 46, XY DSD

> **STEP** 신생아~소아기에 46, XY DSD를 나타내는 대표적 질환은
> 부신성기증후군과 고환성 여성화증후군

 유전적인 성은 남성(XY)인데, 외성기는 여성형을 나타내는 병태입니다. 본증은 태생기 안드로겐의 작용 부족(합성장애와 불응증의 2가지)에서 기인합니다.

■ 안드로겐의 합성 장애

부신피질호르몬의 합성효소가 선천적으로 결손되어 있는 병태로, 부신성기증후군(adrenogenital syndrome, AGS)의 대부분을 차지합니다.

단순남성화형(부신피질자극호르몬 분비항진을 일으키며, 피부 색소 침착과 남성화 징후를 나타낸다)과 염류 상실형(저나트륨혈증을 일으키고, 탈수, 구토, 설사 등의 소화기 증상, 쇼크, 체중 증가 불량 등을 나타낸다) 으로 분류됩니다.

테스토스테론의 합성 과정의 대부분은 부신안드로겐과 공통적이므로, 일부 선천성 부신피질형성에서는 안드로겐합성장애가 나타납니다. 구체적으로 선천성 부신리포이드 과형성증＊, 3β-히드록시스테로이드데 히드로게나제 결손증, 17α-히드록실라아제 결손증의 3가지가 있으며, 이것들은 46, XY DSD를 나타냅니다 (표2).

표2 대표적인 선천성 부신피질 과형성

효소장애 부위	고혈압	Na상실 고K혈증	외성기 남	외성기 여	검사
3β-히드록시스테로이드데히드로게나제	–	+	46,XY DSD	46,XX DSD	3β-히드록시스테로이드 높은 수치(DHEA)
17α-히드록실라아제	+	(저K혈증)	46,XY DSD	성선기능 저하	혈중 DOC 높은 수치
21-히드록실라아제	–	+(－－)	성조숙	46,XX DSD	요중 17-KS, 프레그난트릴, 혈중 17α-히드록시프로게스테론 높은 수치
11β-히드록실라아제	+	–	성조숙	46,XX DSD	요중 17-KS, 17-OHCS 높은 수치

＊ **선천성 지질성 부신피질 과형성증** congenital lipoid adrenal hyperplasia (CLAH)
콜레스테롤 수송단백의 하나인(steroidogenic acute regulatory protein, StAR)의 이상에 근거하여, 콜레스테롤에서 프레그네노 론(pregnenolone)으로의 스테로이드 합성반응이 진행되지 않고, 3계통의 스테로이드 합성이 장애를 받는 질환입니다. 따라서 중간대사산물을 포함한 모든 부신피질호르몬이 결핍됩니다.

■ 안드로겐 불응증

여기에서는 대표적 질환인 고환성 여성화증후군에 관해서 설명하겠습니다.

● 병태

고환성 여성화증후군은 유전적인 성은 남성(XY)이며, 고환도 있습니다(정자 형성은 확인되지 않습니다). 단, 안드로겐수용체에 이상이 있기 때문에, 그 작용이 발현되지 않습니다. 따라서 테스토스테론의 자극이 가해지지 않는 요shock식동·생식결절은 여성형이 되며, 질의 아래 1/3이 존재하여, 남성과의 성교도 가능합니다. 한편 항Müller관호르몬(AMH)은 정상으로 작용하여, Müller관이 정상 남성과 마찬가지로 퇴행합니다. 즉 난관, 자궁, 질의 위 2/3는 존재하지 않으며, 결과적으로 질은 맹단(盲端)으로 끝납니다.

● 증상

외성기가 여성형이므로, 출생 시의 호적은 여자이며, 물론 "여자"로 양육됩니다. 또 에스트로겐 수용체가 정상이므로 혈중에서 테스토스테론에서 변환된 에스트로겐이 작용하여 유방의 발육이나 매끄러운 피부 등의 여성으로서의 2차성징도 나타납니다. 또 안드로겐 작용이 부족한 본증에서는 성격에서도 여성스러움이 확인됩니다. 그러나 난소가 부족하여 원발성 무월경이 됩니다. 또 안드로겐 작용이 부족하여, 음모 및 액모가 결여됩니다. 또한 본증에서는 고환이 존재하지만, 대부분은 정류고환이 되고, 때로 고샅부에서 종물로 만져집니다.

6 46, XX DSD

유전적인 성은 여성(XX)이지만, 외성기는 남성형을 나타내는 병태입니다. 그 대부분은 선천성 부신피질 과형성의 21-히드록실라아제결손증입니다.

■ 선천성 부신피질 과형성 congenital adrenocortical hyperplasia (CAH)

● 병태·분류

부신피질에서 당질 코르티코이드가 만들어지기 위해서는 여러 종류의 효소가 필요합니다. CAH는 이 효소들(21-히드록실라아제, 11β-히드록실라아제 등)이 결손되어서 발증합니다.

선천성 부신피질 과형성의 21-히드록실라아제 결손증, 11β-히드록실라아제 결손증에서는 46, XX DSD가 됩니다(p.253 표2).

● 증상

남아는 음경 비대나 유아기 이후의 음모 조기 출현 등의 조숙이, 여아는 음핵 비대나 음순 융합 등의 남성화 징후가 각각 확인됩니다(p.255 그림9). 경증례는 남성화 징후뿐이지만, 중증례에서는 출생 시부터 염류상실형을 나타냅니다.

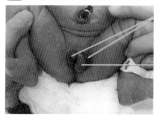

음순의 융합

음핵의 비대

남성화 징후가 보이는
생후 9일 된 여아의
증례입니다.

그 밖의 46, XX DSD

임신 중의 안드로겐제제의 투여나 안드로겐 생산종양의 발생 등에 의해서, 태아가 대량의 안드로겐에 노출된 경우에 생깁니다.

⑦ Turner증후군

대부분은 X염색체가 1줄 적은 45, X를 나타냅니다. 발생률은 여아 출생 2,000명에 1명입니다.

저신장, 익상경(翼狀頸, 어깨를 향해서 날개처럼 짧고 넓게 펼쳐진 목), 외반주(外反肘), 순상흉(楯狀胸, 넓은 방패형 가슴)을 나타냅니다(그림10).

2차성징이 결여되어, 성기는 여성형이 됩니다. 질도 자궁도 있습니다만, 자궁은 작은 듯합니다. 또 난소도 있지만, 반흔으로밖에 확인되지 않습니다. 이 난소는 에스트로겐을 분비하지 못하므로, 월경은 하지 않습니다(원발성 무월경). 참고로 본 증후군 환아의 IQ(지능지수)는 정상입니다.

대동맥축착증이나 대동맥판폐쇄부전 등의 심기형을 수반하는 것도 있습니다.

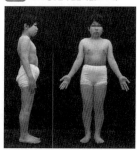

익상경, 순상흉,
외반주를 나타내는
14세 여자의
증례입니다.

⑧ Klinefelter증후군

배우자 형성 과정에서 X염색체의 불분리에 의해서, 성염색체가 47, XXY가 된 것입니다. 본 증후군의 발생 빈도는 남아출생 1,200명에 1명입니다.

신장은 평균보다 큰(특히 다리가 길다)것 외에, **여성화 유방, 높은 목소리, 적은 체모, 여성과 같은 지방 침착** 등이 확인됩니다. 또 음경의 길이와 음낭의 크기는 정상이지만, 고환이 위축되어 무정자증이 됩니다. 일반적으로 지능은 정상이지만, 경도의 지적장애를 수반하기도 합니다.

혈중 테스토스테론 수치는 낮은 수치를 나타내지만, 요중 고나도트로핀 수치는 높은 수치가 됩니다.

C 성성숙이상과 남성불임증
sexual maturation disorder and male infertility

고환은 태생기부터 이미 테스토스테론을 분비하고, 성기를 남성형으로 성장시키는 작용이 있습니다. 그리고 출생 후는 고환의 작용이 휴지기에 들어가는데, 사춘기가 되면 다시 활발해져서, 2차성징이 되어 그 결과 나타납니다.

사춘기에 고환의 기능은 Leydig세포의 테스토스테론 분비 작용과 정세관에서의 정자 형성 작용이며, 그림11과 같은 조절을 받고 있습니다.

그림11 고환 기능

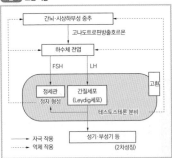

STEP
- 유환관증은 테스토스테론의 분비가 불충분하여 2차성징이 나타나지 않으며, 장신과 긴 사지가 특징적
- 남성불임의 원인은 조정기능장애가 약 90%를 차지한다

① 남성가성반음양(male pseudohermaphroditism) eunuchoidism

사춘기가 되어도 테스토스테론이 충분히 분비되지 않아서, 2차성징이 나타나지 않는 병태를 말합니다.

● 원인

원인에는 간뇌·하수체계 이상으로 고나도트로핀(FSH, LH)의 생산·분비가 저하되어 있는(저고나도트로핀성 유환관증) 것과, 고환장애로 분비되고 있는 고나도트로핀의 작용이 발휘되지 않는(고고나도트로핀성 유환관증) 것의 2가지가 있습니다.

● 증상

● 남성호르몬 부족

성기 발육 부전, 2차성징의 발현 부족, 무정자증, 골단선이 폐쇄되지 않아서 장신과 긴 사지, 근육의 발육이 불량하고 처진 어깨의 여성 체형 등을 나타냅니다.

● 저고나도트로핀성 유환관증

하수체의 종양 또는 염증으로 인한 고나도트로핀 단독결손증이며, 때로 가족성(상염색체열성유전)으로 발병합니다. 본증에서는 성징이 소아 정도의 발육만 확인됩니다.

● 고고나도트로핀성 유환관증

왜 사춘기 이후에 발현하는지는 불분명합니다. Klinefelter증후군도 고고나도트로핀성 유환관증의 하나입니다.

② 남성불임증 male infertility

불임(sterility)은 "1년 이상 성생활을 하는데도 임신이 되지 않는 상태"라고 정의됩니다(질환명은 불임증입니다). 일본에서는 임신을 희망하는 커플의 약 8쌍 중 1쌍이 불임증이며, 그중 약 50%가 남편에게 원인이 있는 남성불임입니다.

● 원인

남성이 임신을 성립시키려면 주로 그림12의 왼쪽에 기술한 조건이 있는데, 그것이 장애를 받으면 오른쪽이 됩니다.

그림12 남성불임의 원인

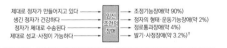

제대로 정자가 만들어지고 있다 → 조정기능장애(약 90%)
생긴 정자가 건강하다 → 정자의 형태·운동기능장애(약 2%)
정자가 제대로 수송된다 → 정로통과장애(약 4%)
제대로 성교·사정이 가능하다 → 발기·사정장애(약 3.2%)†

†단, 이것에 관해서는 수진되지 않은 사람이 상당히 있어서, 실제는 훨씬 많으리라 생각된다. 발기장애로 인한 남성불임은 최근 들어 증가하고 있다.

조정기능(spermatogenesis)장애

내분비이상을 포함한 시상하부 · 하수체장애, 염색체이상, 이하선염성 고환염, 정류고환, 덩굴정맥류, 외상, 방사선조사 등, 여러 가지 원인으로 일어나는데, 빈도로는 원인불명인 특발성 조정기능장애가 가장 많아서, 이론적 치료를 어렵게 하고 있습니다.

정자의 형태 · 운동기능장애

p.35의 정액검사를 참조하십시오. 또 정액검사에서는 정상 소견인데 임신이 성립되지 않는 증례가 있습니다. 이와 같은 경우는 정자의 수정 기능을 비롯한 정자기능에 이상이 있다는 것을 알게 되었습니다. 정자기능을 검사하는 방법에 아크로비즈 테스트[*1] (Acrobeads test)가 있습니다. 항정자항체가 있어서, 그 때문에 정자가 부동화되어 있는 것도 있습니다.

정로통과장애

양측 부고환염에 의한 정관폐색이 흔히 나타납니다.

덩굴정맥류 varicocele

정자의 기능이 저하됩니다. 그러나 그 이유는 잘 알려져 있지 않습니다. 이것은 특발성 정자형성장애에 이은 남성불임의 원인이 되고 있지만, 고환정맥결찰술이나 고환정맥색전술에 의해서 반수 가까이가 수술 후 임신이 가능해집니다.

검사

우선, 일반적으로 성기 · 고환 · 2차성징의 상태 관찰이나 정액 검사, 염색체 검사, 내분비 검사(혈중 FSH, LH, 테스토스테론 등)가 시행됩니다. 또 고환 검사나 정관폐색이 의심스러우면, 정관정낭조영[*2]을 합니다.

치료

원인이 명확한 것은 그 치료를 합니다. 예를 들면, 고삽탈장 수술 후의 정관폐색이나 부고환염 후의 정소상체폐색에는 미세수술(microsurgery)에 의한 정관문합술이나 정소상체정관문합술을 합니다.

발기장애에 의한 것은 실데나필(☞ p.278) 등을 투여합니다. 기질성 발기장애에는 음경 보형물 삽입 수술(☞ p.278)도 시행됩니다.

원인불명의 특발성 조정기능장애에는 고나도트로핀이 낮은 수치~정상인 것에는 하수체의 LH, FSH기능을 하는 hCG, hMG를 투여하는 외에 고나도트로핀방출호르몬(GnRH) 분비를 촉구하는 GnRH analog의 경비투여도 합니다.

그리고 배우자에게 인위적인 조작으로 수정시켜서 임신으로 유도하는 생식보조의료도 사용됩니다. 실제로는 정자를 인공적으로 배란 직전의 자궁 내에 주입하는 인공수정, 난소에서 배란 직전의 성숙난자를 채취하여 체외의 시험관 등에서 수정시켜서, 이것을 자궁 내에 이식하는 체외수정 · 배이식, 현미경하에 1개의 정자를 난세포 내에 직접 주입하여 수정시키는 난세포질내 정자주입법 등이 있습니다.

[*1] 아크로비즈 테스트 Acrobeads test
모노클로널 항체를 결합시킨 폴리스틸렌 자성(磁性) 비즈와 정자와의 항원항체반응의 상태를 검사하는 검사입니다.

[*2] 정관정낭조영술 vasoseminal vesiculography
음낭부 피부에 소절개를 하여 정관을 노출시켜서, 직시하에 정관에 천자하여 수용성 조영제를 주입합니다.

제10장

요로외상
urinary tract trauma

A 신장손상
renal injury

신장은 후복막강에 존재하고 있어서 가동성이 있으며, 또 흉곽으로 보호되고 있어서 비교적 잘 손상되지 않는 장기입니다. 따라서 신장손상이 발생한 경우에는 타장기손상이 합병될 가능성이 높아집니다.

또 신우요관이음부협착증 등 선천성 수신증을 일으키는 질환이 있는 소아는 생각할 수 없을 정도의 외력으로 쉽게 신장이 손상되기도 합니다.

STEP 신장손상에서는 요배부의 통증과 종창을 일으키고, 육안적 혈뇨도 확인된다
단, 손상과 혈뇨의 정도가 반드시 일치하는 것은 아니다

● 분류

● 비개방성 손상

체외에 개방창이 없는 신장손상입니다. 추락, 교통사고, 스포츠외상 등일 때에, 복부에 간접적인 외력이 작용하여 생기는 것이 대부분입니다. 이것은 위에서 기술하였듯이, 후복막강에 있는 신장에는 직접적인 외력이 잘 미치지 않기 때문입니다. 일본에서 신장손상의 대부분이 여기에 해당됩니다. 본증은 피하손상이라고도 합니다.

또 해부학적 중증도에 따라서 3단계로 분류됩니다(그림1).

그림1 신장손상 분류의 단면도(일본외상학회 장기손상 분류에서 발췌하여 개편)

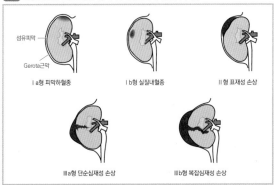

섬유피막
Gerota근막

I a형 피막하혈종   I b형 실질내혈종   II형 표재성 손상

IIIa형 단순심재성 손상   IIIb형 복잡심재성 손상

A

신장손상

● 개방성 손상

자상이나 총상에서 볼 수 있듯이, 체외에 개방창이 있는 신장손상입니다. 예후는 매우 불량하지만, 일본에서는 드물게 나타납니다.

● 증상

● 쇼크

대부분의 경우에서 외상성쇼크가 나타납니다. Ⅰa형은 그 후 곧 회복되지만, 쇼크가 지속될 때는 타장기손상이 합병되는 출혈성 쇼크가 의심스럽습니다.

● 통증, 종창 등

의식이 있으면 일반적으로 요배부통과 동시에 요배부종창을 확인합니다. 빈혈이나 복막자극증상(오심 · 구토) 등도 확인합니다.

● 육안적 혈뇨

대부분의 증례에서 확인됩니다. 단, 신장손상의 정도와 혈뇨의 정도는 반드시 일치하는 것은 아닙니다. 신경부(腎莖部) 손상인 경우는 약 반수에서 혈뇨가 확인되지 않았다는 보고도 있습니다.

혈류가 완전히 두절되면 소변을 형성할 수 없게 되고, 또 경도 손상이라도 응혈덩어리가 요로를 폐색하면, 신후성 무뇨와 함께 혈뇨를 확인할 수 없게 됩니다.

● 진단

저혈압과 빈맥에 추가하여, 중등도 이상의 빈혈이나 타박흔, 측복부의 팽창을 확인하는 경우는 신열상에 의한 신주위혈종의 존재를 의심해야 합니다. 측복부에 박동을 수반하는 종류가 확인된 경우는 후복막강 내로의 대량 출혈도 고려합니다.

● 검사

● 초음파 검사

복부외상 전반에 유용하고, 신장손상의 대략적인 정도를 알 수 있습니다. 또 수고도 시간도 요하지 않으므로, 구급외래에서 처음 시행되어야 합니다. 혈종은 수상 직후에는 고에코를, 며칠 경과하면 저에코를 나타냅니다.

● CT

조영CT에서는, 농도차에서 신실질의 손상 정도나 혈종을 흔히 파악할 수 있습니다(그림2). 또 소변의 누출도 파악할 수 있다는 점에서, 치료법의 결정에도 유용합니다. 또 다른 장기손상의 유무도 체크할 수 있는 점에서, CT가 제1로 선택되는 경우가 많아지고 있습니다.

> 그림2 **신장열상의 복부 조영CT**

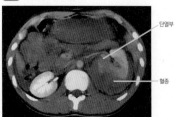

단열부

혈종

🔴 복부 단순X선 kidney ureter bladder (KUB)

후복막강으로의 출혈이나 소변의 유출에 기인하는 장요근 변연의 불선명화 외에, 척추골절이나 하위늑골 골절 등의 합병손상도 확인됩니다.

🔴 점적정주신우조영 drip infusion pyelography (DIP)

신장손상의 정도와 손상의 범위를 아는 데에 유용합니다. 손상의 정도가 진행되면, 신배의 불현이나 변형, 조영제의 흘러내림 등이 나타납니다. 또 반대 측 신장의 형태나 기능의 평가에도 유용합니다. 단, 신경부(腎莖部) 손상처럼 신혈류저하가 고도인 경우에는 신장의 음영, 신우상 모두 전혀 확인되지 않는 수가 있습니다. 이 DIP는 IVU보다 조영소견을 얻기 쉽다는 장점이 있습니다.

🔴 신동맥조영 renal arteriography

혈관의 손상부에서 조영제의 누출이나 혈관의 두절이 나타납니다. 손상 부위를 확정하는 데에 가장 정확하다고 할 수 있지만, 현재는 CT의 유용성이 높아서, 진단 목적으로 실시되는 증례가 격감되었습니다. 그러나 초선택적 신동맥색전술에 의한 지혈을 기대할 수 있는 경우 등에는 치료 목적으로 실시됩니다.

🔴 신장 신티그래피

본 검사는 조영제 알레르기가 있는 환자의 신장의 혈류 상태를 검사할 때에 사용됩니다. 신동맥손상부나 신좌상부(腎挫傷部)에서는 99mTc-DMSA의 흡수가 감소됩니다.

🔴 치료

응급처치의 원칙으로 치료에 앞서 혈관 확보와 수액 보충을 합니다. 또 방광에 카테터를 유치하고, 소변량을 시간별로 체크합니다. 혈압, 중심정맥압, 헤마토크리트, 전해질균형에 주의하면서, 부신피질스테로이드제 투여로 인한 쇼크 증상의 경감, 수혈, 호흡 관리를 검토합니다.

치료 방침은 손상의 정도에 따라서 달라집니다.

🔴 보존적 치료

Ⅰ형에서는 대부분의 경우 자연 지혈을 기대할 수 있습니다. 따라서 안정을 취하고 항균제와 지혈제를 투여한 후에, 요소견·헤마토크리트를 모니터하는 등, 보존적으로 치료합니다.

🔴 외과적 치료

기본적으로 수술의 적용이 되는 것은 Ⅱ형과 Ⅲ형입니다. 신경(腎莖)의 손상이나 신실질의 완전 단열, 심한 신열상에서는 높은 비율로 수술의 적용이 됩니다. 이와 같은 경우에도 가능한 신봉합술이나 **신장부분절제술**(p.262 그림3) 등, 신장의 보존에 힘씁니다.

혈관 손상에는 동맥색전술을 합니다. 또 요로가 손상되어 소변의 누출이 확인되는 경우는, 경도이면 요관스텐트 유치로 대응하고, 심한 경우는 요로재건을 겸하여 수술의 적용이 됩니다.

지혈이 어려운 경우는 구명을 우선하여 신장절제술을 하기도 하지만, 이것은 극력 삼가야 합니다.

그림3 신장손상

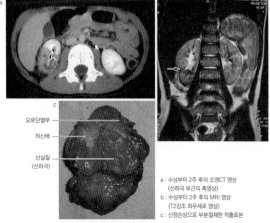

요로단열부

하신배

신실질
(신하극)

a : 수상부터 2주 후의 조영CT 영상
   (신하극 부근의 축영상)
b : 수상부터 2주 후의 MRI 영상
   (T2강조 좌우세로 영상)
c : 신장손상으로 부분절제한 적출표본

조영CT에서 신단열연부터 조영제의 흘러내림이 확인된다(화살표). MRI에서 신하극을 횡단하는 단열상이 확인된다(화살표).
본 증례는 수상 후 2주째에 다른 병원에서 소개받았는데, 신주위혈종이 거의 소실되어 있었다. 수상부터 2주 후의 조영CT에서도 단열면에서
소변의 누출이 확인되어서, 수상 후 약 3주째에 우측신장부분절제술을 시행했다.

신장손상의 합병증

조기합병증에는 출혈성 쇼크, 급성 신부전, 신주위혈종으로의 감염과 그로 인한 신주위농양(☞ p.113)이
있습니다. 또 보존적으로 치료하여 지혈된 신장에서, 수상 후 1개월 이내에 다시 출혈하는 수가 있습니다(후
출혈). 혈뇨가 지속되는 경우는 신동정맥루가 의심스럽습니다.

만기합병증에는 신동정맥루, 신혈관성 고혈압, 위축신이 있습니다.

참고

소아의 신장손상

소아의 신장은 어른에 비해서 신장 주위의 지방 조직이나 근육의 발달이 떨어져 있는 반면에 체적이
크고, 또 신장을 지켜야 할 흉곽골의 형성도 미숙하며, 신장이 체표 근처에 존재하기 때문에 손상을 받
기 쉽습니다.

소아의 신장손상 환자는 출혈은 고도인데 쇼크 상태를 일으키지 않고, 언뜻 보기에 생체징후가 안정
되어 있고 육안적 혈뇨도 확인되지 않는 수가 있으므로, 바로 귀가시키지 말고 경과를 관찰하는 것이
중요합니다.

B 요관손상
ureteral injury

요관은 해부학적 위치와 가동성 때문에 외력에 의해 손상되는 경우가 드뭅니다. 요관손상의 대부분은 외과적 또는 산부인과적 골반내수술(직장암근치수술, 자궁경부암근치수술이나 림프절절제 등)이나 요로의 내시경적 수술에 의한 것입니다(즉 의원성). 요침윤, 요루형성, 요로폐색(수신증, 수뇨관증)이 나타납니다.

● 증상
골반내수술 후 측복부·하복부의 통증이나 고열 외에 창부 드레인이나 질 또는 항문 등으로 소변의 누출이 확인됩니다.

● 검사
수술 중이면 인디고카민(indigocarmine)을 정주하고 수술 부위에서 파랗게 염색된 소변이 확인되면 요관손상이라고 진단할 수 있습니다.

DIP에서는 요로외로의 소변의 누출 소견, 소변의 정체 등이 나타납니다. 역행성 신우조영을 하면 진단을 더욱 확정 지을 수 있습니다. 또 조영CT에 의한 조영제의 요로외로 누출을 확인하는 것도 유용합니다.

● 치료
● 보존적 치료
요류를 확보하고 신기능을 보존하는 것을 주안으로 합니다. 따라서 손상이 작을 때에는 신우와 방광 사이에 요관스텐트를 유치합니다. 경요도적으로 요관스텐트의 유치가 불가능한 경우나 수신증이 고도인 경우에는 신기능 보존을 위해서 1차적으로 신루를 설치합니다.

요로외 누출량이 많을 때는 손상부에 배액관을 유치하기도 합니다.

● 외과적 치료
보존적 치료로 소변의 누출이 지속되거나, 손상부를 치료해도 같은 부위에 협착을 일으켜서 수신증이 발생한 경우에는 수복술이나 요로재건술을 합니다.

C 방광손상
bladder injury

방광은 치골상부에서 받는 외력에 약하고, 특히 소변이 저류되어 방광이 충만되어 있는 상태에서 외력이 가해진 경우에는 쉽게 파열되어 버립니다. 또 교통사고나 작업 중의 사고 등의 둔상으로 인한 골반 골절에 합병되어 발병하는 경우도 있습니다.

요관손상과 마찬가지로, 골반강내 수술이나 경요도적 수술 시의 부적절한 조작으로도 방광손상을 일으키는 수가 있습니다.

분류

복막내 방광손상

방광 충만 시에 많습니다. 방광의 정부나 후벽이 손상되었을 때에 복막도 동시에 손상되므로, 소변이 복강 내로 들어갑니다(그림4 왼쪽). 따라서 복막염이 쉽게 합병하게 됩니다.

복막외 방광손상

교통사고나 노동재해 등에 의한 골반골절 시에, 골편이 방광을 파열시켜 생깁니다. 이것은 복막을 파열하지 않으므로, 요침윤이 방광 주위의 지방조직 등에서 일어납니다(그림4 오른쪽). 감염이 병발하면 골반내 봉소염이 일어납니다.

그림4 **복막내 방광손상**(왼쪽)과 **복막외 방광손상**(오른쪽)

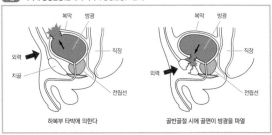

하복부 타박에 의한다   골반골절 시에 골편이 방광을 파열

증상

혈뇨와 배뇨곤란(자배뇨의 소실)이 전형적인 증상입니다. 복막내 손상에서는 복막 자극 증상이나 근성방위(muscle guarding)가 출현하고, 복막외 손상에서는 하복부압통을 확인합니다.

위에서 기술하였듯이, 복막내 손상으로 감염을 일으키면 복막염에, 복막 외 손상으로 감염을 일으키면 골반 내 봉소염으로 진전됩니다.

검사

우선, 요폐와 식별하기 위해서 초음파 검사를 합니다. 전신상태가 안정되어 있으면 KUB나 IVU를 실시하여 골반골절의 유무나 방광의 형태, 방광외로 새는 조영제의 상태 등을 봅니다.

방광손상의 **진단 확정**(복막내 손상인지 복막외 손상인지의 확정도 포함)을 위해서는 **방광조영**을 합니다. 단, 골반골절이 있는 경우는 요도손상이 합병되어 있는 경우도 종종 있어서, 무리하게 요도에 카테터를 삽입하면 손상이 확대될 염려가 있습니다. 카테터를 방광까지 삽입할 수 있는 경우는 우선 생리식염수로 방광 세정을 시도합니다. 이때 주입한 양보다 배액량이 적을 때는 본증의 의심이 농후해집니다.

방광조영을 하면, **복막내 방광손상**에서는 **조영제가 장 주위로 퍼지면서**(p.265 그림5), 장관이 조영됩니다. 또 누출된 조영제가 횡격막하에 저류되는 상태가 보이기도 합니다.

복막외 방광손상에서는 방광 주위의 혈종이나 소변에 의해서 **압박 변형된 방광소견**(tear drop상 : 방광내압이 상승하지 않고, 조영제의 누출이 적은 IVU로 확인할 수 있다)이나 흘러내린 조영제가 방광 주위로 확산되어 화염상음영(방광내압이 상승하여, 조영제가 누출되는 방광조영에서 확인할 수 있다)이 나타납니다(그림6).

그림5 **복막내 방광손상의 방광조영**

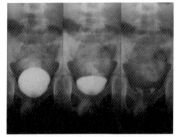

복막 내에서 조영제가 확산되고 있는 것을 확인할 수 있다.

그림6 **복막외 손상에서의 방광조영 소견**

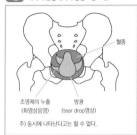

혈종

조영제의 누출
(화염상음영)

방광
(tear drop영상)

주) 동시에 나타난다고는 할 수 없다.

● 치료

경도 손상, 특히 복막외 방광손상에서는 요도카테터를 7~10일 유치하는 것만으로 치유되는 경우도 있지만, 대부분은 수술이 필요해집니다. 특히 복막내 방광손상이 의심스러운 경우는 적극적으로 개복하여 손상부를 봉합폐쇄합니다.

D 방광루
vesical(bladder) fistula

방광루는 방광에 있는 요루*를 말합니다. 외상이나 장관폐색 등을 계기로 방광 주위로 확대된 염증이나 방광 그 자체의 염증, 악성종양의 침윤, 외과·산부인과 등의 수술에서 잘못하여 방광이 손상되었을 때, 그리고 방사선 치료의 합병증으로 나타납니다.

● 증상

질이나 복벽에서 소변이 새거나(실금), 반대로 장에서 방광으로 대변이 혼입되어 요혼탁(분뇨, 공기뇨)을 일으킵니다. 참고로 방광뇨가 장으로 유입되어 설사를 하는 경우는 매우 드뭅니다.

● 종류

방광은 전방이 하복부(피부), 상방이 결장, 후방이 질이나 직장과 인접해 있으므로, 방광피부루, 방광장루(방광직장루나 방광결장루 등), 방광질루가 됩니다(p.266 그림7).

---

* **요루** urinary fistula
요로와 인접하는 장기 사이에 누공이 생긴 상태입니다.

그림7 방광루의 종류

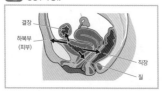

- 결장
- 하복부 (피부)
- 직장
- 질

🔵 방광피부루 vesicocutaneous fistula

방광암의 침윤이나 의원성(방광수술이나 방사선요법)에 의한 것이 있습니다. 참고로 외상에 의한 방광피하파열에서는 누공이 형성되지 않습니다. 치료는 누공폐쇄술입니다.

🔵 방광장루 vesicointestinal fistula

원인으로 가장 많은 것은 염증(S상결장게실염, 충수염, Crohn병)이지만, 결장암이나 방광암의 침윤, 의원성(수술이나 방사선요법)에 의한 것도 있습니다. 염증에 의한 것은 원 질환의 치료를 중심으로 합니다. 종양의 침윤에 의한 것은 인공항문 설치, 방광전절제술, 요로전환술 등을 합니다.

🔵 방광질루 vesicovaginal fistula

자궁암이나 방광암의 침윤에 기인하는 것과 의원성(산부인과 수술이나 자궁암에서의 방사선요법)에 의한 것이 있습니다. 질고위부와 질저위부에 생깁니다. 치료는 누공폐쇄술입니다.

E | 요도손상
urethral injuries

🖊️ 요도손상은 외력에 의한 것과 내시경이나 카테터의 오조작으로 일어나는 것이 있습니다. 외력에 의한 것은 남성에게 압도적으로 많이 나타납니다. 한편, 여성의 요도는 짧고 가동성이 있어서 타박성 외력을 가해도 영향을 잘 받지 않습니다.

남성의 요도손상 부위에 따른 분류는 그림8과 같습니다. 요도손상은 전부요도손상보다 후부요도손상이 골반 내 장기손상의 합병 빈도가 높아서 위험도가 높고, 예후도 불량합니다.

그림8 요도손상 부위에 따른 분류

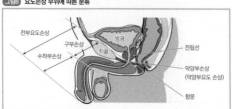

- 전부요도손상
- 구부손상
- 수하부손상
- 치골
- 방광
- 전립선
- 막양부손상 (막양부요도 손상)
- 항문

① 막양부요도손상 injuries to the membranous urethra

후부요도손상(injuries to the posterior urethra)이라고도 합니다. 이 막양부 요도는 요생식격막과 치골로 강하게 고정되어 있어서, 교통사고나 높은 곳에서의 추락 등 골반골절(특히 치골골절)을 수반하는 중증 손상에서 야기됩니다.

본 손상에서는 Santorini정맥총과 전립선정맥총이 손상되면, 출혈이 방광의 전후 공간으로 확대됩니다(그림9). 또 요침윤으로 괴사성 봉소염이 되면, 감염이 쉽게 병발하게 됩니다.

그림9 **막양부(후부) 요도손상에 의한 출혈**

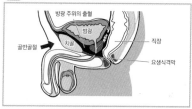

방광 주위의 출혈
방광
직장
골반골절 치골
요생식격막

● 증상

외요도구에서의 출혈이나 요폐가 출현하거나, 미만성 통증을 수반하는 하복부종창을 일으킵니다. 또 출혈성 쇼크에 빠지기도 합니다.

● 검사

다발외상인 경우도 있으므로, 우선은 복부의 촉진과 초음파 검사를 합니다.

직장 손가락 검사에서는 전립선이 상부로 이동하여 촉지되지 않고, 대신에 부드러운 구형을 나타내는 혈종이 촉지됩니다. 동시에 직장의 손상도 어느 정도 확인할 수 있습니다. 출혈은 항문 주위로도 확대되므로, 항문 주위에 자색 반점이 나타납니다.

역행성 요도조영(RGU)에서는 손상 부위에서 조영제가 누출되어, 전립선 및 방광 주위로 확대됩니다. 그리고 화염상음영이나 tear drop 영상 등이 확인되므로, 복막외 방광손상과의 감별이 어렵습니다.

● 치료·합병증

막양부에서 요도가 단절되면, 카테터를 방광 내까지 삽입하기가 어렵습니다. 다행히 카테터가 삽입된 경우(경증례가 많다)는 풍선카테터를 2~3주간 유치합니다. 제거 후는 배뇨 상태와 요도경으로 요도의 상태를 체크합니다.

카테터가 삽입되지 않는 경우 및 단절이 심한 경우는 즉시 **요도재건술**을 하는 **조기수복법**과 긴급히 치골위 등에 경피적 방광루를 만들어 요로를 확보하고, 약 3개월 후에 문합술이나 **요도성형술**을 하는 **지연수복법**이 있습니다.

본증의 합병증에는 요도협착, 발기부전, 요실금 등이 있습니다.

❷ 구부요도손상 injuries to the bulbous urethra

추락, 넘어짐, 올려차기 등으로 아래에서의 외력이 회음부에 가해졌을 때에 생기기 쉬운 손상입니다. 자전거에 걸터앉는 형태로 외력이 가해져서, 기마형 요도손상(straddle injury)이라고도 합니다. 또 구부가 굴곡되어 있어서 내시경 삽입 시의 오조작으로 생기는 수도 있습니다. 요도손상 중에서는 가장 빈도가 높아지고 있습니다.

● 증상

배뇨곤란과 요도출혈을 일으키는데, 전부요도손상에서는 배뇨가 가능한 경우도 있습니다(막양부 손상이 배뇨곤란이 현저). 한편 요도 출혈은 요폐의 유무에 상관없이 확인되는 것이 일반적입니다. 이것은 손상 부위가 요생식격막보다 원위(말초)이기 때문입니다. 또 회음부는 접형이라고도 하는 특징적인 **자색 반점**(그림10)을 나타냅니다.

그림10 구부요도손상에 의한 접형의 자색반점

음경

음낭

항문

접형의 출혈반점

● 검사

역행성 요도조영(RGU)에서는 조영제의 누출이나 단절이 확인되므로, 손상 부위의 확인 및 정도를 판정할 수 있습니다(p.269 그림11). 또 요도내시경도 진단에 유용합니다.

그림11 구부 요도손상의 역행성 요도조영상(사위(斜位))

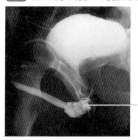

본 증례는 85세 남성으로,
풍선카테터 삽입 시에,
구부 요도에서 커프(풍선)를
부풀려서 발병한
의원성 요도 손상입니다.

요도 밖으로
조영제가 흘러내림

● 치료·합병증

좌상 정도(요도단절이 없다)이면 안정과 항균제 투여로 보존적으로 대처합니다. 요도 출혈이 지속되면, 며칠간 요도카테터를 유치합니다. 부분 단절(불완전 단절)을 확인하는 경우도 며칠간 요도카테터를 유치하고, 조영제의 누출이 없는지를 확인한 후에 카테터를 제거합니다. 완전 단절인 경우는 즉시 수복술(요도단단봉합)을 하거나 긴급히 방광루를 설치해 두고, 후에 요도재건술을 합니다.

손상의 수복 과정에서는 조직에 반흔이 생기게 되어, 종종 요도협착이 합병됩니다.

---

③ 수하요도손상 injuries to the pendulous urethra

가동성이 크므로 외력에 의한 손상을 잘 받지 않고, 대부분은 내시경 검사 등의 기계조작 시에 일어나는 손상입니다.

● 증상·치료

요도 출혈과 음경의 종창이 나타납니다. 본증의 검사나 치료법은 구부손상과 같다고 생각하십시오. 구부손상과 수하부손상은 함께 취급되는 경우가 많습니다.

F | 음경골절
penile fracture

음경해면체와 요도해면체는 백막으로 둘러싸여 있습니다. 발기 상태에 있는 음경에 타박성 외력이 가해져서, 음경해면체의 백막이 찢어지는 것이 음경골절입니다.

● 증상

손상 시에는 "뚝"하고 소리를 내며, 심한 통증이 엄습합니다. 음경에는 혈종이 형성되고 구부러집니다.

● **치료**

음경골절에는 가급적 신속히 파열된 백막을 봉합해야 합니다. 적절히 치료하지 않으면 반흔을 형성하여 발기장애를 초래하게 됩니다.

G 고환손상
injury of the testis

STEP
- 강한 통증을 나타내고, 혈종을 형성한다
- 심한 손상은 고환을 절제한다

스포츠나 교통사고 등으로 음낭이 외력을 받아서 고환이 손상된 것입니다.

● **증상**

수상했을 때에는 강한 통증이 있고, 쇼크를 일으키기도 합니다. 고환이 파열된 경우는 출혈로 혈종이 형성되고, 음낭은 암적색으로 종대됩니다.

● **검사**

진단에는 초음파 검사(그림12)가 유용하고, 백막의 손상 정도나 출혈 정도를 알 수 있습니다.

그림12 고환손상의 초음파영상(97-A-43)

불균일한 에코상   혈종

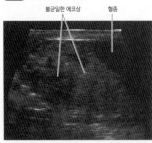

축구부 연습 중에 음부를 차이고, 종창과 통증을 일으켜서 내원한 18세 남자의 증례입니다.
고환 내의 불균일한 에코상에서 내부 출혈을 알 수 있습니다.

● **치료**

출혈이 경도인 경우는 고환을 거상·안정을 취하고 냉암법을 실시합니다. 출혈이 심한 경우는 혈종제거·배액을 합니다. 백막이 심히 파열되어 있는 경우는 봉합합니다. 또 너무 손상이 심하여 고환 조직의 보존이 불가능하다고 판단된 경우에 한해서, 고환 절제를 검토합니다.

제11장

음낭, 음경, 남성요도의 질환
scrotal disease, penile and male urethral disease

A 음낭 내의 질환

- 정액류는 고환 위쪽의 낭종이며, 천자로 유백액을 얻게 된다
- 음낭수종은 무통성이며 투광성 종물
- 덩굴정맥류는 좌신정맥을 관류하는 좌측에 많다
- 고환꼬임은 급격한 음낭부의 압통과 종창이 주증상이다

1 정액류 spermatocele

● 원인

외상이나 염증이 원인이 되어, 고환수출관이나 정소상체관이 폐색되고, 여기에 정액이 저류되어 주머니 모양으로 팽창된 것입니다(그림1).

● 증상

고환의 상후방(고환상극, 부고환 두부)에 무통성의 소지(小指) 머리 크기~엄지 머리 크기의 탄성이 있는 구상종물로 촉지됩니다.

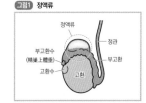

그림1 정액류

종물 형성 이외에 자각 증상은 없습니다. 또 생식 능력을 저해하는 경우도 없습니다. 종류는 투광성이며, 천자로 정자 등을 포함한 유백액을 얻습니다.

● 치료

방치해도 문제없지만, 큰 것은 낭종 절제를 합니다.

2 음낭수종 scrotal hydrocele (hydrocele testis)

● 원인·병태

고환초막강에 장액이 저류된 것이 음낭수종입니다. 복막초상돌기*는 완전히 폐쇄되어 있지 않아서, 복강 내의 장액이 복막초상돌기 내로 유입되어 일어나는 선천성과 음낭 내의 염증이나 종양 또는 외상 등의 자극으로 삼출액이 분비저류되는 속발성이 있습니다. 또 복막초상돌기 내에 저류된 것은 정삭수종이라 합니다 (p.272 그림2).

---

* 복막초상돌기 processus vaginalis peritonei
복막 전벽에서 발생하여, 음낭을 향해서 돌출하여 고살관을 형성합니다. 고환은 이 복막초상돌기를 따라서 하강하고, 태생 후기에 음낭 내에 도달합니다. 출생 후는 자연히 폐쇄되지만, 완전히 폐쇄되는 것이 아니라 열려 있을 때도 있습니다.

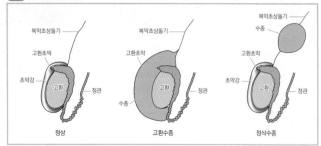

그림2 고환수종와 정삭수종

복막초상돌기 · 고환초막 · 초막강 · 고환 · 정관 · 정상

복막초상돌기 · 고환초막 · 고환 · 수종 · 정관 · 고환수종

복막초상돌기 · 수종 · 고환초막 · 초막강 · 고환 · 정관 · 정삭수종

● 증상

무통성이며 투광성 종물(그림3)로 고환의 전방에서 확인됩니다.

그림3 음낭수종

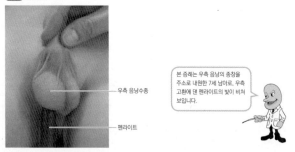

우측 음낭수종

펜라이트

본 증례는 우측 음낭의 종창을 주소로 내원한 7세 남아로, 우측 고환에 댄 펜라이트의 빛이 비쳐 보입니다.

● 검사

초음파검사로 음낭 내의 상태를 알 수 있으므로, 즉시 진단할 수 있는 경우도 적지 않습니다. 또 도플러법을 병용하면 후에 기술하는 고환꼬임과의 감별에 유용합니다.

천자로 누런색 투명한 액체를 얻게 됩니다.

● 치료

소아기에 발견된 것은 자연 흡수되어 소실되는 것도 있습니다. 그 이외는 천자 흡인 또는 근치 수술을 합니다. 근치 수술의 기본적인 견해는 과잉 고환초막을 절제하여 삼출량을 감소시키는 것과, 주위 조직에서의 삼출액의 흡수를 촉진시키는 것입니다. 수술법에는 Bergmann법과 Winkelmann법이 있습니다. 전자는 고환초막을 절개하여 삼출액을 배출시킨 후, 고환초막을 고환 및 부고환 근처에서 1cm 정도 남기고 절제하고, 고환초막의 절단 끝을 연속봉합하는 것입니다. 후자는 절개한 고환초막을 뒤쪽으로 뒤집어서, 부고환과 정삭의 후면에서 봉합하는 것입니다.

③ 덩굴정맥류 varicocele

● 원인·병태

원발성인 것은 정맥 판막의 기능이상으로 생기는 **덩굴상 정맥총의 동맥류로**, 하지 정맥류와 같습니다. 우음낭 내의 덩굴정맥은 우고환(우내정삭) 정맥을 거쳐서 직접 하대정맥으로 관류하므로 비교적 원활하게 유입됩니다. 이에 반해서 좌음낭 내의 덩굴정맥은 좌고환(좌내정삭) 정맥을 거쳐서 좌신정맥에 거의 직각으로 관류하므로, 유입 시에 관류저항이 커집니다(그림4). 즉 본증은 관류저항이 큰 좌측에 흔히 나타납니다. 호발 연령은 15～30세 정도입니다.

그 밖에 신세포암, 수신증, 후복막종양에 기인하는 정맥계 정체가 생기면 **속발성 덩굴정맥류도** 생깁니다. 따라서 중년 이후에 돌연 덩굴정맥류가 생겨서, 육안적 혈뇨, 측복부 종물, 측복부 통증 등이 나타나는 경우는 신세포암도 고려해야 합니다.

그림4 덩굴정맥류의 주요 원인

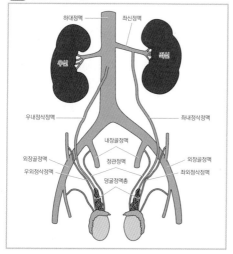

좌신정맥→좌내정삭정맥→덩굴정맥총과 정맥혈이 역류함으로써 생깁니다.

● 증상

대부분은 무증상이지만, 때로 음낭부의 견인통이 있습니다. 또 남성불임증의 원인이 되기도 하며(남성불임 환자의 약 1/3에서 확인된다), 불임 검사 시에 본증이 발견되기도 합니다. 본증에서는 음낭 내의 온도가 높아져서 정자의 형성장애가 일어납니다.

● **검사**

촉진하면 음낭 내에서 확장된 다수의 정맥이 촉지됩니다. 이것이 확실하지 않은 경우는 선자세에서 숨을 멈추고 복압을 주게 하면 정맥류가 한층 현저해집니다(Valsalva법).

객관적 진찰법에는 사모그래피로 음낭 내의 온도를 검사하는 외에, 도플러에코나 신티그래피도 시행합니다.

● **치료**

음낭의 종창, 불쾌감, 통증이 있는 심한 정맥류나 남성불임의 원인인 경우, 또는 장래 조정기능장애를 일으킬 것 같은 사춘기 이후의 증례에는 **정삭정맥 고위결찰술**을 합니다. 또 본법은 복강경하에서 시행하기도 합니다.

---

④ 고환꼬임 torsion of testis

해부학적 이상으로 고환 고정이 불충분하여, 고환거상근의 수축에 의해서 고환이 정삭을 축으로 회전하게 되고, 혈류가 저해를 받아서 허혈 상태에 빠지게 됩니다. 이것이 고환꼬임입니다. 사춘기 전 무렵에 가장 흔히 나타나는데, 정류고환 등의 선천이상이 있는 환자에서 발병하기 쉬워서, 신생아기에도 비교적 흔히 나타납니다.

본증은 정삭꼬임, 정삭축꼬임, 고환회전법이라고도 합니다.

● **증상**

급격히 발생하는 음낭부의 압통과 종창이 특징입니다. 고환이 거상되어 있어서 극심한 고환통이나 하복~고환의 견인통이 나타납니다. 또 음낭부가 발적되어 있습니다. 종종 오심·구토, 복통의 복부 증상도 수반합니다.

"고환을 거상하면 통증이 경감하지 않고, 때로는 반대로 증강"하는 Prehn징후 음성(-)입니다. 이는 Prehn's sign 양성 (+) 부고환염(☞ p.119)과 감별하기 위해서 중요하다는 문헌도 있지만, 실제로는 판정이 어려운 경우가 많아지고 있습니다. 또 본증에서는 고환거근반사*는 소실되어 있습니다.

● **검사**

우선 초음파 컬러 도플러법을 합니다. 이 검사로 형태의 이상과 저혈의 유무를 동시에 보는 것이 가능하며, 건측과 비교할 수도 있습니다(p.275 그림5).

그 밖에 초음파 파워 도플러법이나 고환 신티그래피 등도 사용하는데, 감별할 수 없는 경우에는 시험 절개를 하여 직접 환부를 확인하여야 합니다.

---

* **고환거근반사** cremaster reflex
대퇴의 내측을 자극하면, 같은 측 고환이 고환거근의 수축으로 거상하는 반사입니다. 고환꼬임이 생기면, 환측부에서는 본 반사가 소실됩니다.

그림5 고환꼬임의 음낭의 파워 도플러초음파영상(107-D-41)

우음낭
(환측)

좌음낭
(건측)

우음낭부의 통증을 주소로 내원한 17세 남자의 증례입니다.
우음낭에서는 혈류를 확인할 수 없지만, 좌음낭에서는 정삭·고환 모두 혈류(↑)가 확인됩니다.

● 치료

본증은 응급 수술 대상입니다. 꼬임 후 6시간 이내에 정삭부를 열고 직시하에 **정복수술**을 하면 좋은 결과를 얻을 수 있지만, 12~24시간 이상 경과하면 순환부전 때문에 고환이 괴사에 빠집니다. 그 경우는 고환절제술을 해야 합니다.

맨손교정(manual reduction)이 가능하다는 의견도 있지만 재발 예방에는 고정술이 필요하며, 동시에 건측의 예방적 고정술도 합니다.

B 음경 및 남성요도질환

1 음경지속발기증 priapism

STEP
허혈성 지속발기증에서는
• 통증을 일으키며 괴사하는 수가 있다
• 치료는 페닐레프린주사와 요도해면체~음경해면체 문합

음경해면체에 혈류가 정체(순환부전)됨으로써, 성적 자극과는 관계없이 발기 상태가 4시간 이상 계속되는 상태입니다. 원인불명의 특발성인 경우가 많지만, 외상, 혈전·색전(백혈병, 겸상적혈구증), 종양(전립선암, 방광암의 전이), 신경질환(마미증후군 등)에 기인하는 수도 있습니다.

음경동맥의 손상 등으로 대량의 혈액이 음경해면체 내로 유입되는 비허혈성(동맥성 : high flow type)과 음경해면체 내에서 유출하는 혈액(정맥혈)이 어떤 원인으로 차단되는 허혈성(정맥성 : low flow type)의 2가지가 있습니다.

● 증상

음경해면체가 팽창하여, 언뜻 보기에 발기되어 있는 것처럼 보이지만, 귀두와 요도해면체(양자는 혈류가 같은 점에 주의)는 팽창하지 않고 부드러운 채입니다(그림6). 따라서 통상은 배뇨곤란이 확인되지 않습니다. 허혈성은 통증을 일으키고 괴사하기도 하지만, 비허혈성은 통증도 괴사도 일으키지 않습니다.

그림6 음경지속발기증

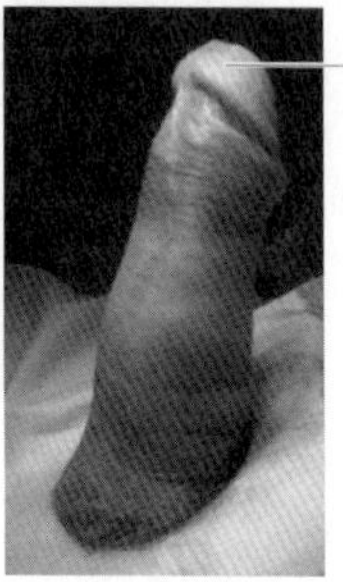

━ 부드러운 귀두부

● 치료

원인질환이 있는 경우는 그 치료를 합니다. 비허혈성은 해면체에서 유출하는 혈류가 유지되고 있어서 자연히 경감되는 경우가 많고, 후유증도 거의 없습니다. 그러나 혈액 순환이 차단되는 허혈성은 치료가 늦어지면 음경해면체가 섬유화되어 발기장애를 초래하게 됩니다. 따라서 허혈성인 경우는 해면체에 천자하여 혈액을 제거함과 동시에, α 수용체 작동제인 페닐레프린(phenylephrine)을 해면체 내에 주사합니다. 바이패스를 형성(요도해면체와 음경해면체를 문합)하여 순환부전을 해소해야 합니다.

② Peyronie 병 Peyronie's disease

음경해면체 백막 및 주위막의 경결 형성과 섬유화를 일으키는 질환으로, 원인불명입니다. 30~50대에 흔히 나타납니다.

● 증상

평소에는 무증상이지만, 발기 시에 통증을 유발합니다. 진행되면 발기부전이나 음경의 만곡을 나타내다가, 결국에는 성교 불능이 됩니다. 손가락에 Dupuytren구축*이 합병되기도 합니다.

---

* Dupuytren구축
수장건막(手掌腱膜)에 병적 비후와 수축이 생겨서 서서히 손가락을 펼 수 없게 되는 질환으로, 남성에게 흔히 나타납니다. 굴곡은 장애받지 않아서, 물건을 잡을 수는 있습니다.

🔴 치료

부신피질스테로이드제나 비타민E 내복 및 주사, 방사선조사가 이루어지는데, 효과적인 것은 없습니다. 성교에 지장이 나타나는 경우는 수술을 하기도 합니다.

③ 발기부전 impotence

- 원인으로 가장 많은 것은 심인성과 정신질환
- 당뇨병이나 흡연도 risk factor
- 치료에는 PDE 5 저해제의 투여가 효과적

남성의 성행위는 그림7과 같은 과정을 거치는데, 어느 하나의 과정이 부족하거나 불충분한 것을 남성성기능장애라고 합니다.

일본성기능학회에서는 "성교 시에 유효한 발기가 되지 않아서 만족스런 성교를 할 수 없는 상태로, 통상 성교 찬스의 75% 이상에서 성교를 할 수 없는 상태"를 발기장애라고 정의하고 있습니다.

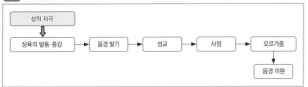

그림7 남성의 성행위 과정

🔴 분류

발기부전의 원인에 따라서 기능성 발기장애, 기질성 발기장애, 그리고 쌍방의 요인에 의한 혼합성 발기장애의 3가지로 크게 나누어집니다.

🔴 기능성 발기장애

심인성(자신감상실, 스트레스, 피로 등)이나 정신질환(우울증, 통합실조증 등)에 기인하는 것으로, 대다수의 발기장애가 여기에 해당됩니다.

🔴 기질성 발기장애

신경성(뇌척수말초신경질환, 당뇨병에 기인하는 말초신경장애, 전립선수술), 혈관성(동맥경화에 기인하는 음경으로의 혈류장애), 내분비성(갑상선이나 부신피질 등의 기능이상, 고환기능부전에 의한 테스토스테론저하), 해면체조직성, 약물성으로 여러 가지 요인이 있습니다.

기운 내!

● Risk factor

위에서 기술하였듯이, 본증의 원인은 여러 가지이지만, 가령, 당뇨병, 고혈압, 심장병, 고지혈증, 전립선 수술, 신질환, 우울증, 척수손상, 약제성(강압제, 항정신제), 흡연, 음주, 스트레스 등이 대표적입니다.

● 치료

실데나필(비아그라®), 발데나필(레비트라®), 타달라필(시알리스®)는 음경해면체의 5-phosphodiesterase isozyme (PDE 5)에 비교적 특이성이 있는 억제인자로 작용하여 PDE 5저해제라고 합니다. PDE 5저해제는 일산화질소(NO)에서 생산된 음경해면체 내의 cGMP[*1] 분해를 억제하고, 평활근을 이완시켜서 혈류량을 증가하여 음경을 발기, 유지시킵니다. 이러한 메커니즘에서 PDE 5저해제는 기능성, 기질성, 혼합성의 모든 발기장애에서 높은 유효성이 확인됩니다.

단, 환자가 초산제(니트로글리세린이나 초산이소소르비드 등)를 복용하고 있는 경우는 순환 혈액 속의 NO 레벨이 높아지고, 혈관평활근의 PDE 5가 저해되면 혈관 확장 작용이 배가되어, 고도의 혈압 저하를 일으킵니다. 따라서 PDE 5저해제와 초산제의 병용은 금기입니다.

또 프로스타글란딘 E1을 음경해면체에 주사하여 발기시키는 방법이나 음경 보형물 삽입 수술[*2] 등도 시행되고 있습니다.

④ 요도협착 urethral stricture

> **STEP** 치료는 부지(bougie), Le Fort법, 요도절개술

글자 그대로 요로가 협착되고(좁아지고), 이것에 기인하는 배뇨장애가 생기는 것입니다. 선천성인 것과 요도조직장애 후의 반흔화로 인한 후천성인 것이 있습니다.
본증은 여성에게 적고, 그 정도도 경도로 나타납니다.

● 남성의 요도협착의 원인

● 외상성

골반에 외력이 가해져서 치골골절이 생기고, 요생식격막 파열→막양부 손상→막양부 섬유화→막양부 협착으로 진행됩니다. 또 회음부 타박상(기마형 추락에 많다)으로 구부가 치골 사이에 끼어서 파열되고, 섬유화, 그리고 구부협착으로 진행되는 것이 있습니다.

[*1] cGMP
고리형 구아노신 인산(cyclic guanosine monophosphate)의 약어입니다.

[*2] **음경 보형물 삽입 수술** penile prosthesis implantation
인공적인 발기를 실현하기 위해서 음경 내에 실리콘제 실린더를 삽입하는 수술입니다. 보형물에는 막대 모양으로 구부렸다 폈다 하는 비팽창형(non-inflatable) 타입과 필요 시에 펌프로 팽창시키는 팽창형(inflatable) 타입이 있습니다. 본법은 달리 발기장애를 치료할 방법이 없을 때에 선택하는 마지막 수단입니다. 즉 본법 실시 후에 다른 치료를 할 수가 없습니다.

● 염증성

굵은 카테터의 유치에 의해서 전부요도에 순환장애가 생기고, 섬유화 그리고 전부요도협착으로 진행된 것입니다. 임균성 요도염 때문에 반흔을 형성하고, 다발성 전부요도협착을 일으키기도 합니다.

● 선천성

드물게 구부에 나타나는 경우가 있습니다.

● 여성의 요도협착의 원인

골반골절이나 부인과 수술에 따르는 요도손상에 합병된 외상성, 남성의 경우와 똑같은 원리로 생기는 염증성, 여성호르몬의 결핍 때문에 요도가 위축되어 생기는 노인성의 3가지가 있습니다.

● 검사

역행성 요도조영으로 협착이 조영됩니다(특히 남성)(그림8, 9). 또 요도경을 사용하면, 직시하에 협착의 상태를 확인할 수 있습니다(p.280 그림10).

그림8 요도협착의 역행성 요도조영영상(정면상)

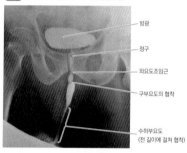

- 방광
- 정구
- 외요도조임근
- 구부요도의 협착
- 수하부요도
  (전 길이에 걸쳐 협착)

그림9 남성의 요도협착의 역행성 요도조영(사위, 斜位)의 모식도

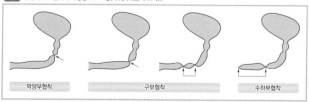

| 막양부협착 | 구부협착 | 수하부협착 |

그림10 요도구부협착(화살표)의 요도경 소견

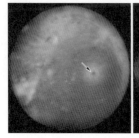 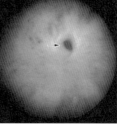

본 증례에서는
직시하에
내요도절개술로
협착부를
절개했습니다.

원거리 영상　　　　　　근거리 영상

● 치료

협착의 부위와 정도에 따르지만, 우선 부지(bougie)를 시도한다고 생각하십시오. 남성이라면 Le Fort법(☞ p.65)을 시도해도 됩니다. 이 치료로 충분한 효과를 거두지 못한 경우에는 단순히 요도를 확장할 것이 아니라, 요도절개술(☞ p.281)을 하는 것이 일반적입니다. 왜냐하면, 확장술만으로는 일시적으로는 효과를 보더라도, 다시 협착을 일으킬 확률이 높기 때문입니다.

제12장
비뇨기과 영역의 수술법

A 경요도적 내시경 수술

> 외요도구에서 내시경을 삽입하고, 요도·전립선·방광질환이나 나아가서는 요관·신우에 대해서도
> 내시경하에 수술을 하는 방법입니다.
> 통상은 천골경막외 마취하나 경막외 마취하에 전기 메스로 대상 부위를 절제·응고시킵니다. 절제할
> 때에 생기는 출혈이나 절제 조각으로 수술 부위가 차단되지 않도록, 관류액*으로 세정하면서 합니다.
> 관류액압은 너무 높으면 체내로 흡수되어 위험하지만, 반대로 너무 약하면 수술 부위가 불량해집니다.

① 요도절개술 urethrotomy

주로 요도협착에 합니다.

■ 내요도절개술 internal urethrotomy

요도내강이 좁아서 안쪽부터 절개하여 넓히는 방법입니다. 우선 내시경하에 협착부를 확인하고 가이드와
이어를 방광 내까지 유치시키고, 이것을 가이드로 하여 **직시하에 나이프로 협착부를 절개합니다**(그림1). 또 수
술 후는 절개부의 유합·치유 과정에서 다시 협착을 일으키는 수가 있으므로, 확장이 완성될 때까지 3주간
은 요도카테터를 유치합니다.

그림1 내요도절개술

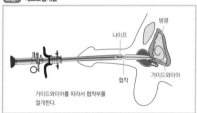

방광

나이프

협착

가이드와이어

가이드와이어를 따라서 협착부를
절개한다.

■ 외요도절개술 external urethrotomy

회음측 피부를 절개하여 협착부에 도달한 다음, 원인이 되는 협착부나 반흔 조직을 절제하고, 남아 있는
정상 조직 부분에서 요도를 단단문합합니다. 단, 반흔부를 절제하면 봉합하는 데에 조직이 부족하므로, 혈관

---

* **관류액** perfusate
소르비톨(sorbitol)과 같은 등장(等張) 비전해질액을 사용합니다. 멸균증류수를 사용하면 관류액이 절제 면에서 체내로 대량 흡수
되고, 용혈을 일으켜서 신부전을 초래합니다. 생리식염수 등의 전해질액하에서는 전기 메스를 사용할 수 없습니다. 1회의 경요
도적 전립선절제술에서는 약 20~30L의 관류액이 필요합니다.

이 풍부한 지지조직이 붙은 음낭 피부를 patch로 하여, 결손부를 덮듯이 요도를 재건하는 방법 등이 시행되고 있습니다.

② 방광결석 · 이물적출술, 방광쇄석술, 요관쇄석술

이물용 방광경을 삽입하고 실시합니다. 또 지름이 가는 요관경을 사용하면, 요관이나 신우 내의 결석을 파쇄 · 적출할 수 있으며, 생검도 할 수 있습니다.

상세한 내용은 각 질환을 참조하십시오.

③ 경요도적 전립선절제술 transurethral resection of the prostate (TUR-P)

STEP 천공, 저나트륨혈증, 요도협착 등의 합병에 요주의

내시경하에 본래의 전립선인 외과적 피막이 보일 때까지 고주파전류로 조금씩 선종(비대된 주위선)을 절제해 가는 것이며, 출혈점은 전기응고로 지혈합니다(그림2, 3).

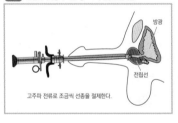

그림2 전립선비대증에 대한 경요도적 전립선절제술

방광
전립선

고주파 전류로 조금씩 선종을 절제한다.

그림3 경요도적 전립선절제술의 요도경소견

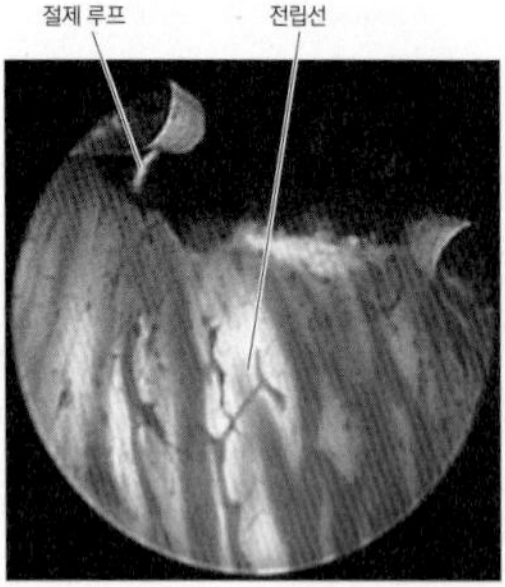

절제 루프   전립선

● 적응

본법은 **전립선비대증**이 주된 적응이지만, **전립선암**에 대응적으로 시행하기도 합니다. 진행암일 때에 일어나는 배뇨장애가 그 적응이지만, 물론 근치적인 치료는 아닙니다.

● 합병증

● 천공

너무 절제하거나 응고하면 외과적 피막에 천공이 생깁니다. 이것이 본법에서 가장 주의해야 할 점입니다.

● TURP 증후군

수술 중에 외과적 피막을 천공하여 정맥동이 개방되면, 대량의 관류액이 체내로 흡수되어 버립니다. 이 대량의 관류액이 체내로 흡수되어 일어나는 일종의 쇼크 상태(수분 중독)가 TURP 증후군이며, 몸의 움직임이나 의식이 불온한 상태나 혈압 상승에 이어서, 저나트륨혈증으로 인한 오심·구토, 냉한, 서맥, 저혈압 등이 나타납니다. 이 TURP증후군을 확인하면 수술을 즉시 중지하고, 부신피질스테로이드제나 승압제의 투여, 침투압이뇨 등의 쇼크에 대한 치료를 합니다. 수술 시간이 길어지면 TURP증후군의 위험성이 높아지므로, 수술 시간에도 주의를 요합니다.

● 요실금

외요도조임근이 손상된 경우에 일어나는 것으로, 진성 요실금이 됩니다.

● 요로·성기감염증

손상된 요로점막에서 감염을 일으키는 수가 있습니다. 급성 부고환염은 사정관에서의 역행성 감염으로 생깁니다.

● 요도협착

요도에 경성 기기를 삽입하기 때문에 조직 압박과 그에 따른 염증이 생기는 것은 피할 수가 없습니다. 증례에 따라서는 수술 후 어느 정도 경과되고 나서 요도협착을 일으키기도 합니다.

> **참고**
>
> **홀뮴 레이저 전립선적출술 holmium laser enucleation of the prostate (HoLEP)**
>
> 홀뮴 레이저를 사용한 내시경하의 전립선적출술입니다. 우선 레이저로 전립선을 한 덩어리로 절제한 후, 이것을 가늘게 절단하면서 흡인하여 꺼내는 수술식입니다. 본법은 출혈이 적고, 큰 전립선비대에서도 적출이 가능합니다. 입원 일수도 2~3일로, 종래의 TUR-P의 반 정도로 끝납니다.

④ 경요도적 방광종양절제술 transurethral resection of the bladder tumor (TURBT)

TUR-P와 똑같은 방법으로 방광종양을 절제하는 방법입니다. 대표적인 적응은 표재암(☞ p.190)입니다.

요관구 외측의 방광암을 절제할 때, 전류에 의한 자극으로 폐쇄신경반사*가 일어납니다. 따라서 폐쇄신경반사가 예상되는 경우에는 예방적으로 수술 전에 경피적 폐쇄신경블록을 해야 합니다.

---

* **폐쇄신경반사 obturator nerve reflex**
골반의 폐쇄공에서 나오는 폐쇄신경은 대내전근, 장내전근, 단내전근 등을 지배하고, 고관절내전과 슬관절신전을 담당하고 있습니다. TUR-BT 중에 전류로 인해 이 폐쇄신경이 자극되면, 대퇴내전근이 수축하여 발을 움직이게 되는 반사가 폐쇄신경반사입니다.

B │ 관혈적 수술

① 신장·요관으로의 접근법과 수술의 실제

■ 피부 절개와 접근

전방접근(피부 절개에는 정중절개, Grekov 절개, 횡절개가 있다), 측방접근(피부 절개에는 횡절개 요부 경사 절개, Bergmann-Israel 절개가 있다), 후방접근(피부 절개는 Gil-Vernet 절개가 유명)의 3가지가, 있습니다(그림4).

그림4 신장·요관으로의 도달법

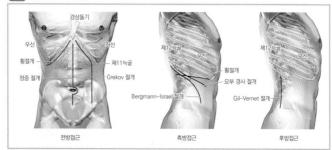

전방접근   측방접근   후방접근

■ 신장절제술 nephrectomy

신장이 후복막강 장기라는 점에서 개복하지 않고 도달할 수 있으며, 넓은 시야가 확보되어서 수술조작이 쉬운 측방접근을 이용하는 경우가 많아지고 있습니다.

■ 근치적 신장절제술 radical nephrectomy

신장암에 시행하는 본법은 신장뿐 아니라, 신경부의 동정맥 처리나 주위 조직의 적출이 필요합니다. 또 림프절 절제가 필요한 경우도 있습니다.

따라서 개복을 하는 전방접근이 시행되는 경우가 종종 있습니다. 또 신상국부(腎上局部)에 큰 종양이 있는 경우는 더 넓은 시야를 확보할 목적으로 개복과 동시에 늑골을 절제하고, 개복 후에 횡격막도 절단하여 국소에 도달하기도 합니다.

■ 신뇨관전절제술 total nephroureterectomy

신우요관암에 시행하는 본법은 요부 경사절개로 신장 적출 후, 하복부방복직근을 절개하고, 방광 부분 절제와 함께 요관을 적출합니다.

■후방접근

이동의 가능성이 적은 신우 및 상부요관결석에 대한 수술에서 흔히 시행되었지만, 오늘날에는 결석에 대한 수술은 ESWL, PNL, TUL이 널리 시행되고, 후방접근을 포함한 개복 수술은 거의 시행하지 않게 되었습니다.

본법은 근절단이 없어서, 수술 후 통증이 적고, 합병증의 위험도 적은 것이 이점입니다. 결점은 넓은 수술 부위를 확보할 수 없는 점입니다.

❷ 부신으로의 접근법

수술 목적으로 부신에 접근하는 방법에는 배면도달법(그림5 왼쪽), 경요적 도달법(그림5 가운데), 경복적 전면도달법(그림5 오른쪽), 경흉복적 도달법 등이 있는데, 현재 부신 수술은 복강경 수술(그림6)이 주류입니다.

그림5 **부신으로의 도달법**

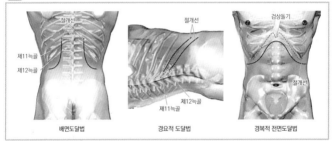

| 배면도달법 | 경요적 도달법 | 경복적 전면도달법 |

그림6 **복강경 수술**

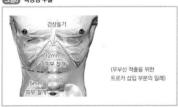

(우부신 적출을 위한 트로카 삽입 부분의 일례)

③ 방광 수술

■ 단순방광절제술 simple cystectomy

방광경부에서 요로를 절단하는 것입니다. 위축방광, 방광외번증, 신경인성 방광 등, 환자의 방광이 기능하지 않게 되고, 방치하면 인체에 악영향을 미치는 양성질환에 적용됩니다.

본법에서는 방광이 없어져 버리므로, 후에 기술하는 요로전환술이나 회장 등 소화관의 일부를 사용하여 방광형성술을 해야 합니다. 방광형성술을 하면 외요도구에서의 배뇨가 가능(또는 자가도뇨) 합니다.

■ 방광부분절제술 partial cystectomy

방광 내의 병변부가 작거나 양성인 경우는 그 부분만 절제합니다. 특히 방광삼각부 등 방광기저부를 제외한 유동적인 방광벽의 질환 수술에 좋은 적응입니다.

■ 방광확대술 cystoplasty

방광 용량이 감소된 경우나 수술로 광범위하게 방광이 절제된 경우에 시행됩니다. 예를 들면, 방광결핵이나 간질성 방광염 등의 염증성 질환에서는 방광이 위축되어 용량이 적어집니다. 방사선 치료에서도 위축방광이 속발하는 수가 있습니다.

본법에서는 결손 부분을 보충하기 위해서, 대부분의 경우는 회장이나 S상결장의 일부를 본래의 소화관 경로에서 잘라낸 후에, 주머니 모양으로 만들어 방광의 결손부에 붙여주는 방법이 권장되고 있습니다(그림7).

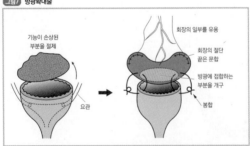

그림7 방광확대술

기능이 손상된 부분을 절제

회장의 일부를 유용

회장의 절단 끝은 문합

방광에 접하는 부분을 개구

봉합

요관

■ 요관방광연결술 ureteroneocystostomy

본래의 요관구 이외의 부위에서 요관을 방광에 연결하는 수술입니다. 방광벽의 점막하에 터널을 만들어 새로 문합하는 Paquin법(p.287 그림8)이나 방광벽의 일부를 p.287 그림9와 같이 절개 형성하여 요관과 문합하는 Boari법 등이 있습니다.

요관의 하단에 있는 병변을 절제한 후 요관이 짧아 방광에 다시 연결하기가 어려울 수가 있습니다. 이와 같은 경우에 Boari법이 시행됩니다.

그림8 **Paquin법**

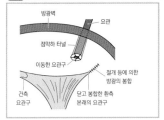

그림9 **Boari법**

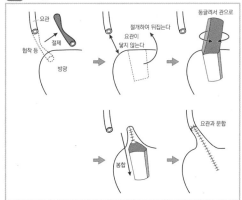

■ 방광요관역류 방지 수술 vesicoureteral antireflux operation

방광요관역류가 있는 환자에서 시행됩니다. 구체적인 적용 질환은 완전중복요관이나 요관류 등의 원발성 질환과 요관협착이나 전립선비대증 또는 신경인성 방광 등의 속발성 질환입니다.

● Politano-Leadbetter법

요관방광연결술의 대표적 수술 방법입니다. 본래의 요관구를 폐쇄하고, 그 약 3cm 상외방에서 요관을 방광에 관통시키고, 본래 요관구와의 사이는 점막하 터널 상태로 둔 채, 새로 요관구를 만드는 방법입니다(그

림10). 모두 방광 속에서만 시행되는 수술이라는 점과 새로 연결한 요관구의 위치는 본래 요관구의 위치와
변함이 없다는 점이 포인트입니다.

그림10 Politano-Leadbetter법

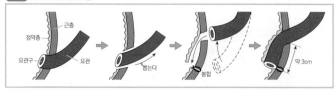

● Cohen법

방광에 육주 형성이 심할 때에 시행하는 수술식으로, 점막하 터널을 구요관구의 측방(옆)에 형성하고, 그
곳으로 요관을 넣어서 새로 요관구를 만듭니다(그림11).

그림11 Cohen법

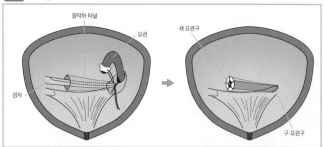

● Glenn-Anderson법

점막하 터널을 구 요관구의 아래쪽에 형성하고, 그곳으로 요관을 넣어서 새로운 요관구를 만듭니다(p.289
그림12).

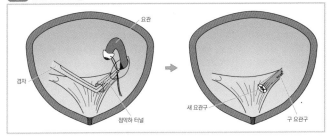

그림12 Glenn-Anderson법

요관

겸자

점막하 터널

새 요관구

구 요관구

● Lich-Gregoir법

방광근층을 절개하고, 그곳에 요관을 묻는 수술식입니다(그림13).

그림13 Lich-Gregoir법

요관

방광 밖에서 방광
점막을 남기고 근
층만 절개

요관을 넣는다

봉합

④ 요로전환술 urinary diversion

S T E P
• 기능할 수 없게 된 방광을 대신해서 새 요로를 만드는 것
• 일시적인 것인지, 장기간 사용할 것인지에 따라서 전환술이 달라진다

방광의 악성종양이나 선천기형 등으로, 하부요관, 방광, 전립선, 후부요도를 포함한 광범위한 수술을
한 경우는 본래의 요로를 사용할 수 없게 되므로, 다른 배뇨 경로를 만들어야 합니다(요로전환).

또 수신증으로 환측의 신기능이 저하되어 있을 때에는 일시적으로 요로를 전환하여 신기능을 회복하
기도 합니다.

경피적 신루설치술 percutaneous nephrostomy (PNS)
경피적 방광루설치술 percutaneous cystostomy

초음파 가이드하에 경피적으로 신우를 천자 후, 천자부를 확장하여 카테터를 유치합니다. 이것이 경피적 신루설치술입니다(그림14 위). 요도협착 등의 하부요로폐색이나 요도 외상 시에는 똑같은 수기로, 방광에 카테터를 유치합니다. 이것이 경피적 방광루설치술입니다(그림14 아래).

이 수술들은 양성 요실금 상태를 초래하므로, 소변백이 필요합니다. 이와 같이 환자의 QOL이 매우 저하되므로, 장기간 이용은 삼가야 합니다. 따라서 잔존 수명이 길지 않은 환자(악성종양 말기 등)의 요로전환이나 요로에 폐색이 있는 환자에게 근치술을 시행할 때라야 일시적 요로전환이 적응이 됩니다.

요관피부루술 cutaneous ureterostomy

중부요관 이하에서 요관을 절단하고, 요관 절단 끝을 측복부 피부에 연결하는 수술입니다(그림14 가운데). 후에 기술하는 회장도관조성술보다 수술식이 용이하고, 수술 후 합병증도 적어서, 전신상태가 나쁜 환자에게 적응이 됩니다.

요관피부루에는 연결부의 협착을 방지할 목적으로 신우까지 카테터를 삽입해 두는 방법과 요관과 피부의 형성 수술을 하는 튜브리스(무관성) 요관피부루(카테터를 사용하지 않는 요관피부루)가 있으며, 후자에서 한층 더 좋은 성적을 얻게 됩니다.

본 수술식을 양측에 한 경우에는 양측 복부에 소변백을 장착해야 하므로, 환자의 QOL이 매우 저하됩니다. 그래서 수술 시에 양측 요관을 문합하여 1줄의 요관으로 하고, 그것을 피부면으로 꺼내는 수술이 시행되기도 합니다(소변백은 1개로 된다).

또 소아의 일측 선천성 거대요관 등 확장된 요관을 갖는 환자에서, 요관을 절단하지 않고 피부면으로 꺼내어, 측구를 열고 수신증을 개선하기도 합니다(루프요관피부루 : 그림15). 이 경우는 원 질환의 치료가 시행된 후에 이 측구를 폐쇄함으로써 본래의 요로로 되돌릴 수 있습니다.

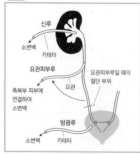

그림14 피부루설치술

신루
소변백
카테터
요관피부루
측복부 피부에 연결하여 소변백
요관
요관피부루일 때의 절단 부위
방광루
소변백
카테터

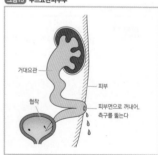

그림15 루프요관피부루

거대요관
피부
협착
피부면으로 꺼내어, 측구를 뚫는다

■ 회장도관 ileal conduct

회장의 일부를 절제하고 요관에 문합하여, 이 회장을 피부에 개구하는 수술입니다(그림16). 수술 침습이 크고 **진성 요실금 상태**가 되므로 소변백을 사용하는 불편함이 있습니다. 그러나 소변은 회장 또는 결장의 연동운동으로 바로 체외로 배설되므로, 요정체가 일어나지 않아서, 역행성 감염 등 상부요로의 영향이 적어집니다. 방광전절제술 후 등의 장기에 걸친 요로전환으로 적합합니다.

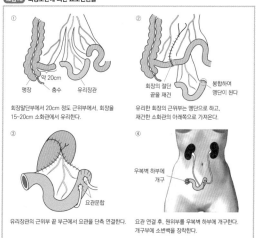

그림16 회장도관에 의한 요로전환술

①
약 20cm
맹장   충수   유리장관

회장말단부에서 20cm 정도 근위부에서, 회장을
15-20cm 소화관에서 유리한다.

②
회장의 절단
끝을 재건
봉합하여
맹단이 된다

유리한 회장의 근위부는 맹단으로 하고,
재건한 소화관의 아래쪽으로 가져온다.

③
요관문합

유리장관의 근위부 끝 부근에서 요관을 단측 연결한다.

④
우복벽 하부에
개구

요관 연결 후, 원위부를 우복벽 하부에 개구한다.
개구부에 소변백을 장착한다.

■ 자가도뇨형 저장고(요자제형 대용방광조성술) continent urinary reservoir (CUR)

회장이나 결장의 일부를 잘라내어 주머니 모양으로 형성한 후에 요관과 연결하고, 복벽에 소변의 출구가 되는 개구부(스토마(stoma)라고 한다)를 만드는 방법입니다. 그때, 요자제(urinary continence)도 유지할 수 있게 합니다. 배뇨 방법은 카테터에 의한 도뇨입니다. 본법의 단점은 합병증을 일으키기 쉬운 점과 수술이 복잡한 점입니다.

● Indiana pouch법

상행결장을 이용하여 파우치*를 만듭니다. 소변이 고여 하복부(파우치를 수납하고 있는 곳)가 충만하게

---

* **파우치** pouch
　"주머니, 작은 주머니, 소품주머니"라는 의미로, 여성이 화장품 등을 넣어 두는 이른바 "파우치"도 이 pouch입니다.

되면 카테터로 도뇨합니다. 인디아나대학에서 개발되어 이 명칭이 붙여졌습니다.

본법은 수기가 비교적 간단하고, 역류 방지에는 점막하 터널법을, 실금 방지에는 회맹판과 수출각(輸出脚)의 "주름형성(plication)"을 합니다. 따라서 인공 재료와 같은 생체에 대한 이물을 사용하지 않는다는 점에서도 뛰어난 수술이라고 할 수 있습니다.

수술 후 조기 합병증(창상 감염, 창상 이개, 장폐색)과 만기 합병증(결석 형성, 스토마 협착, 요관연결부 협착, 산증, 장폐색)이 있지만, 다음에 기술하는 Kock pouch법과 비교하면 적은 편입니다.

● Kock pouch법

회장을 이용하여 파우치를 만들고, 카테터로 도뇨하는 것입니다. 소변이 저류되어도 파우치 내압이 그다지 항진되지 않는 장점이 있지만, 수술 후 장기간이 경과하면 요관과 파우치를 문합한 수입각(輸入脚)에 만드는 요역류 방지를 위한 nipple valve(장관을 중적시켜서 판막기능을 하게 한다)에 기능부전이 생기는 수가 있습니다.

■ 자연배뇨형 대용방광조성술, 신방광조성술 neobladder

회장 등을 이용하여 새로 방광을 만들고, 이 인공적으로 만든 방광과 요도를 연결하여 외요도구에서 배뇨할 수 있게 하는 방법입니다. 본법은 스토마가 아닙니다. 실제 배뇨는 자가도뇨와 복압 배뇨 훈련으로 합니다.

방광경부나 전립선부 요도에 있는 방광암 등에서 시행되는 방광전절제술에서는 동시에 요도도 적출하는데, 방광 정부 등에 국한된 침윤성 방광암에서는 요도를 남기는 것이 가능합니다. 이 요도를 이용하여 자연배뇨가 가능한 새 방광을 만드는 것이 **신방광조성술**입니다. 단점에는 남긴 요도의 종양 재발에는 엄중한 주의가 필요한 점, 필요한 수기·수순이 증가하는 점, 봉합이 복잡하고 요도와의 연결도 어려운 점 등을 들 수 있습니다. 또 소변이 대용방광 내에 오래 정체하는 점에서, 자제형 대용방광조성술과 같이 고Cl성 대사성 산증을 일으키기도 합니다.

한글 찾아보기

영어 찾아보기

블럭강의, 문제집만으론 이해가 안될때
힘을 내요, 슈퍼 파~월~

POWER 시리즈

전공의때까지
쓸수있어요.

POWER는 달라요!!

- 국시대비 뿐만 아니라 전공의, 전문의때도 보실 수 있게끔 구성된 참고서에요.
- 원서 및 두꺼운 교과서의 장점을 Simple하게 정리하여 블럭강의로 부족한 부분에 도움이 되시게끔 제작하였어요.
- 기존판의 오류, 오래된 데이터는 최신 가이드라인에 맞게 전부 수정했어요.

PK실습용품도 전국 최저가로 드려요!! (3M · Spirit 공식딜러)

- 교재로 받은 사랑에 보답하고자 의료기기쇼핑몰 사업부를 운영하여 노마진으로 드리고 있어요.

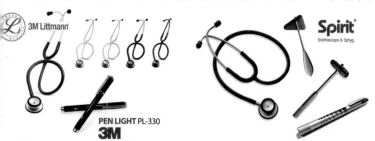

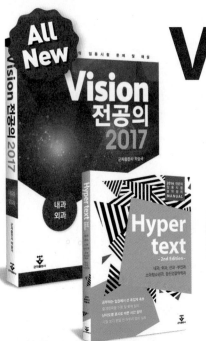